Né en Argentine en 1898, de famille juive,
Kessel passe une partie de son enfance en Russie,
avant de venir à Paris poursuivre des études qu'il
interrompt en 1916 pour s'engager dans l'aviation.
Son expérience de la guerre, ses voyages et ses
séjours à l'étranger (aux États-Unis et en Asie), ses
incursions dans les bas-fonds de Paris sont à l'origine
de premiers récits, reportages et romans, parmi lesquels *L'équipage* (1923) et *Fortune carrée* (1930).
Aux côtés des républicains lors de la guerre
d'Espagne, il est correspondant de guerre pendant le
second conflit mondial, avant de rejoindre les
Forces françaises libres. Une aventure dont se res-
sent son œuvre, où s'expriment dès lors fraternité et
compassion à l'égard du prochain : désormais enri-
chie du *Chant des partisans,* écrit avec Maurice
Druon, elle se veut, comme l'indique l'un de ses
titres, celle d'un *Témoin parmi les hommes* (1956).
Le lion (1958), qui restera son plus grand succès,
montre qu'après *Belle de jour* (1928), elle sait faire
sa place à la rêverie et l'innocence. En 1963, il est
élu à l'Académie française. Continuant à arpenter le
monde dans les dernières années de sa vie, il laisse,
avec *Les Cavaliers* (1967), un document sur les
mœurs encore mal connues des Afghans. Il s'éteint
en 1979, à Avernes (Val-d'Oise), léguant à la posté-
rité une œuvre riche d'environ 80 volumes.

JOSEPH KESSEL

de l'Académie française

FORTUNE CARRÉE

JULLIARD

© René Julliard, 1955.

ISBN 978-2-266-12880-3

PRÉSENTATION DE L'ŒUVRE

par Yves COURRIÈRE *

Momentanément soulagé, grâce à l'écriture, de son désaccord avec lui-même, en 1931 Kessel entreprit la rédaction du grand roman d'aventures dont l'idée lui était venue sur le plateau volcanique de Sanaa en voyant « le Moscovite » caracoler sur l'étalon de l'imam du Yémen. Une histoire virile, comme il les aimait, tout organisée autour de deux personnages exceptionnels, hommes violents et sans attaches : Hakimoff et Henri de Monfreid.

C'est dans la joie qu'il commença à écrire *Fortune carrée*. C'est dans la fureur qu'il l'acheva.

Quel soulagement joyeux de pouvoir peindre la réalité sans reconstruction intérieure, sans *clefs* ! Dans *l'Équipage, les Captifs, Belle de jour* et même *le Coup de grâce,* Kessel, se servant d'événements d'ordre sentimental personnels, avait radicalement transformé le réel. Rien de tout cela dans *Fortune carrée.* Seulement la célébration de la violence — qui l'attirait plus que jamais — et de l'amitié qui décidément était le plus beau, le plus fort des sentiments. Et comme cadre, les terres désolées des confins de l'Afrique et de l'Asie où il venait de vivre la plus belle aventure de sa vie.

---

* Extrait de la biographie de J. Kessel par Yves Courrière : *Joseph Kessel ou la piste du lion,* Plon 1985.

I

Joseph Kessel organisa son récit en trois parties : le Yémen, la mer Rouge et l'Éthiopie-Somalie dont les paysages inoubliables hantaient sa mémoire. Quant aux personnages, principaux ou secondaires, inutile d'inventer, il les avait tous rencontrés. Hakimoff, Monfreid, Cadi Rahib, le Dr Babadjian, Omar, le sergent Hussein, Gouri, le tueur aux bracelets de peau humaine, étaient assez originaux, assez puissants, leur itinéraire et leur destin assez exceptionnels pour dispenser l'auteur de toute fiction.

Igricheff, bâtard kirghize d'un comte russe (mélange d'Hakimoff et du prince André Bers), est chef de la mission soviétique au Yémen. Tenu en haute estime par l'imam, protégé par le « ministre des Affaires étrangères » Cadi Djemal (Cadi Rahib), Igricheff, « qui aimait le despotisme pourvu qu'il lui assurât une pleine liberté et des privilèges sans contrôle », coule des jours heureux à Sanaa. A l'heure où il rêve de découvrir Mareb, le régime bolchevik le rappelle à Moscou. Le Kirghize dont « l'existence entière n'avait été qu'une course lucide sur les marches extrêmes du plaisir, de la violence et de la mort », décide alors de rompre avec les Soviets et de répondre à l'appel de l'aventure. Fuyant Sanaa, poursuivi par les askaris de l'imam pour avoir confondu ses propres deniers avec la caisse de la mission (événement qui n'était pas sans rapport avec la vie des frères Kessel), Igricheff rejoint le parti des féroces pirates zaranigs dont il assure dans un premier temps la victoire. Fait prisonnier par un chef yéménite, il s'évade et parvient à gagner la mer Rouge et à embarquer *in extremis* à bord d'un boutre où deux Français transportent clandestinement une cargaison d'armes. Fin de la première partie. Avec une puissance jusque-là inégalée, Joseph Kessel y mêlait la description des paysages sauvages et magnifiques qui lui avaient coupé le souffle lors du long voyage d'Hodeïda à Sanna et la relation de combats d'une férocité à peine soutenable où s'exprimait sa fascination pour la guerre et la violence. Igricheff, « fait de telle sorte qu'une impatience sans but le dévorait toujours lorsqu'il ne s'abandonnait pas à une paresse sans limite », s'y révélait un homme selon son cœur... et bien souvent à son image.

La vie à bord du boutre, l'itinéraire du contrebandier Daniel Mordhom, portrait fidèle d'Henry de Monfreid, et celui de Philippe, jeune homme riche qui voyage par dilettantisme, occupaient la deuxième partie du livre. Kessel y chantait son admiration pour Monfreid, son sens de l'amitié, son dédain des valeurs établies. Mi-Kipling mi-Dumas, il faisait naître sur le passage de Mordhom les légendes vécues par les pêcheurs de perles, les *nakoudas,* les derniers pirates, recueillies grâce à Émile Peyré auprès de l'équipage du *Mousterieh.* On y retrouvait la tempête, le salut venu de la fortune carrée hissée à temps, le havre de grâce offert par l'île noire. Mais surtout Mordhom s'y révélait d'une autre qualité que le bâtard kirghize. Ses réflexions intermittentes sur la vie, sa constante lucidité, sa crainte de perdre dans l'aventure la dernière lueur d'humanité qui l'habitait et ainsi devenir un Igricheff au cœur insensible, révélaient une sagesse durement conquise et difficilement transmissible. L'amitié qui unissait le jeune Philippe à Mordhom était l'exact reflet de celle nouée entre Kessel et Monfreid un an auparavant.

La dernière partie, la plus attachante, était le récit « héroïque » de la traversée des déserts d'Abyssinie et danakil et la transformation de Philippe qui, abandonné par Igricheff, donnait enfin la pleine mesure de sa valeur... et de ses limites. Comme le jeune homme, Jef avait appris la solitude, cet « étincelant et tragique miroir qui réfractait toutes les émotions, tous les espoirs, tous les effrois ». Comme lui, il avait dû s'avouer que, « à ce prix, il ne pourrait jamais être un aventurier » à l'image de Monfreid. Et s'il avait échappé à la vengeance du tueur dankali Gouri — Philippe, lui, y succombait — Kessel avait connu comme son héros la joie de retrouver après tant de périls un ami sûr.

Dans ce roman de pure aventure, Joseph Kessel avouait, une fois encore, sa double nature et ses désirs insatisfaits. Il aurait voulu être Igricheff, homme prêt à toutes les folies que son destin mène sans qu'il le discute. Et il ne l'était pas. Il aurait voulu être Mordhom, homme de sagesse et de réflexion mais capable de surmonter la perte d'un être cher en se battant contre les éléments déchaînés et en hissant, une dernière fois peut-être, la fortune carrée. Et il ne s'en sentait pas la force.

Fasciné par la beauté aride, la sauvage grandeur de ces terres orientales capables de façonner des hommes tout d'une pièce, Kessel écrit *Fortune carrée* dans un état second. Plus rien ni personne n'avait d'importance que son livre, rédigé comme si quelqu'un s'était installé à sa place et conduisait sa plume. Seize à dix-huit heures par jour, il noircissait les demi-feuillets de son écriture illisible. Aucun plaisir n'était comparable à celui qu'il éprouvait. Lorsqu'il eut surmonté avec ses héros les écueils de la mer Rouge, ce n'était plus lui qui portait le livre, mais le livre qui le portait, les personnages qui l'entraînaient. Abordant la fin de son récit, il lui devint même impossible de se nourrir, de dormir. Il ne *pouvait* plus s'arrêter. Soutenu par le café dont Omar seul savait doser la puissance, et par d'innombrables cigarettes, il termina *Fortune carrée* dans un rush final de cinquante heures qui le laissa épuisé et pantelant. Jamais, lui semblait-il, il n'avait mis autant de lui-même que dans cet hymne à l'amitié, à la virilité, au danger fraternellement partagé.

Jamais non plus depuis l'aventure abyssine il n'avait ressenti, tel Mordhom, le vide affreux de son âme qu'il devait remplir à tout prix.

IV

PREMIER ÉPISODE

CHAÏTANE

1

LE CAVALIER DU DIABLE

A cinq jours de marche forcée de la mer Rouge et à trois mille mètres environ d'altitude, s'étale, au sud-ouest de la presqu'île arabique, un cirque vaste et rocailleux qui porte Sanaa, l'antique capitale du Yémen qu'on appelait jadis Arabie Heureuse.

Des montagnes aiguës gardent de toutes parts le plateau immense. Chaque pic est couronné d'un village fortifié, et ce sont autant de sentinelles de la cité de l'Imam. Du côté de la mer ainsi que du côté des terres, au Sud, au Nord, à l'Est et à l'Ouest, sans cesse ni défaillance, il semble qu'une force mystérieuse et toute-puissante a élevé ces jets de pierre qui se perdent dans les nuages pour composer d'inaltérables remparts aux formes de la nature et de la vie des hommes.

Le sol du plateau est fait de pierres grises, les flancs des monts — de roches sombres, pour l'éternité. L'eau a fixé à jamais les places des villages et des maisons, des jardins, des vergers et de la vieille capitale. Le trajet des caravanes a tracé les pistes pâles, immuablement. Les chameaux noirs des montagnes avancent avec lenteur, formant, au long des siècles, la même frise. Leurs conducteurs ne changent pas davantage. Les traits fins et purs, la peau lisse et ambrée, la barbe soyeuse, minces et bien pris dans leurs vêtements flottants, leur race est intacte. Et les femmes ont cette grâce légère et ces yeux larges et doux taillés en amande que chantait déjà le *Cantique des cantiques*.

Ainsi se présente au rare voyageur admis à y pénétrer, à l'abri de toute corruption et de toute souillure, le réduit de la Foi, la citadelle du Yémen.

Or, par un matin d'automne, un cavalier sortit de la porte ouest de Sanaa. Son cheval était arabe, mais le harnachement occidental. Lui-même portait des culottes de drap kaki, une vareuse et des guêtres de cuir. Sur le front et posé de travers avançait le kolback turc, bonnet d'astrakan noir, qui accusait le caractère asiatique de son visage. On ne pouvait saisir son regard tellement étaient lourdes les paupières et minces les filets sombres qui brillaient entre elles. Les pommettes très écartées bossuaient les joues teintées de jaune. Pourtant l'aplomb des membres, le port du cou, les proportions du corps, de taille moyenne, ferme et robuste, portaient le signe de l'Europe. Cet homme singulier, qui rassemblait les rênes de sa monture pour la lancer et qui se détachait comme un centaure sur le fond des murailles de la capitale, était de nationalité russe et s'appelait Igricheff.

A la fin du siècle précédent, quelques tribus nomades s'étaient soulevées dans le district kirghize du Turkestan. Le comte Igricheff, qui tenait alors garnison à Samarkand, fut chargé de réprimer la révolte.

Il mena vite et durement sa besogne. Puis arriva la période monotone de la surveillance. Le comte Igricheff remarqua la fille à peine nubile d'un chef soumis. Elle le suivit dans ses déplacements. Un an après ils eurent un fils. Le petit sang mêlé commençait à être nourri au lait de jument lorsque le comte fut nommé à Tachkent. Ne voulant pas s'y montrer avec sa concubine et son bâtard, il les fixa dans un hameau voisin de la ville et les oublia.

Le comte Igricheff se préparait à rentrer à Saint-Pétersbourg, lorsque la curiosité lui vint de revoir son fils. Il trouva un enfant à demi nu, qui sautait sans selle ni étrier sur n'importe lequel des chevaux du village. Il savait à peine quelques mots de russe, mais parlait tous les dialectes du Turkestan.

Séduit, le comte emmena son bâtard à l'autre bout de la Russie, le reconnut, lui donna des gouverneurs étrangers, le fit entrer à l'École des Pages. Il se montra d'intelligence vive et d'assimilation prompte. Mais, pour la grande guerre, le jeune officier demanda à commander, dans la division sauvage, un peloton de cavaliers bachkires. Il chargea à cheval sur des tranchées, fut blessé trois fois, perdit aux cartes l'héritage de son père, vendit des propriétés qui ne lui appartenaient pas, sabra des civils, tortura des femmes. Son nom, son courage inconscient, le magnétisme qui émanait de lui firent que tout s'arrangea. Pourtant son déchaînement à froid, son incapacité à supporter, sauf au combat, la moindre discipline, eussent lassé toute bienveillance si la révolution n'était venue.

Il alla naturellement au désordre. Il commanda des ouvriers, des matelots, pilla, puis enleva Arkhangel pour le compte des blancs, dilapida le trésor de la ville, fut jugé, s'échappa, revint aux rouges, se battit contre les Tchèques, les troupes de Koltchak, les cosaques d'Orenbourg, les volontaires de Wrangel, toujours à cheval, toujours calme et toujours effréné.

La guerre civile prit fin. Igricheff, dont on connaissait le sang kirghize, fut nommé au cours des agitateurs pour l'Orient. Il y apprit aisément l'arabe, les rites détaillés de la religion musulmane dont son enfance avait connu les rudiments. Mais sa patience était à bout. Il se moquait ouvertement du parti. Il fut expédié à Djeddah pour y négocier un traité de commerce avec le roi Ibn Saoud. Il y réussit très vite. La même mission lui fut confiée auprès de l'Imam du Yémen. Il l'avait remplie avec autant de succès.

Maintenant, libre de soucis et d'entraves, sans penser au lendemain, il courait à travers le plateau de lave qui portait Sanaa.

Igricheff menait son galop comme un voyant conduit son délire. Il recueillait le rythme, la vigueur, la foi de son cheval et les rendait à ses flancs minces que blanchissait l'écume. Il voyait seulement la piste de cailloux gris qui venait merveilleusement à sa rencontre, il entendait seulement siffler le vent des djebels et retentir la cadence héroïque des sabots.

Chaque fois qu'il traversait en foudre le plateau de Sanaa, la même ivresse sauvage fondait sur Igricheff. Bien qu'il eût, dans tous ses muscles et toutes ses cellules, l'habitude de ces chevauchées sans frein, étant pour ainsi dire né à cheval, il éprouvait une frénésie toute pure et toute neuve quand Chaïtane hennissait et prenait son élan. Jamais il n'avait eu un pareil coursier. Il avait monté bien des bêtes magnifiques, — petits chevaux kirghizes et cosaques, à longue crinière, infatigables, intelligents et fidèles comme des chiens, grands trotteurs du Don et de l'Orel, aux robes polies, aux puissantes foulées, — mais la finesse, l'harmonie de formes, la détente et le sang indomptable de son étalon arabe, il ne les pouvait comparer à rien.

Chaïtane venait des écuries de l'Imam lui-même dont il était la gloire.

Quand l'esclave favori du palais l'avait amené tout harnaché dans la cour de la mission russe comme symbole d'amitié avec les Moscovites (on appelait ainsi les Soviets dans le pays), le cœur d'Igricheff, si dur, si tranquille, avait battu plus fort.

Il connaissait le cheval pour l'avoir vu porter le fils aîné de l'Imam. Il savait que le prince n'avait pu l'obtenir de son père. Il savait aussi le nom de Chaïtane — le diable — que lui avaient donné les palefreniers noirs. Et pour ce cadeau seul il eût aimé le Yémen.

Mais, en outre, dans l'ordonnance fantastique des monts, dans le mouvement d'un peuple porté si haut et si loin, dans cette pérennité inflexible et pourtant vivante, il y avait un caractère farouche et miraculeux qui comblait les sens du bâtard kirghize.

Le ciel, découpé par les arêtes violentes des djebels,

formait des anses et des golfes d'azur glacé. Des bouquets d'arbres parsemaient le haut plateau, et leur verdure se voyait de loin, sur l'aridité volcanique. Des aigles blancs volaient tout près du sol. Chaïtane semblait vouloir les battre de vitesse. Il poussait son effort jusqu'à la limite où se brisent les vaisseaux sanguins.

Les premiers jours qu'il l'avait eu, Igricheff avait retenu l'étalon, effrayé. Mais il avait bientôt senti que la vertu propre de Chaïtane était précisément le sens du suprême équilibre, aux bornes de la passion et de la vie. Et le cœur d'Igricheff se réjouit d'une joie plus pénétrante, plus sérieuse que celle de posséder un cheval incomparable. Ce démon que Chaïtane recelait dans ses flancs, son cavalier le portait aussi. Son existence entière n'avait été qu'une course lucide sur les marches extrêmes du plaisir, de la violence et de la mort.

Tout en suivant de tous les muscles la cadence furieuse de l'étalon, tout en aspirant la force véhémente, la force grise du plateau de Sanaa, Igricheff, sur son Chaïtane ailé, riait silencieusement. Ses lèvres étroites comme le fil d'un couteau lui donnaient toujours, lorsqu'elles se dilataient, l'apparence de la douleur. Il riait de mépris et de plaisir. Il pensait aux dernières années qu'il avait vécues comme écolier, aux derniers mois qu'il avait passés en diplomate. Non, cela ne recommencerait plus, il le jurait par les voleans qui le cernaient, par les aigles qui le survolaient. Maintenant qu'il avait le diable entre ses cuisses de fer, quelque chose allait arriver qu'il ignorait, mais qui allait prolonger la guerre, les steppes, le vent.

Il se pencha davantage sur l'encolure de Chaïtane. Une file de chameaux noirs, chargés de caisses et de ballots et que ses yeux, invisibles mais perçants comme ceux des éperviers, avaient aperçus au loin, des portes mêmes de Sanaa, se rapprochait de lui, suivant l'unique piste. Sans prévenir d'un cri, et débouchant d'un bouquet de sycomores, il fonça parmi les bêtes épouvantées. La dispersion de la caravane, les gueules bramantes, les vociférations des conducteurs accentuèrent l'expression de souffrance qui était signe de joie chez Igricheff. Plate, rugueuse, coupée de ravinements que Chaïtane franchissait d'un bond léger, l'étendue grise appelait, ravissait le fils de la Kirghize.

Plus loin, des cavaliers qui couraient à sa rencontre le saluèrent de clameurs aiguës. Leurs longs fusils étincelaient au soleil. Le vent gonflait leurs amples tuniques, leurs cheveux bouclés. Ils galopaient, renversés en arrière, les pieds nus dans d'étroits étriers. Celui qui venait en tête avait une sacoche pendue à sa selle.

« Le courrier d'Europe », pensa Igricheff.

Ces hommes arrivaient de Hodeïdah, où relâchaient les cargos (six jours de marche, de mulet ou de cheval, sans repos). Igricheff les croisa sans ralentir, les entendit crier avec vénération « Chaïtane, Chaïtane! », et devina que leur premier mouvement avait été de tourner bride pour suivre l'étalon fulgurant. Mais quand il se retourna ils n'étaient plus que des insectes dans la poussière.

Soudain, ce terrain égal ennuya Igricheff. Il était arrivé à mi-chemin de Sanaa et du col par où l'on descend vers la mer. Les montagnes se resserraient autour de lui, commençant à fermer leur cirque. Il aperçut sur sa droite un sentier qui menait à des hauteurs toutes proches. Il y lança Chaïtane. Des pierres se détachèrent sous les sabots, la montée devint rude. L'étalon galopait toujours, d'un train moins rapide, mais souple et aisé. Ils passèrent un village fortifié, plein de guerriers en armes, puis la pente grimpant toujours et Chaïtane toujours galopant, s'engagèrent dans un petit bois de cyprès.

Un bruit de source dirigea Igricheff. Il trouva un long escalier sinueux et taillé dans le roc. Son cheval le gravit au galop de chasse. Puis de lui-même il s'arrêta. Igricheff comprit que l'Imam était venu souvent à cette résidence. Il approuva son goût.

Au milieu d'arbres fruitiers et d'ombrages fins s'élevait une mosquée, petite, tranquille et noble. Au pied de ses murs et de tous les côtés, des canaux étroits propageaient une eau vive. Son ruissellement régulier, les cris des oiseaux et la faible rumeur du vent dans les branches entouraient le sanctuaire silencieux. Tout près s'élevait la maison royale construite pour les chaleurs de l'été. Elle était basse, carrée. Igricheff qui avait les faveurs de l'Imam, ce dont tous ses serviteurs avaient été informés, la fit ouvrir. On lui apporta du café lourd, embaumé, le plus riche qui soit au monde. Il le but et rêva.

On ne pouvait donner aucun sens à son visage.

Il revint ainsi qu'il était venu, en ouragan. Et comme si la fureur de Chaïtane avait besoin d'être échauffée, il poussait de temps en temps le cri strident des cavaliers mongols « haï! haï! haï! » Chaque fois que cette clameur sauvage passait sur lui, l'étalon dressait les oreilles, hennissait et précipitait son galop, secouant la tête comme brûlé d'une souffrance insupportable.

Sur la pierre grise du plateau se détachèrent, massives et baignées de ciel, les tours et les murailles de Sanaa.

2

LES POLITESSES DU CADI

IL n'est pas dans tout l'Orient de grande cité qui puisse donner une idée de Sanaa. Ni le Caire, au bord du désert que surveille le sphinx. Ni Damas, reine de Syrie, molle et subtile, noyée dans son verger géant.

Ni Jérusalem, bloc compact de voûtes, d'arceaux, de ruelles, d'exaltation, de haine et d'amour.

Sanaa, au milieu de la coupe prodigieuse de pierre et de lave que ferment les djebels yéménites, se dresse isolée du monde et près du ciel. Flanquée de donjons ronds et pesants, cernée par d'épaisses enceintes crénelées, elle est vaste, solide, bâtie en force et tranquillité. Elle semble issue du sol même, toute posée dans sa force, sa fierté et sa sobre noblesse. Ainsi que le haut plateau qui la soutient, Sanaa porte le sceau de la fable et de la vie en même temps.

Les maisons forment des alignements sévères. Elles sont hautes de cinq et six étages et faites de pierres si bien ajustées qu'elles tiennent sans ciment ni mortier depuis des siècles. Des bandes de chaux vive éclairent les murs gris et séparent les rangées de fenêtres aux verres multicolores. Chacune d'elles a l'air d'un palais et d'une forteresse. Et les ornements de bois ouvragé, sculpté, dentelé avec une habileté et une patience infinies, donnent une grâce étrange à cette vigueur minérale. Au fond des vastes et mystérieux jardins que l'on devine derrière les enceintes aveugles, le bruit rythmé, gémissant, des poulies d'eau qui ne cesse ni la nuit ni le jour forme le souffle et la voix de cette ville et de son éternité.

Le peuple achève le miracle. Peuple ardent et aimable, pur de traits et de vêtements, qui remplit les souks, les mosquées et les places de son tumulte, de son commerce, de l'éclat de ses armes, de la violence sereine de sa foi. Il est formé de montagnards au pas dansant; de caravaniers hâlés, de Juifs aux longues lévites blanches et bleues, aux yeux intelligents et doux encadrés de papillotes; de scribes affinés; de marchands aux turbans de soie; de seigneurs à cheval et suivis d'escortes; de Bédouins sauvages dont le torse nu se voit parmi des peaux de bêtes; d'askers (1) déguenillés et farouches; d'enfants beaux et vifs; de femmes voilées.

(1) Soldats, gardes.

Tous, même les plus jeunes garçons et sauf les Juifs, portent à la ceinture d'étoffe qui entoure leurs reins les poignards du Yémen qui, dans un même fourreau, joignent leurs poignées et leurs lames. Tous vont les jambes nues et les cheveux bouclés jusqu'aux épaules. Tous ont la tête haute et le torse droit sur des hanches minces. Ils sont tranquilles, fiers et légers, prompts au sourire comme au meurtre, sans réflexion ni souci, car, sur eux, plantés aux toits des mosquées, des tours et des palais, flottent les étendards de l'Imam, le maître de leur corps et de leur âme, oriflammes pourpres qui portent, incurvé entre sept étoiles blanches, un cimeterre blanc.

Telle était la ville aux portes de laquelle, par ce matin d'automne, Igricheff arrêta Chaïtane fumant.

Un cavalier l'y attendait qui lui sourit de ses dents magnifiques, plus blanches de briller au milieu d'une barbe noire, légère et lustrée. C'était Hussein, chaouch (1) des askers que l'Imam avait donnés au chef moscovite pour lui servir de gardes, de serviteurs, et peut-être de surveillants. Hussein avait pour consigne de ne pas quitter Igricheff. Mais peut-on suivre le diable? Franchis les murs de Sanaa, le chaouch ne l'essayait même pas.

— Par le Prophète, dit Hussein, après avoir salué Igricheff, sous toi Chaïtane est plus rapide que lui-même.

Le fils de la Kirghize flatta l'encolure de son cheval d'une main orgueilleuse. C'était la seule louange qui le pût toucher.

— Tu le soignes bien, répondit-il, et je le ferai savoir à Cadi Djemal.

Un nouveau sourire à la fois enfantin et viril éclaira le visage régulier du chaouch. Il rejeta son fusil derrière l'épaule, assujettit les cartouchières qui lui enveloppaient la poitrine et se rangea derrière Igricheff.

(1) Chef subalterne.

17

L'un après l'autre, au pas, ils entrèrent dans la cité. Ils étaient contents d'aller ainsi au milieu de la foule. Hussein était fier de suivre un chef qui montait si bien, qui venait de loin, était généreux et se montrait un musulman parfait. Igricheff estimait chez Hussein la vigueur féline, la liberté respectueuse du langage et la fidélité.

C'était l'heure où venait de finir la cinquième prière, *Dhohr*. Le peuple sortant des soixante-dix mosquées disséminées dans Sanaa se répandait à flots pressés et bruyants à travers les souks et les places.

— *Tareg! Tareg!* (1) criait Hussein sans répit.

La foule s'écartait, obéissante, gaie. Elle connaissait bien la silhouette d'Igricheff, le seul étranger parmi les six (deux Anglais, un Italien et trois Russes) admis à résider à Sanaa, qui sortît souvent dans les rues. Il jouissait de l'estime du peuple parce qu'il montait Chaïtane, parce qu'il avait la figure hautaine et que, en même temps, il savait parler aux petites gens comme aux seigneurs. Et lui, il aimait cette foule pour sa docilité qui n'avait rien de servile.

Igricheff trouvait bon qu'elle subît la loi de l'Imam comme une loi naturelle. Il trouvait bon que le souverain se fût réservé pour lui seul une source particulièrement suave à vingt kilomètres de la capitale, l'eût fait clore de murs, couvrir d'une coupole, et que chaque jour une petite caravane lui en portât quelques outres toutes fraîches. Il trouvait bon que nul au monde, pas même le fils de l'Imam, ne pût venir à Sanaa sans sa permission, que le maître du Yémen n'admît pas un consul étranger sur sa terre, pour que sous le ciel du Téhama comme sous celui des Djebels fussent seuls à s'éployer les rouges étendards marqués de sept étoiles et d'une lame blanches. Igricheff aimait le despotisme pourvu qu'il lui assurât une pleine liberté et des privilèges sans contrôle. Au Yémen, il avait retrouvé le seul climat où il lui fût possible d'être lui-

(1) Place! place!

18

même. Et il avait Hussein pour le servir et Chaïtane pour le porter...

L'Imam avait logé la mission russe dans l'une de ses demeures.

Elle était vaste et noble. La porte d'accès fixée au mur d'enceinte ouvrait sur un corps de garde. Six askers y veillaient à demeure. Puis, venaient les écuries, puis un immense jardin et verger à la fois. Parmi ses ombrages s'élevait une haute maison. Elle était précédée d'un autre corps de garde où se trouvaient encore six askers prêts à s'élancer au moindre signe pour le service des étrangers. Le bas de la façade, percé de longues fenêtres ouvragées, était dissimulé par une terrasse couverte de feuillages. Devant, un jet d'eau chantait. A l'intérieur se voyait le même faste sobre. Peu de meubles, mais de beaux tapis, des tentures riches et fraîches, des coussins ardemment bariolés. A chaque étage se trouvait une grande pièce nue, pourvue de rigoles et au sol hérissé de courtes colonnes de fer pour porter les jarres d'eau chaude et d'eau fraîche destinées aux ablutions. Quand l'Imam avait offert cette maison aux Moscovites, il avait fait renouveler sous leurs yeux les lits, les étoffes et tous les ornements. Que tout fût vierge pour eux, ainsi l'avait voulu le souverain. Jusque dans son hospitalité, il montrait un caractère impérieux, absolu.

Igricheff veilla lui-même à ce que Chaïtane fût libéré tout de suite de son harnachement, vérifia la litière, puis fit porter dans sa chambre sa selle qui ne l'avait quitté ni dans la division sauvage, ni dans la cavalerie rouge.

Sur la terrasse l'attendaient les deux autres membres de la mission, le docteur Chougach et le secrétaire Bogoul.

Chougach, Caucasien trapu, aux yeux si noirs qu'ils semblaient sans prunelles, avait su gagner la confiance de l'Imam en lui donnant une nouvelle jeunesse et les bonnes grâces d'Igricheff parce qu'il préparait avec de l'alcool pur une vodka à 75 degrés.

Le secrétaire, tout rond, avait le parler chantant des Petits-Russiens. Il lui manquait un pied, perdu à la guerre civile.

Ils déjeunèrent dans la salle du bas. Igricheff buvait beaucoup. La terrible vodka ne mordait point sur ses nerfs invulnérables. Chougach mélangeait d'eau son produit. Bogoul n'y touchait pas.

— L'Imam se porte beaucoup mieux, dit Chougach, je l'ai vu ce matin. Il m'a suffi de lui choisir une bonne cuisinière au lieu de son mangeur de *cat* (1). L'Imam ne jure plus que par la science russe.

— Docteur, demanda Igricheff, combien faut-il en mâcher de leur herbe, pour avoir un résultat? J'ai essayé tout l'après-midi hier. Rien... aucun effet. Les yeux noyés d'Hussein, des mendiants et des princes m'avaient fait envie.

Chougach répondit sérieusement.

— Vous perdriez votre temps. Leur drogue est trop légère pour vous. Ils ont une sensibilité à fleur de peau. La vôtre, je ne sais vraiment pas où elle est.

— Moi non plus, remarqua Igricheff.

Le docteur parla longuement de la plante miraculeuse des Yéménites qui leur donne force, joie et repos et qui intoxique doucement les cités et les campagnes aux heures chaudes. C'était un des sujets préférés de Chougach. Il préparait un travail sur la nature et les effets de ces pousses vertes et tendres ainsi que sur le ver de Médine qui sort de la peau des habitants du Téhama.

Igricheff ne l'écoutait pas. Il pensait au haschisch du Turkestan, aux tentes de son pays. Bogoul regardait à la dérobée son chef. Le repas prit fin ainsi.

— Je retourne à l'hôpital, déclara Chougach. Je n'ai pas eu le temps de voir tous les malades ce matin. Ils commencent à s'habituer à moi. Même les femmes viennent maintenant. Mais je demande qu'elles soient

(1) Herbe stupéfiante qui pousse en Abyssinie et au Yémen.

toujours accompagnées de leur mari ou de leur père. Je ne veux pas de racontars.

Chougach était musulman de naissance. Il avait l'intuition du Yémen dans le sang.

— C'est vraiment la meilleure propagande que cet hôpital, dit Bogoul lorsque le docteur fut parti. Il l'a organisé très bien... oui... très bien.

Igricheff ne desserra pas ses lèvres étroites. Il y eut un long silence.

— La poste de Moscou est arrivée, dit enfin Bogoul.

Igricheff répondit avec nonchalance.

— Je sais, j'ai vu les courriers sur le plateau.

Un nouveau silence permit d'entendre la molle voix du jet d'eau. Les askers du service de table emportèrent les tasses de café vides, au fond desquelles s'était déposé le marc plein d'arôme.

— Et vous n'attendez pas de lettres? reprit Bogoul.

— Jamais, répondit Igricheff avec l'orgueil de son absolue solitude.

— Je vais voir s'il y a quelque chose pour moi, dit Bogoul.

Igricheff entendit sonner sur les marches de pierres qui menaient aux appartements la jambe articulée de Bogoul. Et il fut sûr, d'un instinct absolu, que le courrier de Moscou lui apportait un mauvais message. Il avait percé depuis longtemps la mission de surveillance que la police politique avait confiée à Bogoul auprès de lui.

Mais quand Hussein remit à Igricheff l'ordre bref qui le rappelait en Russie, le coup dépassa ses prévisions. Il avait pensé recevoir une réprimande, une menace. Il n'avait pu admettre que, sitôt conclu le traité auquel, il le savait, on tenait tant à Moscou, il fût destitué. La perte de son poste ne le préoccupait guère, mais quitter le Yémen...

Il leva ses yeux d'épervier dans un visage où pas un nerf ne jouait, aperçut Hussein qu'il avait oublié de congédier.

— Tu demanderas son heure à Cadi Djemal aujourd'hui, dit-il au chaouch...

Hussein courut au corps de garde et revint quelques instants après.

— Abdallah est parti, annonça-t-il. Et il y a un homme qui veut te parler.

— Non, personne.

— C'est un Bédouin de Mareb qui apporte des images de pierre...

Les yeux du chaouch brillaient comme ceux d'un enfant avide.

— Mareb... Mareb... dit lentement Igricheff. J'ai déjà entendu ce nom ici. Dis-moi ce que tu sais...

Hussein s'accroupit sur les talons, près du divan où s'était allongé Igricheff, dans l'attitude familière du serviteur préféré. Il prit la main de son maître comme pour mieux faire passer en lui son récit et commença :

— Il y a, seigneur, peut-être à cinq jours de marche de Sanaa, peut-être à dix, personne ne le sait, et du côté d'où vient le soleil, la Ville. Nous l'appelons Mareb, mais elle a porté beaucoup d'autres noms dans les temps et les temps. La grande reine des vieux livres l'avait fait bâtir, celle qui régna sur le Yémen et le Nedj et le Jourdain. Puis le sable a pris la Ville, mais les colonnes des palais et des temples sortent encore du désert. Tout l'or, toutes les pierres de la reine sont toujours là. Mais les Bédouins de ce pays savent que si quelqu'un touche à la Ville, la mort viendra sur leurs tribus. Ils gardent la Ville des sables. Et nul n'a pu en approcher. Ni l'Ottoman, ni le Yéménite. Nul sait la route ni la piste. Et ceux qui essayent, les guides bédouins les égarent et les tuent. Tu en as vu, seigneur, de ces Bédouins sur la place de Sanaa avec leurs caravanes. Ils sont nus dans des peaux de bêtes. Leurs cheveux sont comme la laine épaisse de ces peaux. Leurs poignards n'ont pas d'ornements, mais ils frappent mieux que les nôtres. Leurs tribus révèrent Allah, mais aussi des morceaux de bois ou de pierre. On ne sait pas... Voilà ce que je peux te dire de Mareb, la Ville, chef étranger.

Le visage d'Igricheff aux lourdes paupières baissées était un masque passionné. Autant que Hussein, il aimait le merveilleux. Ils restèrent longtemps la main dans la main.

Le pas d'un cheval sur les dalles qui menaient au jardin les tira de ce rêve sans couleur.

— Cadi Djemal te fait savoir que sa maison est toujours ouverte pour toi, dit l'asker envoyé par Hussein.

— Sors Chaïtane, ordonna Igricheff au chaouch.

La vie du dignitaire yéménite, chez lequel se rendait le chef destitué de la mission russe, semblait une fable d'Orient. Il avait vu le jour à Constantinople, au temps de la vieille Turquie, lorsque, sur un empire qui comprenait une partie des Balkans, l'Anatolie, la Syrie, l'Irak, la Palestine, le Hedjaz, le Nedj et le Yémen, régnait Abdul-Hamid, nommé le Sultan Rouge et Commandeur des Croyants. Cadi Djemal s'appelait alors Djemal Pacha. La courbe de son destin était inscrite entre ces deux titres.

Il fut diplomate. Il connut Paris sous Félix Faure. Il resta longtemps à Saint-Pétersbourg. Aux bals de la cour, il fit danser l'impératrice. Quand vint la guerre, il gouvernait Hodeïdah. Mais déjà son loyalisme n'était plus le même. Un mauvais vent soufflait sur la Turquie. Et lorsque l'Imam yéménite arracha le pouvoir aux hommes de Stamboul, le gouverneur d'Hodeïdah offrit ses services au vainqueur. De pacha turc il devint cadi arabe. Étant seul à connaître les langues et les mœurs d'Occident, il fut chargé par son nouveau maître des relations avec l'étranger. La méfiance entourait cet ancien oppresseur, suspect également pour avoir vécu si longtemps parmi des infidèles. Mais, cloîtré dans Sanaa, coupé du monde par les djebels couronnés de nids d'aigles et d'hommes en armes, Cadi Djemal déjouait tous les pièges. Il n'avait pas été élevé en vain à l'ombre des sérails et des palais tragiques du Bosphore.

Cadi Djemal reçut Igricheff sur le seuil de sa maison

23

retirée et modeste. C'était un grand et beau vieillard, tout droit dans sa longue et flottante robe de soie. Un turban haut, merveilleusement noué, ceignait son front très large. Le visage régulier, étroit, allait en s'amincissant jusqu'à la courte barbe blanche. Les yeux brûlaient, profondément enfoncés sous des sourcils gris épais. Ses mains magnifiques jouaient avec les amples manches de son vêtement. Il les porta à hauteur de la tête pour saluer Igricheff et dit en français, qu'il parlait mieux que le russe :

— Mon cher et noble ami, comme je suis heureux de vous voir! Comme vous convenez bien à mon vieux cœur! Chaque fois, vous me rappelez les belles soirées de Saint-Pétersbourg.

Dès leur première rencontre à Sanaa, Cadi Djemal avait reconnu dans le chef moscovite le jeune officier qu'il avait vu, déjà hautain et fermé, près de vingt ans auparavant aux fêtes de la cour impériale. Tout autre qu'Igricheff eût admiré les jeux du destin qui les réunissait si loin dans le temps et l'espace, mais sa propre vie était un tel défi à la vraisemblance que rien ne l'y pouvait étonner. Il fut simplement satisfait de trouver, pour sa mission, un partenaire d'esprit vif et de bonnes manières.

— Je vous salue, Excellence, dit-il en joignant les talons.

Ses éperons sonnèrent.

— Excellence! Excellence! répliqua le vieillard avec bonhomie, vous l'êtes plus que moi, mon grand ami. Je ne suis, vous le savez bien, qu'un pauvre serviteur sans titre de Sa Majesté.

Le cadi usait toujours de cette humilité, mais à l'ordinaire sa feinte était peu appuyée et comme protocolaire. Cette fois, il mit dans sa voix plus de conviction. L'instinct d'Igricheff, si vivant sous sa nonchalance, fut aussitôt alerté.

« Il doit savoir déjà », pensa-t-il.

Les deux hommes pénétrèrent dans le cabinet du cadi, une pièce carrée et nue.

— Excellence, dit Igricheff, je viens vous demander d'obtenir le plus vite possible une audience pour moi auprès de Sa Majesté. Je veux lui présenter mes respects avant de quitter le Yémen.

Si l'intuition du cavalier de Chaïtane n'avait pas été infaillible, il eût sûrement accepté pour sincère l'émotion que montra Cadi Djemal. Le vieillard lui saisit les mains, se pencha vers son visage et, les yeux pleins d'une tristesse parfaite, s'écria :

— Quelle dure nouvelle, mon ami, vous apportez à mon vieux cœur! Vous en étiez la joie, le soleil. Nous n'avons pas su vous rendre le séjour ici assez agréable sans doute. Notre pays est pauvre et peu civilisé, je le sais, hélas! Nous l'avions mis à vos pieds, mais l'Europe, la belle Europe vous fait soupirer d'impatience, je le sens. Je vous comprends, mais quel chagrin pour moi!

Igricheff n'écoutait pas ces propos. Il en suivait seulement la cadence, qu'il connaissait. Lorsqu'il sentit qu'arrivait la fin de cette sorte de phrase musicale, il répondit :

— Votre modestie est grande, Excellence, jamais pays ne m'a plu autant que le vôtre.

— Quelle courtoisie exquise, mais dont je ne peux, hélas! pas me leurrer.

— Jamais pays ne m'a plu autant, répéta durement Igricheff, mais ma mission est terminée. Je dois partir. A moins que...

— Dites vite, mon ami, dites vite, l'espoir revient dans ma vieille poitrine, s'écria Cadi Djemal, dont les manches s'agitèrent comme des ailes.

— Laissez-moi choisir cinquante cavaliers et je vais à Mareb, dit Igricheff.

La plus profonde désolation parut sur le visage du vieillard. Ses mains retombèrent le long de son corps et il murmura :

— Allah m'envoie ce jour pour me châtier de mes fautes. Et certes, il ne pouvait trouver de punition plus cruelle. J'apprends dans la même heure que mon soleil nous quitte et que pourtant nous pourrions le garder et que je ne puis rien faire pour cela...

» Mon ami, Sa Majesté vous aime trop pour vous laisser aller dans ce pays d'où personne ne revient... Il faudrait une armée et celle de Sa Majesté, vous le savez bien, s'assemble contre les Zaranigs. Après la victoire, inch'Allah, Sa Majesté prendra Mareb, inch'Allah. Alors revenez quand vous voudrez, parmi nous, et nous vous conduirons là-bas. »

Tandis que parlait le cadi, Igricheff pensait :

« Il se moque de mon existence. Il ne veut pas de difficulté avec Moscou... Je vais bien voir... »

— Sa Majesté est trop bonne, dit Igricheff doucement, et je ne veux pas inquiéter sa sollicitude. Mais j'aime la guerre, Excellence, et n'y suis point maladroit. Pourrai-je faire campagne avec les troupes?

Cadi Djemal baissa la tête, et plaintivement :

— Pourquoi vous acharner sur un vieillard qui vous aime et n'a aucun pouvoir? Sa Majesté craindrait autant pour votre vie dans les combats avec les pirates que sur la piste de Mareb.

Il se pencha soudain sur l'oreille d'Igricheff.

— Et puis, chuchota-t-il, vous êtes bon musulman, mais étranger tout de même, mon noble ami. Ni Sa Majesté, ni son humble serviteur ne vous le reprochent. Mais les séides diraient que votre présence serait funeste au succès de nos armes.

Cadi Djemal se redressa et sans laisser à Igricheff la chance de faire une nouvelle proposition se lamenta douloureusement.

— Non, non, je le vois bien, Allah est impitoyable pour le néant que je suis. Je vais vous perdre, rayon de ma vieillesse, reflet de mes beaux jours.

Il accompagna Igricheff jusqu'à son cheval, tint absolument à lui présenter l'étrier et quand celui-ci fut en selle, il lui dit :

— Bien que je sois de la poussière auprès de Sa Majesté, ma vieille expérience me dit qu'Elle vous recevra demain matin. Ainsi, vous pourrez, lorsqu'il vous plaira, satisfaire votre impatience, que je comprends si bien, de retrouver votre cher pays.

Puis, comme se ravisant et toujours à l'étrier :

— Pourtant, si, avant, vous voulez courir l'aventure, il y a aux confins du Nedj, entre lui et l'Hadramouth, un désert tout vide et tout vierge, le Rob-el-Kali. On dit qu'il est entouré de sables mouvants, on dit qu'il est nu comme la main, on dit qu'il est plein d'oasis, on dit qu'il est habité d'Arabes aux yeux couleur de mer et de Juifs sauvages. On dit aussi que les méhara de l'Hadramouth, les meilleurs de l'Arabie, vous le savez, mon ami, sont si rapides et si forts parce que les femelles, à l'époque du rut, sont menées par les Bédouins sur la lisière du Rob-el-Kali et que les démons des sables les fécondent. Vous êtes ami, je le sais, du grand Ibn-Saoud. Il vous donnera sans doute une escorte et vous m'écrirez et je serai joyeux de vous savoir plus près de nous.

— Demandez à quelqu'un d'autre des renseignements sur les desseins d'Ibn-Saoud, Excellence, je connais mal ce métier, dit Igricheff. Mes respects.

Sur une pression infime de ses jambes, Chaïtane bondit. Suivi d'Hussein, Igricheff s'engagea au petit galop dans les rues de Sanaa.

Il y régnait une rumeur spéciale qui fit légèrement tressaillir Igricheff, car c'était une rumeur d'armes. Sur toutes les places campaient des groupes d'hommes aux longs cheveux, aux vêtements flottants et disparates, coiffés de turbans, les pieds nus ou dans des sandales rudes. Mais chacun avait un fusil, des cartouchières à la ceinture et sur la poitrine, et plusieurs poignards dans le même fourreau recourbé et ciselé. Dans les rues passaient au long trot de leurs méhara, une jambe sur le col flexible, des guerriers farouches, échevelés, qui faisaient tournoyer leurs carabines. Des cavaliers les dépassaient sur de petits chevaux sauvages. Les troupes de l'Imam se réunissaient comme des hordes pour descendre vers le rivage de la mer Rouge, et fondre sur les Zaranigs.

Igricheff avait mis Chaïtane au pas. Fasciné, enivré par ce branle-bas désordonné, barbare, il errait à travers la ville, au hasard. Ainsi il parvint à la grande place qui s'étalait sous les murs du palais royal. Là, Igricheff, qui pourtant soignait avec une tendresse infinie la bouche de Chaïtane, arrêta l'étalon d'un tel coup de mors qu'il le fit hennir et cabrer follement. Mais les cuisses de fer du cavalier réduisirent sur-le-champ cette révolte et, presque sans souffle, les yeux plus étroits que jamais, Igricheff devint une statue.

C'est qu'une troupe nombreuse, disposée par rangs de six, venait sur lui. Et ce n'était pas une marche mais une danse terrible et sacrée. Les pieds nus martelaient le sol sur une cadence dure, sèche, dans d'étranges et brefs entrechats. Sur chaque file les guerriers se tenaient par les mains, faisaient ensemble deux pas en avant, reculaient d'un, repartaient en dansant. Et les armes s'entrechoquaient, cependant que d'une voix suraiguë, vrillante, insoutenable, les hommes chantaient un chant simple, primitif et funeste d'angoisse, de courage et de mort.

3

LA MORT DU MESSAGER

L E jour se levait sur le haut plateau. A cette heure il était désert et silencieux. Les villages dormaient, et les arbres et les pierres. Seuls, des aigles blancs traçaient dans le ciel à demi obscur leurs cercles méthodiques. Igricheff aimait cette virginité farouche, ces vols de proie et il avait pour le soleil levant le respect plein de gratitude qui habite le cœur des primitifs. Mais rien ce matin-là ne pouvait faire plaisir au cavalier de Chaïtane. Il quittait le Yémen pour toujours...

Igricheff aperçut, sur la droite, l'éminence boisée qui portait la résidence d'été de l'Imam. Il se rappela la mosquée, la pièce de repos dont les arceaux donnaient sur le bassin. Il serra les dents.

Avec un peloton de cavaliers bachkires ou une sotnia cosaque il eût saccagé tout cela, puis il eût gagné la montagne. Peut-être des tribus bédouines se fussent jointes à lui...

Mais il haïssait les projets impossibles et trancha net le fil de ses pensées. Derrière lui galopait, seul, Hussein, et encore ne l'avait-il jusqu'à Hodeïdah que par l'autorisation gracieuse de l'Imam.

— Je te prête mon meilleur tireur, avait dit le souverain lorsque Igricheff avait pris congé de lui. Il met autant de balles que toi dans une cible.

Même le chaouch n'était pour Igricheff qu'un compagnon provisoire comme les cimes, les aigles, comme cette dure liberté. Même le chaouch! Les pommettes du bâtard kirghize se firent plus aiguës. Il prenait une décision.

Puis le vide se fit en lui, comme si son enveloppe corporelle, qui ne semblait pas faite de peau mais d'une écorce élastique et jaune, ne contenait rien.

Quand il franchit la brèche par où s'ouvrait la route du plateau vers la mer, il n'accorda pas un regard à cette coupe de pierre grise au milieu de laquelle on voyait encore se dessiner les tours de Sanaa et qu'il ne verrait plus jamais. Puis il galopa, pendant deux heures encore, entre les montagnes qui s'abaissaient lentement jusqu'à Baouan.

Un pont jeté sur un torrent y était gardé par une vingtaine de soldats en guenilles. Là s'arrêtait le chemin plein de fondrières mais carrossable.

Deux askers, envoyés la veille de Sanaa, attendaient

Igricheff. Ils tenaient par la bride deux mulets, l'un de selle, l'autre de bât, très peu chargé, car Igricheff n'avait pour tout bien au monde qu'une cantine, le harnachement de son cheval et de bonnes armes.

— Tu mèneras Chaïtane à la main, dit-il à Hussein qui venait de laisser sa monture au poste de garde. En route.

— Permets, mon chef, que je prenne de l'eau dans le torrent, demanda le chaouch. Il n'y en a plus jusqu'à Souk-el-Khamis. Et je sens, à ta voix, que tes serviteurs auront chaud sur les pentes.

Sur un geste d'Igricheff, Hussein emplit au courant rapide sa gourde noire et luisante en peau de bouc, et vint prendre la bride de Chaïtane. L'asker Abdallah s'élança sur le sentier qui attaquait durement la montagne, Igricheff enfourcha son mulet; le chaouch et le conducteur de l'animal de bât se rangèrent en file derrière lui et l'ascension commença.

Car pour aller de Sanaa vers la mer Rouge, la route n'est ni droite ni facile, ni dans le même sens inclinée. Il faut descendre de mille mètres, remonter d'autant, plonger plus bas encore et s'élever alors plus haut que le point de départ même, avant d'aborder la pente qui mène aux terres brûlantes, au Tehama. Et sur ce chemin, épuisant de fatigue et de beauté, on ne trouve que cinq points de halte, villes ou villages : Souk-el-Khamis, Mafhag, Manakha, Atara, Oussel.

En allant vite, il faut quatre jours pour se rendre de Sanaa jusqu'à Oussel. Igricheff avait résolu qu'il n'en mettrait que deux.

Non point qu'il fût pressé de gagner Hodeïdah. Le premier cargo vers Massaouah ne partait que dans une quinzaine et encore son horaire était peu sûr. De plus Igricheff ne savait pas s'il le prendrait ou bien s'il gagnerait l'Assir puis le Hedjaz par la côte, ou s'il s'enfoncerait dans le désert. Mais il était fait de telle sorte qu'une impatience sans but le dévorait toujours lorsqu'il ne s'abandonnait pas à une paresse sans limites. Du haut de la mauvaise selle de fer et de bois relevée des deux bouts, il poussa brutalement son mulet à coups de cravache. La bête au pied sûr gravissait avec de brusques secousses la piste rugueuse, escarpée. Quand elle faisait un détour pour éviter une pente plus raide encore, Igricheff, qui avait ordonné au guide de couper au plus court, par les sentiers à peine visibles et quelle que fût l'inclinaison, la ramenait sur l'obstacle d'un sauvage coup de rêne et de fouet. On eût dit qu'il se vengeait d'avoir entre les cuisses, après Chaïtane, une monture aussi indigne.

Il n'était pas sensible à son intelligence, à son adresse, à son effort patient. Il n'appréciait pas davantage ces qualités chez les bêtes que chez les hommes.

Il n'aimait pas non plus le paysage encaissé qui, pour l'instant, s'offrait à lui. Il était formé de monts déserts mais arrondis, séparés par des ravins sauvages mais à fond plat. Cette demi-grandeur ne touchait pas Igricheff. Et il talonna, cravacha son mulet, essouffla les montagnards yéménites jusqu'au moment où, ayant franchi une série d'escarpements, porté de nouveau à plus de deux mille mètres d'altitude, il eut rejoint un fragment de la grande route, vestige de l'ancienne Arabie Heureuse. Alors il s'arrêta.

La halte ne fut que de quelques instants, mais elle suffit à Igricheff pour embrasser de ses yeux minces un spectacle qui, enfin, lui convenait.

D'un bout à l'autre du ciel visible, bloquant tous les horizons, dévalaient, comme des vagues monstrueuses, les chaînes de rocs gris, rouges et bleutés. Entre elles, s'arrondissaient des cirques harmonieux et taillés en gradins. Là, commençait la culture du café des djebels yéménites, sur les marches géantes et dans la pierre taillée. Là, au sommet de chaque arête se dressait, prolongement naturel des pics, une maison abrupte et crénelée. L'air était pur de la pureté des hauteurs et de l'Orient. Et l'on voyait, au loin, dans cette sorte de chevauchée héroïque des montagnes, blanchir un village fortifié.

— Souk-el-Khamis, dit Hussein.

Plus un mot ne fut dit avant qu'ils ne l'eussent atteint. Il était midi. Depuis l'aube, Igricheff et ses hommes avaient marché sans arrêt.

— Nous partons dans une heure, dit Igricheff.

Hussein observa doucement :

— Il en faut sept, mon chef, pour aller à Mafhag et tu sais que dans la vallée la nuit vient plus vite.

— Nous en mettrons cinq. Occupe-toi de Chaïtane. Qu'il ait à boire et à manger.

Souk-el-Khamis comptait une centaine d'habitants, mais n'occupait pas plus de place qu'un blockhaus, tant ses maisons en pierre se joignaient étroitement par les cours et les toits en terrasse. Dans la plus haute habitait le chef du village.

— Cadi Djemal m'a prévenu de ton passage, chef étranger, dit-il en s'inclinant bas devant Igricheff. Et ses coureurs sont partis plus loin. Mais je t'attendais ce soir seulement. Je n'ai rien préparé encore.

— Des œufs et du lait de chèvre me suffisent.

Igricheff s'étendit sur un toit, mangea rapidement et, les yeux rivés à la cascade d'arêtes et de cimes que frappait le soleil, attendit que s'écoulât le temps qu'il avait fixé à ses hommes. Comme il savait lire aussi bien qu'eux l'heure dans le ciel, ils furent debout au même instant.

Dans le même ordre qu'au départ de Baouan, ils piquèrent sur la vallée de Mafhag. Seulement Igricheff alla, comme les askers, à pied. Monté, son mulet ne pouvait suivre les sentiers de chèvre par lesquels, pour obéir à l'impatience du chef et pour arriver à l'étape avant la nuit complète, Abdallah guidait la petite troupe. Sautant de pierre en pierre, risquant à tout instant de perdre l'équilibre, Igricheff que gênaient ses bottes, alors que les montagnards, leurs sandales enlevées, avançaient les pieds nus, avait le sentiment non point de descendre mais de rouler le long d'une paroi sans fond.

Ce jeu difficile lui plaisait à cause de l'attention absolue, de l'effort de chaque muscle qu'il exigeait.

Igricheff aurait pu faire porter sa carabine par l'un des askers. Il n'y songea même pas, voulant que sa tâche fût aussi rude que la leur et même plus à cause de son manque d'habitude et de la façon dont il était chaussé.

— Tu as des ailes au talon, cria Abdallah, tournant une seconde vers Igricheff son visage riant et barbu.

Et il se mit à chanter une mélopée légère et douce. Hussein et l'autre asker reprirent la chanson. Igricheff bondissait, glissait, se rétablissait sur une roche plate, repartait de plus belle. Les étriers de Chaïtane et des mulets, secoués par leurs soubresauts, cliquetaient. Et les voix joyeuses des askers semblaient faites aussi de métal, mais plus fin, plus aigu.

Arrivé au bas de la descente, Igricheff sauta sur son étalon. Tout avait disparu de la grandiose et sauvage harmonie qui, seulement deux heures plus tôt, du toit-terrasse de Souk-el-Khamis, se développait sous son regard. Il se retrouvait sur un vestige de route et au fond d'une sorte de cave grise et verte, parsemée de petits arbustes épineux. Mais, heureux de pouvoir monter Chaïtane pour quelque temps sur un terrain relativement plat, son seul souci était de maintenir son cheval à un pas assez rapide pour qu'il obligeât les askers à fournir leur effort limite, et sans le dépasser.

Il entendait souffler les hommes et les bêtes. Qu'ils souffrissent par lui, pour lui, donnait à Igricheff une joie pénétrante. Il oublia un instant que le chaouch et les askers lui étaient prêtés seulement, qu'il ne marchait pas vers des conquêtes, vers l'aventure, mais à un retour maussade. Il sourit.

Soudain, il n'y eut plus de soleil.

Avec une brusquerie déconcertante, le ciel s'était couvert. La pluie tomba drue, tiède. Les askers se mirent à courir, entraînant les mulets. Igricheff aperçut l'objet de cette hâte. Près d'un jujubier dont le pied était baigné d'une mare vaseuse, un petit caravansérail avait été construit. Il était long, étroit, à toit plat et fait de pierres mal jointes. Des Bédouins, des Bédouines, des chèvres noires, des bourricots aux larges yeux doux, trois chameaux noirs des montagnes y étaient déjà entassés.

Igricheff laissa ses hommes se mêler à cette foule sordide et leur confia Chaïtane. Lui, resta dehors. Il enleva son kolback et laissa avec volupté l'eau couler sur ses cheveux noirs de jais, ras et lisses qui ressemblaient par leur brillant et leur densité à la peau de sa veste de cuir.

Aussi rapidement qu'ils étaient venus, les nuages fondirent et l'on aperçut le soleil qui commençait à toucher le faîte des montagnes. Les dernières clartés du rapide crépuscule tremblaient encore sur les rochers lorsque parut un piton carré sur lequel se dressait la forteresse primitive et robuste de Mafhag. A sa base étaient groupées quelques maisons.

Igricheff se fit ouvrir la plus propre, et dans une chambre absolument nue et aux murs blancs s'endormit sans manger, à même les dalles, la tête sur la selle de Chaïtane.

Les askers dînèrent d'un cuisseau de chèvre coriace et de pain de doura. La maigre population de Mafhag les entourait dans la bâtisse qui leur servait d'abri ainsi qu'aux bêtes. Parmi le bruit de litière froissée, jetant de temps à autre un coup d'œil machinal sur les fusils posés contre le mur, qui faisaient à la fois leur orgueil et leur servitude, les askers parlèrent de Sanaa, de l'Imam, de la guerre qui se préparait contre les Zaranigs et du chef étranger qu'ils accompagnaient. Ils achevèrent ainsi la petite provision de cat emportée de Sanaa et allégés par la drogue, béats, s'étendirent côte à côte. Ils devaient se lever bientôt car, pour être à Oussel le lendemain soir comme le voulait Igricheff, il leur fallait commencer à harnacher Chaïtane et les mulets longtemps avant le jour. Un sommeil paisible les gagna au milieu de bruits et d'odeurs d'étable.

Il faisait très noir lorsque Hussein réveilla Igricheff. Il lui apportait, dans un pot d'argile, du café léger et âcre, fait avec les écorces des grains, car les hommes qui cultivaient, sur les terrasses des djebels, le meilleur café du monde, ne pouvaient, dans leur misère, l'employer à leur propre usage. Igricheff avala le breuvage d'un trait, pour sa chaleur, et dit :

— En route.

On ne voyait absolument rien que, juste sous les pieds, la pâleur bistrée de la piste. Et ce mince ruban, aussitôt rompu par les ténèbres, était entouré de ravins et de précipices; Hussein confia Chaïtane aux soins d'Abdallah (d'ailleurs, les bêtes avaient le pied plus sûr que les hommes dans cette obscurité), et prit la tête du convoi. De ses orteils nus, il éprouvait, auscultait le terrain. Parfois, il faisait rouler un caillou pour voir la profondeur des gouffres qu'il côtoyait. La marche était lente, prudente, silencieuse. On entendait seulement renâcler les bêtes et grincer les bottes d'Igricheff. Les hommes ne se distinguaient pas de la nuit. Les askers voyaient mal celui qui les précédait, bien qu'ils fussent presque sur ses talons. Ils avançaient au toucher, à l'oreille. L'air vif engourdissait leurs pieds nus.

Peu à peu, cependant, et tout en haut, d'étranges aiguilles blêmissantes se dessinèrent confusément. Puis, entre les parois obscures des monts flotta une ombre diffuse et légèrement plus claire, pareille en couleur aux perles troubles.

Alors Igricheff entendit un chant qu'il ne devait pas plus oublier que celui des guerriers enivrés sur la grande place de Sanaa. Humble et fluide, il ne semblait pas sortir des lèvres des askers. C'était l'adoration peureuse d'une primitive humanité devant le miracle rassurant du jour. A mesure que le soleil, invisible encore, mais que l'on sentait monter, immortel et glorieux, derrière les cimes, refoulait de ses reflets, à chaque instant plus divins, les ténèbres de la gorge, le chant du chaouch et de ses hommes s'élevait de ton, prenait une assurance, une vaillance triomphantes. Et quand, sur la note la plus aiguë, Chaïtane dilata ses naseaux magnifiques et hennit, Igricheff intérieurement salua le soleil avec autant de force et de joie que ses hommes, et que son étalon.

La petite troupe avança rapidement. Igricheff était de nouveau à cheval et s'il ne se fût pas maîtrisé, il eût lancé Chaïtane au galop. Mais il ne pouvait le faire, car ils cheminaient maintenant dans une vallée très vaste où les pistes se croisaient et s'enchevêtraient sans cesse. Il fallait connaître le pays comme le connaissaient les askers pour ne pas s'égarer dans cette plaine toute hérissée de jujubiers, de mimosas secs et aux pointes acérées, d'euphorbes tranchants. Cette brousse lacérante, cette verdure trompeuse parce qu'elle semblait déceler une eau que nul ne pouvait découvrir, firent de nouveau sentir à Igricheff que, seul, il était, dans ce pays, plus impuissant qu'un enfant yéménite. Il regarda fixement les épaules élastiques de Hussein qui marchait d'un pas allongé devant lui et sur lesquelles tombaient les boucles de ses cheveux lustrés.

— Chaïtane veut courir, lui cria-t-il, monte derrière moi et indique le chemin.

Jamais, dans ses plus beaux rêves, Hussein n'eût osé imaginer une pareille faveur. Ses arrière-petits-fils parleraient encore du jour où leur aïeul avait galopé sur l'étalon royal, avec un grand chef des pays étrangers. Il fixa ses yeux brillants de gratitude sur Igricheff et, saisissant l'étrier que celui-ci avait abandonné pour un instant, sauta sur la croupe de Chaïtane. Ce poids nouveau à une place inaccoutumée fit tressaillir le cheval. Igricheff lui lâcha les rênes. Il bondit. Hussein avait posé ses mains sur les épaules du cavalier et le dirigeait par une légère pression tantôt à droite, tantôt à gauche. L'étalon, stimulé par les ronces et les épines qui se joignaient souvent sur la piste étroite de la brousse, emportait furieusement les deux corps jumelés.

Il fit tout à coup un écart si rude que, sans l'équilibre de centaure que possédait Igricheff, il eût été jeté à terre; Hussein, lui, roula dans les buissons déchirants. Il se releva d'un élan, les mains, la figure et les jambes ensanglantées.

— Les gorizas, dit-il en riant.

Un troupeau hurlant de singes blancs et noirs dévalait d'une falaise brûlante, traversait la piste, se ruait dans la brousse.

— Tire, cria Igricheff.

— Je ne peux pas, chef. Mes cartouches sont comptées et je ne peux m'en servir que pour te défendre.

Igricheff jeta au chaouch sa winchester.

— Je veux voir si tu as l'œil aussi juste que me l'a promis l'Imam, dit-il avec un air de doute.

Hussein respira profondément. Allah lui voulait du bien en ce jour où il avait monté Chaïtane et où il avait entre les mains la carabine à sept coups venue de l'autre côté des montagnes, des déserts et des eaux.

Les singes s'étaient dispersés en petits groupes à travers la plaine et on les voyait déjà mal qui couraient entre les bouquets d'arbustes épineux. Hussein épaula. Le coup de feu éveilla durement l'écho de la vallée. Une boule blanche et noire, au loin, fit un bond qui la porta plus haut que les autres et retomba. On entendit glapir longuement la bande. Igricheff, dont le regard portait très loin, distingua deux singes qui entraînaient le blessé.

— C'est bien, dit Igricheff, tu mérites ta gloire. Remonte.

Ils ne galopèrent pas longtemps. Comme la piste se rapprochait du flanc de la montagne, une cohue d'animaux obstrua la route. Il y avait là, par centaines, des brebis beiges, des chèvres noires et des dizaines de bourricots et de dromadaires. Toutes ces bêtes bramaient, bêlaient, se bousculaient, la gueule avide. Quelques bergers bédouins, aux haillons flottants et sales, le poignard recourbé tenu par leur ceinture d'étoffe, de grands bâtons blancs à la main, s'évertuaient à mettre un peu d'ordre dans ce délire.

Hussein sauta à terre et dit :

— C'est le seul abreuvoir de la vallée. Je vais y mener Chaïtane.

La voix, en prononçant le nom de l'étalon, était maintenant pleine de tendresse.

— *Tareg, tareg*, cria-t-il, fendant brutalement la cohue.

La cravache d'Igricheff acheva de frayer le passage.

Le puits était profond, ses lèvres s'ouvraient au ras du sol cendreux, fendillé par la chaleur. Une poulie élémentaire permettait d'y faire descendre au bout d'une longue corde les gourdes et les outres en peau de bouc.

— Donne, dit le chaouch à une Bédouine qui remontait avec peine un de ses récipients.

Elle obéit, mais se mit à pleurer.

— Mon père va me battre, gémit-elle. Il attend derrière et son troupeau a soif.

Sa voix enfantine attira l'attention de Hussein qui la regarda mieux. C'était une fille de treize ans au plus et moins haute que son bâton, mais qui commençait déjà à se former. Elle avait un visage fin, des joues sales mais lisses, de très beaux yeux.

— Comment t'appelles-tu? demanda Hussein doucement.

— Yasmina.

— Console-toi, Yasmina, n'aie pas peur. Je remplirai l'outre.

Igricheff, qui observait sans répit Hussein, le laissa faire, puis lui dit avec nonchalance :

— Elle est belle, la petite Yasmina. Pourquoi ne la prends-tu pas pour te servir?

Hussein soupira :

— Le père en voudra cher et je ne suis qu'un pauvre chaouch. Je ne gagne pas seulement cent thalers par an. Je n'ai pas une chèvre, et mon fusil même n'est pas à moi.

— Alors, j'ai plus de chance.

Igricheff poussa Chaïtane derrière la fillette jusqu'à ce qu'elle eût retrouvé un Bédouin sec et hargneux. Il lui dit :

— Ta fille me plaît, berger. Je suis un grand chef et

un vrai croyant, mon chaouch te le confirmera. (Hussein baissa la tête à plusieurs reprises.) Donne-moi Yasmina.

— Elle est vierge et vaut son poids d'argent, grommela le Bédouin, et je ne la laisserai pas à moins.

— Combien?

L'homme hésita et demanda le double de ce qu'il avait médité tout d'abord.

— Deux cents thalers, fit-il.

Igricheff tira de ses fontes un sac pesant, l'ouvrit. La flamme de l'or au soleil fascina le Bédouin et le chaouch.

— Voilà deux cent cinquante, dit Igricheff en jetant vingt livres au berger.

Puis, se pliant dans un mouvement vif et barbare, il saisit la fillette et la posa devant lui sur l'encolure de l'étalon. Elle regarda son père, les troupeaux et, passive, ferma les yeux.

Igricheff se remit en route très lentement, pour laisser aux askers le temps de le rejoindre. Lorsqu'il les aperçut il reprit sa place derrière Hussein à qui il n'avait plus adressé la parole.

Le chaouch avançait du même pas léger et prompt, mais son esprit n'était plus libre. Il ne jalousait certes pas son chef. Il le plaçait à un rang trop haut et il était trop fataliste pour prétendre concourir en quoi que ce fût avec lui, mais Igricheff avait mis dans l'achat de la petite Bédouine une provocation évidente à l'égard de son chaouch. Et cela après lui avoir fait partager le galop de Chaïtane, après lui avoir prêté son fusil à sept coups! Pourquoi cette face double?

Ne parvenant pas à percer l'énigme, Hussein la remit aux soins d'Allah et se sentit rasséréné. Puis un des grands souvenirs de sa vie occupa toute sa pensée.

La vallée de Mafhag butait contre une falaise assez haute qui semblait la fermer sans issue. Mais sur le côté gauche béait une étroite fissure, dissimulée par des figuiers sauvages et des grands jujubiers. Hussein s'y engagea délibérément. Elle ouvrait sur un corridor encaissé qui serpentait entre des rochers à pic d'un rouge sombre, et que dominaient des deux côtés des plates-formes envahies par la brousse. Hussein se retourna vers Igricheff avec un orgueil naïf.

— Tu vois ici la porte de Mafhag, dit-il. Là, nous avons, à cinq cents contre cinq mille, barré le passage aux Turcs pendant des jours et des jours. J'étais là-haut (il montrait la plate-forme de gauche), et j'ai bien visé...

A ce moment, de l'endroit même qu'avait indiqué le chaouch, une voix forte, quoique essoufflée, cria :

— Arrête, au nom de l'Imam, chef moscovite.

Entre les blocs couleur de sang noir, surgirent les silhouettes d'un officier, reconnaissable à sa défroque qui remontait au temps de la domination ottomane, et de six askers. Tous ces hommes ruisselaient de sueur et portaient sur leurs visages les traces d'un épuisement terrible. Ils avaient couru pour rattraper Igricheff la nuit comme le jour et en coupant plus brièvement que lui encore. S'agrippant comme des bêtes fauves aux aspérités de la paroi, ils descendirent l'un après l'autre dans la gorge. L'officier s'approcha d'Igricheff et dit respectueusement :

— Il faut, grand chef, que je parle à tes seules oreilles.

Igricheff tendit Yasmina au chaouch, fit faire quelques pas à son étalon et l'arrêta derrière un rempart de pierre à l'abri de tous les regards.

— Voici une lettre de Cadi Djemal, dit l'officier. Il te fait dire que, si tu ne peux nous donner le souvenir qu'il te demande, tu reviennes avec moi à Sanaa.

L'officier remit entre les mains d'Igricheff un pli cacheté et, pour l'ouvrir, le plus petit des trois poignards qu'il portait étagés dans le même fourreau. Sans manifester aucune surprise, Igricheff fendit l'enveloppe. Le message du Cadi était en russe et il disait :

« Mon cher et vieil ami, dans la précipitation de votre départ, ce que je comprends si bien, vous avez mélangé votre propre fortune, assez considérable je suis sûr pour que cette erreur ne vous soit pas apparue tout de suite, avec les fonds de votre mission. »

Igricheff, quoiqu'il gardât les yeux fixés sur le papier, ne continua pas sa lecture. Il comprenait. Il avait en effet emporté toute la caisse de la mission russe et l'avait déjà oublié. Cet argent, il le considérait comme sien du droit le plus certain, du droit de prise. Pour cette seule raison, il se fût laissé tuer plutôt que de le rendre. Mais en outre subir l'humiliation d'un voleur pris au piège, restituer l'argent ou revenir avec les soldats lancés à sa poursuite! Cadi Djemal, vraiment, se trompait d'homme.

C'était dans les instants pareils — et seul Igricheff les pouvait compter — que son génie se montrait pleinement.

« Je peux le tuer en un clin d'œil, pensait-il, mon browning est dans la poche droite, de son côté. Et je cravache. Mais c'est la dernière carte à jouer. Les askers, comme à l'ordinaire, ignorent tout de la mission. Ils savent seulement qu'ils doivent me rejoindre pour un message de l'Imam. Donc, si un accident... »

Cette conclusion n'était pas encore complètement formée dans son esprit que déjà, insensiblement, il inclinait Chaïtane vers la gauche. Puis, simulant d'être absorbé par la lettre, et, comme pour arranger une sangle, il glissa une main vers la sous-ventrière. Elle était armée du petit poignard qui avait servi à ouvrir la missive. Tout à coup, Chaïtane hennit furieusement et, comme il avait le nez sur le mur de la gorge et ne pouvait se cabrer, rua de toutes ses forces. L'officier n'eut pas le temps de crier. Il tomba, la poitrine défoncée. Igricheff, prompt et terrible, fit volter l'étalon et le força à piétiner le corps jusqu'à ce qu'il fût en bouillie. Alors, à grands cris, il appela les askers.

— Si l'Imam lui-même ne m'avait donné Chaïtane, dit-il, je l'abattrais sur l'heure. Une pierre est tombée, et comme je lisais les derniers souhaits de bon voyage que m'a si tendrement envoyés le grand Cadi Djemal, je n'ai pu maîtriser à temps la peur de Chaïtane. C'est un terrible matin que celui-ci pour moi. Mon cheval a tué un homme qui m'était devenu très cher puisqu'il était porteur d'une lettre si précieuse. (Il la baisa.) Rapportez son corps à Sanaa, qu'on lui fasse des funérailles comme à un émir. Voici pour cela, et voici pour vous, pauvres soldats sans père.

Il leur jeta au vol une pile d'or et tourna Chaïtane vers la sortie de la gorge. Avant de le pousser du talon, il ajouta :

— Et dites au grand Cadi que je suis toujours son serviteur obéissant.

Il fallait au moins trois jours aux askers pour regagner Sanaa en portant le cadavre. Trois jours... Igricheff n'y pensa plus.

4

LE CHEMIN DES TITANS

A la sortie du défilé recommença la brousse, acérée, fiévreuse, monotone. Mais au fond se dressait une gigantesque muraille qui se perdait dans les nuées. Sur son faîte, parmi la brume, on voyait de minuscules taches blanches. C'était Manakha, la ville des montagnes, qu'Igricheff avait désignée comme but à la première étape de la journée.

Hussein qui, pourtant, avait fait une partie du trajet à cheval, sentit une fatigue plus lourde que celle de ses compagnons alourdir ses jambes, à l'ordinaire plus agiles que celles d'aucun asker.

— J'ai porté malheur à Chaïtane, se disait le chaouch, en posant mon corps indigne sur une monture d'émir. Et le chef l'a su avant que l'étalon devienne fou. Et il m'a justement humilié avec Yasmina. Et il ne me parle plus.

Sa détresse était profonde, car depuis quelques heures il aimait Igricheff.

Il entendit soudain sa voix brève :

— Tu avances comme un vieillard, Hussein. Faut-il mettre Yasmina devant toi, guerrier, pour te mener le train?

Le chaouch se redressa comme sous un coup de jonc. Il avait mérité l'insulte. Son humilité s'aggrava du poids de sa faute. Il tourna vers le cavalier impassible qui avait pris la Bédouine en croupe un visage fidèle et soumis et dit à voix basse :

— Tu vas voir, chef au grand cœur.

Il partit au pas de course bien qu'ils fussent arrivés au pied de la montagne de Manakha.

Là se retrouvait la chaussée ruinée qui témoignait des temps héroïques. Large et faite de dalles géantes, elle s'accrochait à la muraille prodigieuse en lacets noblement dessinés. Sur elle cheminaient des caravanes, des dromadaires noirs qui, sur de molles litières, portaient des femmes voilées, des nègres esclaves chargés de fardeaux, de petits ânes montés par des vieillards aux turbans verts, anciens pèlerins de la Mecque, des seigneurs escortés d'hommes d'armes, des Juifs timides aux figures bibliques. On sentait l'approche d'une grande et fière cité dont le peuple se répandait à travers la chaussée antique que des siècles d'incurie n'avaient pas encore vaincue.

Mais cette cité semblait inaccessible. La petite troupe d'Igricheff avait beau suivre, les dents serrées, l'haleine courte, le front trempé de sueur, l'allure terrible du chaouch, elle avait beau tourner et contourner les lacets de plus en plus rudes, la muraille se dressait de plus en plus haute devant elle. Déjà on embrassait toute la brousse depuis Mafhag, déjà, à l'horizon tremblant, s'apercevait Souk-el-Khamis, déjà l'air devenait frais malgré le soleil à son zénith, déjà des maisons fortes, assises sur les rocs aigus, montaient leur garde solitaire, déjà des aigles tournoyaient entre les pierres, mais la chaussée grandiose déroulait encore ses méandres sans fin.

Le cœur battant à rompre, les hommes d'Igricheff montaient, montaient. Et lui trempait son cœur à ce spectacle d'instant en instant plus large et plus ample et plus farouche. Et il regretta d'apercevoir, enfin, le long du col qui menait à l'autre versant, le faubourg est de Manakha.

Les coureurs de Cadi Djemal — les premiers — avaient bien rempli leur tâche. L'*amil* (1) de Manakha, un vieillard au profil arabe le plus fin et le plus pur, reçut Igricheff sur le seuil de sa haute demeure et le conduisit dans une salle très vaste où l'on avait dressé une table garnie de plats fumants et apporté un *angareb* (2). Des serviteurs armés attendaient les ordres de l'hôte.

— Mange ces mets indignes de toi, chef de Moscovie, dit le vieillard, et repose-toi après cette longue marche.

— Ton hospitalité m'est une faveur d'Allah, répondit Igricheff et je goûterai avec une joie profonde le repas que tu as bien voulu me faire préparer. Mais je veux être à Oussel avant la nuit.

Il y eut un long combat de politesses, car l'*amil* espérait retenir le chef étranger quelques jours chez lui, avant que le vieillard acceptât la décision d'Igricheff.

Celui-ci appela Hussein et lui dit :

— Dans une heure nous reprenons la route. Tes hommes et toi vous avez bien marché. Je vous donne une première récompense.

Deux piles d'or se trouvèrent dans la main du

(1) Gouverneur.
(2) Lit de paille tressée.

44

chaouch. Il les regarda, stupide. La bonté du chef moscovite l'écrasait.

Habitué par son enfance à tremper ses doigts dans
les poteries où le mouton et le riz nageaient parmi la
graisse, à ces croquettes de viandes épaisses, farcies de
piment et d'oignon, Igricheff mangea voracement. Un
combat ou un meurtre lui donnaient toujours faim. Et
au lieu de l'eau mêlée d'encens que lui versaient les
serviteurs de l'*amil*, il but à sa gourde la vodka de
Chougach, dont le liquide incolore ne pouvait attirer
les soupçons des musulmans.

Quand le temps accordé à son escorte fut écoulé,
Igricheff sortit sur le perron. L'*amil* s'y trouvait pour
lui faire ses adieux. Les deux askers, Chaïtane et des
mulets frais également. Mais Hussein n'était pas là.
Igricheff, les sourcils joints, attendit près d'une heure.
L'*amil* eut beau lui conseiller ou de rester, ou de partir
sans le chaouch, car il lui serait impossible d'arriver
avec le soleil à Oussel (et le chemin était périlleux),
Igricheff demeura inflexible. Enfin, les hommes qui
avaient battu toute la ville ramenèrent Hussein. Il
avait un visage incolore et des yeux extatiques, noyés
d'un cerne bleu.

— Tu es ivre de cat, chien, dit lentement Igricheff.
Tu me récompenses ainsi... Tiens.

La cravache cosaque s'abattit deux fois sur les
épaules du chaouch. Il ne pouvait savoir qu'Igricheff,
s'il avait nourri une fureur que rien ne balançât, lui
eût ouvert la figure d'un seul coup de sa lanière épaisse.
La main d'Hussein, instinctivement, saisit son poignard, mais, comme réveillé, il s'inclina très bas.
Cela encore il l'avait mérité.

Cependant Igricheff disait d'une voix perçante, pour
que la foule qui s'était déjà réunie autour du perron
l'entendît nettement :

— Tu me conduiras à Oussel avant que le soleil ne
tombe et après je t'enverrai à Sanaa, enchaîné, pour que
Cadi Djemal choisisse le châtiment qui te convient.

Hussein courba la tête plus bas encore. Ces paroles

aussi étaient justes. Il avait voulu se délivrer du sentiment de son indignité par la plante bienfaisante. Il n'avait fait qu'accroître son crime. Ce jour était néfaste. Il n'y pouvait rien. Le chef si bon, pas davantage.

— Je ferai ta volonté, dit Hussein.

Menant de nouveau la petite troupe, il sortit de Manakha.

C'est à ce point que commence la partie vraiment auguste de ce chemin de titans qui mène des plateaux volcaniques de Sanaa aux rivages brûlés de la mer Rouge. La cascade de chaînes qui éblouit le regard à Souk-el-Khamis, la montée sublime de la vallée de Mafhag à la cité de Manakha, tout s'oublie dès que le voyageur a dépassé la ville des djebels. Car il découvre alors une grandeur tellement surhumaine qu'elle fait invinciblement lever dans son âme le sens de la terre et de l'éternité.

Ce sens Igricheff l'avait, comme celui des chevaux et de la guerre. Et lorsque, montant encore, il arriva au col suprême gardé par le bourg de Hadjira, il s'arrêta, le souffle bref.

Enclose dans une muraille circulaire, ramassée entre ses tours et ses pierres, Hadjira élevait, côte à côte, au-dessus de la brume et du vent, ses maisons prodigieuses de huit étages en morceaux de roc l'un à l'autre ajustés, ses maisons grises comme la lave, étroites comme des piliers dressés pour supporter les nuages, peintes de bandes de chaux vive comme des idoles barbares, percées de meurtrières comme autant de forteresses. Et à leur pied s'étalait, gradin rouge par gradin rouge, la plus pure et la plus vaste arène qu'eussent jamais conçue les génies et les dieux. Et plus loin, plus haut, plus bas, tandis que s'évasait le cirque fantastique, chaque piton, chaque cime, chaque aiguille haussait vers le ciel un village aigu et mystérieux. Et mieux regardait Igricheff, plus se multipliaient ces nids farouches, fabuleux. Ils semblaient les derniers, les plus incroyables. Mais il suffisait à

Igricheff de tendre sa vue pour en apercevoir d'autres qui les dominaient encore, perdus dans la brume des sommets comme dans la brume du large, couronnant des arêtes plus effilées encore, refuges miraculeux. Et, ménagé avec une science et une audace infinies, chacun d'eux menait vers un nouveau cirque de gradins, creusé depuis des siècles dans le flanc des montagnes divines comme si, pour ces demeures titaniques, il eût fallu des escaliers de géants. Pics cyclopéens, formidables citadelles, gardiens de la pierre et du ciel, le soleil et les nuées et les aigles passaient sur eux tour à tour.

Igricheff, malgré l'heure tardive, demeura longtemps immobile, dans un lucide et pieux vertige. Il ne priait jamais qu'à des instants pareils, mais sa prière n'était pas de celles qui amollissent et fondent un cœur tragique. Elle s'adressait, sans paroles, au sable, au granit et au vent pour le porter à leur mesure.

Quand il se sentit en même temps pétrifié et sans frein, il quitta d'un bond la selle de Chaïtane, jeta la bride à Abdallah, plaça la petite Bédouine sur l'épaule de Hussein et dit à celui-ci :

— Maintenant, conduis-moi comme le feu. Les autres nous retrouveront à Oussel.

La chaleur et non le poids de sa charge imprévue fit trébucher Hussein. Mais ce fut sa dernière erreur. La puissance du cat, le corps de Yasmina contre son visage, l'expression et la voix de son chef lui donnèrent des ailes. Il fondit tout droit vers l'échancrure immense qui s'ouvrait comme un golfe. Igricheff semblait aussi avoir perdu toute pesanteur. Ils sautaient, ils glissaient sans heurt, ils planaient. Les chèvres sauvages seules eussent pu les suivre. Et le chaouch dansait de roc en roc en chantant.

Le ciel était devenu livide et plombé. On eût dit que les montagnes s'étaient l'une à l'autre soudées par une matière à elles pareille. Un éclair la déchira, puis un autre. Le tonnerre fut la voix des abîmes. Et la pluie se rua en cataractes. Trempé, sauvage, ivre, Igricheff suivait Hussein dans sa course démente. Mais il pensa soudain à sa carabine. Il la fallait plus que jamais protéger.

— Arrête, cria-t-il.

Le chaouch s'immobilisa, en plein élan, Yasmina bascula. Agrippé de ses pieds nus à une grosse pierre glissante, Hussein la reçut dans ses bras et la serra toute grelottante sur sa poitrine.

Igricheff avait déjà gagné une anfractuosité profonde, que surplombait un énorme quartier de roc. Il s'y étendit paisiblement. Hussein vint à côté de lui, déposa la petite Bédouine et resta debout. Tout près d'eux roulait un torrent subitement né. Les éclairs traquaient une proie invisible. Devant la grotte se dressait, sur une plate-forme aux parois verticales entourées de toutes parts d'un ciel brouillé, le village d'Atara, construit comme un bateau de pierre, la proue tournée vers des gouffres mystérieux.

— Assieds-toi, Hussein, dit Igricheff, prends ma main. Je ne ferai rien dire à Cadi Djemal et je te donne Yasmina. Mais il faut choisir tout de suite : ou reviens avec elle vers Sanaa sans tourner la tête ou suis-moi pour toujours.

Hussein baisa la paume du bâtard kirghize et répondit sans hésiter :

— Tu m'as pris sur Chaïtane, j'ai tiré avec ton fusil, tu m'accordes ta belle esclave. Tu es mon maître à jamais.

Ils ne dirent plus un mot jusqu'à la fin de l'orage. Quand ils sortirent de la grotte, le crépuscule commençait. Un jour plus tôt, le chaouch eût offert à Igricheff de passer la nuit dans Atara. Maintenant, malgré le péril que présentait une pareille décision, il mit de nouveau Yasmina sur son épaule et s'élança vers Oussel.

La lumière baissait aussi vite que se précipitait la pente. Bientôt, il fit nuit. Et les pierres mouillées étaient autant de pièges et les ravins ouvraient leurs gueules obscures de chaque côté de la piste que Hussein — il ne savait lui-même par quel miracle — devinait de ses pieds nus. Il avait dénoué sa ceinture de toile, en avait donné un bout à Igricheff et tenait l'autre entre ses dents, car il avait besoin de ses bras comme balancier. Ils marchèrent une heure sous les ténèbres et au seuil de la mort. Enfin, le chaouch dit :

— Nous sommes près d'Oussel, je le sens, mais j'ai perdu la piste. Reste ici, chef, avec Yasmina. Je vais reconnaître le chemin.

Igricheff attendit longtemps. Enfin une lumière clignotante perça les ténèbres. Hussein revenait avec un Bédouin qui portait une torche. Mais, avant de retourner sur ses pas, le berger sauvage tendit la main vers Igricheff et dit :

— Bakchich, étranger.

Des sortes de billes dures coururent sous la peau d'Igricheff à l'endroit des pommettes.

— C'est ainsi que tu reçois des hôtes, fils de truie, dit-il d'une voix rauque.

Déjà son revolver était dans sa main. Mais il se ravisa et, tourné vers le chaouch, commanda :

— Châtie-le.

D'un mouvement sans réplique Hussein arracha la torche, la passa à la fillette. Puis, saisissant son fusil par le canon, il frappa de la crosse le berger au visage. Celui-ci bascula, roula dans le précipice.

— On dira qu'il est tombé tout seul, remarqua tranquillement Hussein.

Alors seulement, Igricheff, qui se méfiait des promesses faites sous l'influence du cat, fut sûr du chaouch.

5

LA TERRE QUI BRULE

L'*AMIL* de Hodjeïla, première ville de la plaine, était un petit vieillard sec, au nez crochu, à la barbiche grise recourbée. Il habitait en dehors du village, une maison très isolée et silencieuse. Les coureurs, chargés par Cadi Djemal de le prévenir du passage d'Igricheff, étaient arrivés la veille dans cette demeure muette. L'*amil* n'avait montré ni joie ni mécontentement. Simplement ses lèvres parcheminées s'étaient pincées davantage. L'*amil* tenait fanatiquement au parti des Séides et haïssait les étrangers aussi fort qu'il avait, autrefois, aimé la guerre.

Pour ne pas désobéir aux ordres de Sanaa, il se contenta de faire libérer par ses domestiques, dans une maison qu'il avait au milieu de Hodjeïla, une grande pièce meublée de quelques angarebs branlants et d'une saleté sordide.

Ce fut sur l'un d'eux que s'étendit Igricheff lorsque, à la fin de la matinée, il eut touché Hodjeïla.

Tandis qu'un des serviteurs de l'*amil*, vieillard plus hospitalier que son maître, achevait de cuire des galettes de farine fraîche et molle pour le repas de midi, Hussein, aidé par Yasmina, dessella, débâta Chaïtane et les mulets. Puis il apporta la cantine et le harnachement d'Igricheff dans la pièce. La sueur perlait sur son visage brun. La chaleur accablante du Téhama, quand midi approche, faisait souffrir le montagnard.

Pensif, il regarda par la fenêtre sans vitres ni boiserie, simple brèche dans le mur de pierre, le dessin puissant et fin des derniers djebels, leurs promontoires célestes où s'apercevaient encore les bourgs fondus dans la nue azurée. C'était son vrai pays, le seul qu'il nommât intérieurement Yémen, Arabie Heureuse. Ses poumons, ses pieds agiles étaient faits pour lui.

Pour le reste, pour cette torride bande côtière appelée Téhama, c'est-à-dire terre brûlante, il n'en aimait ni le grain sec, poussiéreux, ni les formes nonchalantes, ni les veules habitants. Conquise et reconquise sans cesse, elle n'était qu'un passage vers la mer, une route pour caravanes, une région insalubre et bâtarde. Mais le chaouch n'eut pas un mouvement de révolte contre celui qui le ravissait sans doute pour toujours à ses belles montagnes. Il s'était donné à Igricheff.

Celui-ci attendait le repas pour se remettre en route. Quelle route? Vers quel but? Il ne se le demandait point. Il avait pris son élan du haut plateau de Sanaa pour aller au port de la mer Rouge. Il poursuivait sa course comme un torrent. S'il rencontrait des obstacles, il les emporterait ou s'en détournerait suivant leur nature. Il ne réfléchissait point, il subissait le poids du destin qui l'habitait.

A Hodeïdah, s'il y arrivait, il verrait à déjouer la poursuite du cadi, soit par terre, soit par eau. S'il ne parvenait pas au port, d'autres chemins s'ouvraient à son aventure.

Lorsque l'heure viendrait de choisir, il saurait bien lire le signe qui le déterminerait. Pour l'instant, tout était au mieux. Il avait de l'argent, un étalon sans rival, un guide qui lui appartenait. Il fallait simplement fournir à ce dernier une bonne monture.

— Hussein, appelle l'*amil*, dit Igricheff.

Rien ne pouvait blesser davantage le vieillard que d'avoir à se rendre aux ordres d'un étranger qui avait la moitié de son âge. Il vint néanmoins par respect pour l'Imam, mais refusa de s'asseoir.

— Je veux aller vite, lui dit Igricheff, et je veux acheter un cheval rapide.

Un mauvais sourire joua sur la bouche édentée.

— Tes volontés sont le commandement de mon maître, répondit l'*amil*, mais comment pourrais-je te vendre un cheval? Tous ceux de Hodjeïla, l'armée de l'Imam les a pris pour la guerre des Zaranigs.

Il fit une pause et ajouta avec un regret perfide :

— Sans doute, j'ai le mien, qui vole comme le vent de sable. Mais tu me donnerais trois fois son poids d'or que je refuserais. Il m'est plus cher que la prunelle de mes yeux, autant que mes fusils.

Il y eut un silence. Igricheff pensa calmement :

« Cette nuit, nous forcerons l'écurie. »

Pour ne pas éveiller de soupçons chez l'*amil*, il continua l'entretien et demanda :

— Tu aimes beaucoup les armes, je vois?

— Et quel guerrier qui n'a jamais craint la mort au combat ne les chérirait point? s'écria le vieillard.

La chaleur de sa voix fêlée, l'éclat de ses yeux usés firent qu'Igricheff plissa légèrement ses lourdes paupières.

— Excuse-moi de t'avoir fait venir pour rien, dit-il. Et puisqu'il nous faudra cheminer au pas lent des mulets, nous partirons dès que nous aurons fini de manger.

— Je serai là pour te souhaiter bonne route.

Quand l'*amil* revint, Chaïtane et le mulet de selle étaient harnachés. Mais le mulet de bât attendait encore sa charge. Igricheff et Hussein se trouvaient à l'intérieur de la maison délabrée. Le vieillard monta péniblement les marches qui menaient vers leur pièce. A peine eut-il franchi le seuil qu'il porta la main à son cœur. Sur la paille immonde d'un angareb brillaient des canons d'acier, miraculeusement fourbis. Il y avait là un fusil de chasse, trois carabines à répétition et trois énormes revolvers Colt. Dans la cantine ouverte d'Igricheff, on voyait un amas de boîtes à munitions.

— Nous sommes un peu en retard, dit paisiblement le chef moscovite, mais je tenais à voir si l'humidité n'avait pas fait quelques taches de rouille là-dessus.

Il montrait les armes étincelantes. Fasciné, l'*amil* marcha vers elles. Ses doigts tremblants les caressèrent. Igricheff, avec négligence, lui montra le mécanisme des carabines, les balles blindées des revolvers. Puis, il ordonna au chaouch de les replacer dans leurs étuis.

Le vieillard regardait disparaître un à un ces engins magnifiques. A la fin, il n'y put tenir et posant ses mains crochues sur les derniers qui restaient découverts il dit à voix basse, amoureuse :

— Prends mon cheval pour un grand et un petit fusil.

Igricheff dédaigna de feindre davantage. L'*amil* jouait franc jeu.

— Tu as raison, lui dit-il, de bons coursiers, tu en trouveras encore ici. Mais pas des armes pareilles.

— Et peut-être, si le veut Allah, mes fils te reprendront avec elles ce que leur père a été forcé de te donner.

— Le Prophète aime les forts, répondit Igricheff.

Le cheval de l'*amil*, s'il ne pouvait valoir Chaïtane, était véritablement une bête racée et rapide. Hussein sauta en selle, armé de son vieux fusil, d'une carabine et d'un colt. Igricheff, outre sa winchester et le gros revolver, prit le fusil de chasse. Ils partagèrent les munitions et l'argent. Yasmina fut hissée en croupe de Chaïtane et, laissant la cantine avec quelques hardes, les deux cavaliers prirent la piste du Téhama.

Ils n'avaient pas encore tout à fait atteint le niveau de la mer et la saison était la plus fraîche qui se pût trouver dans le cours de l'année. Pourtant, la chaleur suintait, accablante, humide, d'un ciel dépoli, sur la terre craquelée, sur les arbres rabougris. Chaïtane, que son maître menait au petit galop, eut tout de suite les flancs mouillés, mais, comme au bout d'une heure il ne donna aucun signe de fatigue, Igricheff se réjouit profondément. L'étalon des montagnes le servirait aussi bien dans la plaine brûlante que sur les hauts plateaux. Pour le chaouch il en irait de même. Il avait pris le train du chef et, les lèvres serrées pour ménager son souffle, aspirait lentement l'air chaud, gluant, comme pour s'en imprégner et n'en plus souffrir. Bientôt, il serait à l'aise sur le terrain nouveau autant que dans les djebels, malgré la sueur qui sillonnait ses joues creuses, malgré l'essaim de mouches, de moucherons et de moustiques qui tourbillonnait autour d'eux, collait à la croupe des bêtes, à la peau des visages.

Igricheff caressa l'encolure de Chaïtane et sans s'en apercevoir, forçant son cheval au pas, se mit à murmurer une chanson de caravaniers mongols. Elle lui était revenue d'elle-même à la mémoire, aux lèvres. Maintenant qu'ils avaient franchi les derniers vallonnements, il retrouvait dans la régularité de la marche, dans le poids du soleil, dans le ciel implacable, dans la monotonie des dunes et le grain de la terre, les routes désertes du Turkestan qu'il avait parcourues avec la tribu de sa mère.

Hussein ne pouvait savoir que son chef retournait très loin dans les temps, dans l'espace, mais il sentait que grâce à cette chanson, nulle sueur ne pouvait tremper la figure d'Igricheff, ni celle de la chaleur, ni celle de l'angoisse, qu'elle le délivrait de toute emprise, qu'elle était la voix d'une race plus dure, plus vieille, plus secrète encore que la sienne. Et il écouta, retenant son haleine, avec effroi et vénération, cette mélodie qui n'avait d'autre âme que celle de l'étendue vide et du firmament.

Ils cheminèrent longtemps, traversèrent la petite cité d'Obal, reprirent la piste vers Hodéïdah. Sur la même note, Igricheff étirait la même mélopée. Il n'accordait pas un regard au paysage, ni aux habitants.

Ceux-ci étaient petits, ronds, contrefaits pour la plupart, avec un ventre gonflé, des épaules pendantes. Leur peau avait la couleur du Téhama, jaunâtre et tirant légèrement sur l'ocre. Le torse était nu, les jambes aussi. Un bonnet conique les coiffait curieusement. Ils avaient une expression douce et humble, non sans fausseté. Mais qu'importait à Igricheff? il n'était sur la piste poudreuse qu'un nomade qui va, appelé par l'horizon, qui va sans but jusqu'à la nuit.

Comme ils débouchaient d'un couloir de dunes, Chaïtane s'arrêta, frémissant. En même temps s'éleva une plainte presque humaine. Rendu au sentiment de la réalité, Igricheff ébaucha un geste vers sa carabine. Il laissa retomber sa main, ayant reconnu la raison de la peur de Chaïtane. En travers de la piste, un dromadaire était étendu. Accroupi plutôt, car il essayait sans cesse de se mettre debout. Il n'avait pas le poil sombre des chameaux des montagnes, mais la couleur fauve de ceux du Téhama. C'était une bête des sables.

— Il ne fera plus de caravane, dit Hussein.

Yasmina, cédant à son instinct de fille de pâtre, s'était laissée glisser le long de la croupe de Chaïtane et palpait l'animal de ses doigts attentifs.

— Non, il n'en fera plus, approuva-t-elle. Il a un genou cassé.

Elle pressa sur la jointure rompue. Un bramement désespéré s'échappa de la gueule sinueuse et de tristes yeux, pleins d'anxiété et de douceur, interrogèrent ceux des voyageurs.

Igricheff fut le seul à ne pas détourner les siens. Hussein et Yasmina plaignaient plus la bête de caravane qu'ils ne l'eussent fait pour un être humain. Ils savaient qu'elle mettrait très longtemps à mourir. En pays d'Islam, on n'achève pas un animal blessé, on lui donne à manger et à boire. Les conducteurs de convois, sur cette piste fréquentée, n'y manqueraient point. Le dromadaire resterait là des jours, des semaines, ramassant toutes ses forces pour se relever, retombant toujours, dressant vers le ciel, au milieu du sable ardent, son long cou ainsi qu'un signal flexible de détresse. Hussein et Yasmina contemplaient en silence, dans le grand animal agité de tressaillements, la loi brute du désert.

— C'est un mauvais présage pour la route, murmura enfin le chaouch.

— Nous allons en changer, dit Igricheff avec tranquillité.

Il n'était pas superstitieux le moins du monde et s'il avait eu le dessein arrêté de poursuivre son chemin, il n'eût pas hésité à faire sauter Chaïtane pardessus la bête blessée. Mais, depuis le départ de Sanaa, il éprouvait contre l'itinéraire prévu une répugnance de plus en plus vive, de plus en plus tenace. Et maintenant qu'il restait seulement un jour d'étape à faire pour arriver à Hodeïdah, cette répugnance possédait entièrement Igricheff. Pour changer de route il n'avait attendu qu'un signe.

— Approche, ordonna Igricheff au chaouch.

Et, quand celui-ci se fut rangé à côté de lui, de telle façon que les naseaux de leurs montures touchaient presque l'obstacle vivant, Igricheff demanda, en montrant le nord :

— Qu'y a-t-il là-bas?

— Loheyïa et Midy, chef, puis le pays d'Assir, mais il faut des méhara. Les chevaux ne tiendront pas.

A l'est se profilaient les djebels d'où les cavaliers étaient descendus. A l'ouest, c'était la mer. Igricheff se tourna vers le sud.

— Et là? dit-il.

— Nous pouvons rejoindre une assez bonne piste, mais...

— Mais?

— Elle mène chez les Zaranigs.

— Passe devant et conduis.

— Ils nous tueront, dit Hussein en obéissant.

Comme Igricheff ne répondait pas, le chaouch poussa du talon son cheval qui hésitait à aborder le sable mou. Ils s'enfoncèrent dans les dunes, abandonnant la piste sur laquelle, tentant en vain de se relever, le dromadaire bramait sans espoir.

Leur marche fut très lente. Les bêtes renâclaient sans cesse à cause du terrain qui fondait sous leurs sabots. Les cavaliers n'osaient les presser de peur qu'un faux pas ne leur brisât les jambes. Une dune succédait à l'autre, aussi poudreuse, aussi friable. Les traces n'y demeuraient point. A peine faites, le sable, croulant, les recouvrait.

Par quel sens mystérieux de l'orientation Hussein, qui avait parcouru le Téhama deux fois seulement, se dirigeait-il? Il n'eût pu le dire lui-même, mais il était aussi sûr de son chemin dans ce moutonnement indéfini, monotone, que s'il avait été marqué de jalons éclatants. Sa seule crainte était de ne pas arriver à la nouvelle piste avant la chute du soleil. Il leur faudrait alors passer la nuit dans le sable. Et les chevaux avaient soif.

Pour ménager le sien et aller plus vite, il sauta à terre. Igricheff l'imita.

— Tu ne pourras pas, chef, dit le chaouch, tes bottes sont trop lourdes.

Le bâtard mongol haussa les épaules.

Le jour déclinait. Le sable devenait grenat. On ne voyait que lui, que lui, d'un bord à l'autre du ciel, sorte de houle immobile et doucement creusée. Si des caravanes passaient quelque part, elles étaient cachées par les dunes. On n'entendait pas une voix, pas un murmure; le bruit même que pouvaient faire en avançant Hussein, Yasmina, les chevaux et leur maître, le sable l'étouffait. Sur cette nudité empourprée, ce silence de la terre, sur cette fillette et ces deux hommes armés qui tiraient vers l'inconnu leurs bêtes par la bride, il y avait une liberté si large, si dure et si pleine qu'Igricheff se sentait porté par elle mieux encore que par Chaïtane. Et Hussein parlait de poids, de fatigue! Quand il sentait cette vague aride emplir sa poitrine, Igricheff ne connaissait ni la chaleur, ni la glace, ni la faim, ni la soif, ni la lassitude, ni la peur, ni la mort. Il regardait le soleil, descendant vers les premiers djebels, incendier le Téhama. Le sable rouge lui était à cet instant plus précieux qu'un élixir de vie.

— Nous devons être sur la piste, dit soudain Hussein.

Le chaouch battit le sol tout alentour, s'enfonça

57

dans le sable, revint au passage plus ferme et déclara :

— Maintenant, il faut aller rapidement.

Il attacha les rênes de son cheval à sa ceinture d'étoffe et se mit à courir. Ses foulées étaient légères, brèves, mais vigoureuses et promptes. Ses pieds nus tâtaient la piste étroite qui se perdait sans cesse dans les sables, la retrouvaient. Chaïtane, sur lequel était remonté Igricheff, n'avait qu'à le suivre. La fraîcheur relative du crépuscule, le désir de trouver un abri pour la nuit, aidaient l'effort de Hussein. Une heure durant, il soutint son allure épuisante. Il ne s'arrêta qu'au moment où Igricheff qui, du haut de son cheval, contrôlait un plus vaste espace, lui dit :

— Je vois des toits à une portée de fusil.

— Ouadi-Serab, murmura le chaouch.

Et il se laissa tomber, ruisselant, contre une dune.

Le village comprenait cinq huttes rondes. Toutes étaient faites de la même manière : un morceau de bois rugueux (apporté d'où ? depuis combien de temps ?) soutenait une toiture en fibres de doura à laquelle s'accrochait une cloison circulaire en fibres. Ni porte, ni fenêtres. A travers les larges interstices dessinés par les filets de sarment, on voyait le ciel au-dessus et de tous les côtés.

Le lit d'un ruisseau, à sec pour le moment, creusait la terre à une centaine de mètres devant ce ramassis de cabanes. Sur la rive gauche, deux trous contenaient de l'eau. Elle permettait la culture d'un champ de doura, étroit et triste avec ses pousses sèches qui hérissaient le sol jaunâtre.

Les cinq femmes du village étaient au puits, ainsi qu'elles le faisaient chaque soir. Elles furent les premières à apercevoir les cavaliers. Aussitôt, elles s'enfuirent vers les huttes, retenant des deux bras levés leurs jarres à moitié pleines sur la tête, et criant :

— Les askers, les askers.

A ces mots, toute la population du village jaillit des huttes. Elle était composée de deux vieillards, de quatre adultes et d'une demi-douzaine d'enfants.

Les derniers reflets du soleil jouaient sur les fusils d'Igricheff et de Hussein. A la vue de ces hommes montés et armés, la même rumeur craintive agita les habitants de Ouadi-Serab.

— Les askers, les askers...

Comme les chevaux escaladaient sans peine le petit escarpement formé par la rive gauche du ruisseau à sec et débouchaient sur les huttes, le chef du village se porta à la rencontre des arrivants. Il avait les jambes courtes et cagneuses. Rien ne cachait leur difformité, pas plus que celle du torse obèse, non de graisse, mais par l'effet d'un gonflement maladif. Les épaules fuyantes, un œil couvert d'ulcères achevaient de donner à cet homme de quarante ans un aspect lamentable. Il s'inclina très bas devant les deux cavaliers et proféra dans un gémissement :

— Allah soit avec vous, mais il n'y a rien à prendre pour la guerre ici, ni hommes, ni bétail, ni provisions.

Un coup d'œil suffit à Igricheff pour admettre la vérité de ce propos. Il y avait chez tous les hommes de Ouadi-Serab un air commun de famille et de dégénérescence. Chacun portait sa tare qu'une nudité presque complète révélait impitoyablement. L'un avait le bassin déformé, un autre le ventre hydropique, un troisième montrait un moignon lépreux au lieu de bras. Seul, un adolescent, vif et mince, semblait avoir résisté encore par la vertu de la jeunesse au climat, à la pauvreté du sang, aux aliments sans force et à l'eau corrompue.

Une affreuse misère cernait les huttes. Elles ne contenaient rien que deux ou trois poteries. Pas un meuble, pas un ustensile, pas un vêtement. Deux chèvres et un chameau squelettiques broutaient dans le champ de doura — tout le bétail de Ouadi-Serab. Autour, le sable.

— Rassure-toi, dit Igricheff, je ne veux que de l'eau et du fourrage pour mes bêtes et, pour nous, un toit. Je paierai.

Il frappa du poing sur le sac pendu à l'arçon de sa

selle, qui tinta clairement. Une expression bizarre parut dans l'œil unique du chef de village. Il se posa furtivement sur Yasmina. Ces voyageurs — dont l'un étranger — pleins d'armes et d'or, qui allaient à travers la partie déserte du Téhama avec une Bédouine en croupe, n'étaient certes pas des askers. Mais qui alors? Et que fuyaient-ils?

— Pour l'eau, elle est à ceux qui passent, dit le borgne. Le fourrage, je peux t'offrir seulement le nôtre, de la paille de doura. Ton sommeil sera abrité par ma maison. Viens.

Il mena Igricheff vers sa hutte qui était un peu plus spacieuse et plus dense de cloison que les autres. Mais le même dénûment y régnait. Il n'y avait même pas de foyer. Un trou dans la terre en faisait office. Tandis que Hussein et Yasmina dessellaient les chevaux et les conduisaient à l'abreuvoir, Igricheff ordonna :

— Fais-moi chauffer du café.

Le chef de Ouadi-Serab hocha sa lourde tête de rachitique et dit avec une résignation non feinte :

— Nous n'en avons même pas vu l'écorce depuis des années, étranger.

— Que peux-tu me vendre?

— Du lait de chèvre, s'il en reste, et peut-être une galette de doura. Nous ne mangeons qu'une fois le jour. Je vais demander aux femmes.

Il sortit. Igricheff entendit un murmure confus. La nuit tombait. Le borgne revint avec une jarre au fond de laquelle caillait un peu de lait suri et une autre contenant de l'eau ayant un goût de sel et de boue.

Hussein entra, disant :

— Ils n'ont même pas de torches. Heureusement, les chevaux ont bien bu et je les ai entravés, près de la paille.

Igricheff avala quelques gorgées de lait, tendit la jarre à Hussein qui appliqua le goulot à ses lèvres et la passa à Yasmina. Puis les deux hommes allumèrent des cigarettes légères. Le borgne en reçut une poignée, et se retira.

Le ciel étant sans lune, il faisait une obscurité

épaisse. A travers les branchages de la hutte, les étoiles brillaient sans donner de lumière. Quelques chuchotements animèrent encore la nuit de Ouadi-Serab. Puis le silence fut profond et impénétrable comme le cœur des dunes sous les ténèbres.

— Chef, dit Hussein à voix basse, nous pouvons encore gagner aisément Hodeïdah. Le sort est conjuré par le détour. Le Téhama est un mauvais pays. Partout tu verras la même misère. Et au bout, les Zaranigs.

— Les Zaranigs? répéta Igricheff, tu as si peur d'eux?

— Pour ton service, maître, je ne crains rien. Mais ce sont des démons terribles.

— Raconte.

Hussein s'accroupit sur les talons auprès de son chef étendu et parla de cette manière spéciale, un peu chantante et lointaine, qu'il prenait pour faire un récit. Sa voix était comme feutrée par l'obscurité.

— Ils ont la peau presque noire, dit-il, à cause du soleil de la plaine, et dure comme du cuir à cause du vent de la mer. Ils ont les plus rapides bateaux parce qu'ils savent les tailler pour la course et qu'ils ont un charme pour les voiles. Depuis les temps et les temps, ils attaquent les sambouks, les villes de la côte, toujours vainqueurs. Ils n'ont peur de rien. Ils n'obéissent à personne. Les anciens Imams n'ont jamais pu les réduire et les Turcs ont essayé dix fois sans réussir davantage. Les Zaranigs ne font pas de prisonniers. Ils ne connaissent pas la fuite. Si cela arrive à l'un d'eux, les femmes le poignardent. Sur terre, ils sont aussi courageux que sur mer. Personne n'est aussi bien armé, car ils sont riches par leur butin et ont des fusils couverts d'anneaux d'argent. Le cat pousse bien chez eux, mais ils en mangent moins que nous. Pour chefs, ils choisissent les plus braves, les plus cruels et leur obéissent jusqu'à la mort. Ils n'ont pas de front, leur nez est plat, leurs cheveux tiennent droit sur leur tête. Ils se disent les pirates du Prophète, parce que, sauf lui, ils ne connaissent pas de maître.

— Je serai roi chez les Zaranigs, dit Igricheff.

Il jeta sa cigarette à peu près consumée. Des étincelles frémirent dans la nuit.

— Si Allah le veut, tu le seras, murmura Hussein. Mais je dois te dire encore que, cette fois, la balance penchera du côté de l'Imam. Il a envoyé son fils aîné mener la guerre, son fils, Achmet Seif El Islam (1) qui ne craint ni le fer ni le feu. Il a vaincu le Turc, le Bédouin, les hommes d'Assir. Il est jeune, il est prompt comme la foudre. Et le sabre, le couteau ni la balle n'ont prise sur lui. Nos guerriers le vénèrent et se feront tous tuer sous ses yeux.

— Je serai roi chez les Zaranigs et je serai plus fort que le Glaive de l'Islam.

— Allah te garde, maître, et...

Hussein s'interrompit. Un crissement léger de sable sous des pieds nus venait de l'alerter.

Mais aucun bruit ne troubla plus les ténèbres.

— Ils savent que nous avons de l'or, reprit le chaouch et, pour les serfs du Téhama, l'hôte même n'est pas sacré.

— Que veux-tu que fassent ces infirmes?

— Tu as sans doute raison, chef, mais tant que tu dormiras, j'aime mieux veiller dehors avec Yasmina. Elle a l'oreille encore meilleure que la mienne.

— Si tu veux, dit Igricheff, mais nous partirons à la première clarté.

Il sombra dans le sommeil.

Hussein avait, dans la journée, fourni une dure course et subi beaucoup d'émotions contraires. En outre, la nuit du Téhama était opaque et molle, sans cette vivacité qui, dans les montagnes, tient éveillé le guetteur. Une torpeur invincible engourdit le chaouch. Des images sans lien passèrent sous ses paupières baissées : un aiglon blanc qu'il avait essayé d'apprivoiser lorsqu'il était enfant... une winchester qui tirait, tirait...

(1) Le Glaive de l'Islam.

un visage bestial de Zaranig... sa propre tête coupée...
Il s'endormit le front contre sa carabine.

Le cri strident d'une fillette qui hurlait son nom le réveilla. Il pensa à la petite Bédouine, fut debout. En même temps, une sensation de chaleur intense, de clarté aveuglante l'éblouit. La hutte, devant laquelle il s'était assoupi, brûlait. Un pan entier s'était embrasé d'un coup et flambait comme une torche. Hussein saisit son fusil par le canon et, en quelques coups de crosse, pratiqua une large brèche dans les sarments encore intacts. Igricheff en jaillit, couvert de cendres et de flammèches qui grésillaient sur sa veste de cuir. Il était temps. La hutte ne formait plus qu'un brasier.

— Je n'ai rien vu, rien entendu, murmura Yasmina haletante. Un trait de feu a passé devant mes yeux, est tombé au pied de la cabane. J'ai appelé.

Igricheff déjà ne l'écoutait plus. Il criait d'une voix aiguë et dure :

— Tout le village ici, ou c'est moi qui vous brûlerai vifs jusqu'au dernier.

Des huttes obscures et jusque-là silencieuses s'éleva un concert de gémissements. On eût dit que la petite population de Ouadi-Serab, tirée d'un sommeil innocent, venait juste de reprendre conscience. Les femmes et les enfants furent les premiers à paraître. Puis vinrent l'hydropique, le lépreux, l'homme au bassin déformé et enfin le chef borgne. Tour à tour, ils se rangèrent devant le bûcher, plus monstrueux encore, plus répugnants et comme fantastiques à la lumière rouge et dansante des flammes.

— Qu'y a-t-il, seigneur? Tu as jeté une cigarette mal éteinte? demanda le chef avec une sollicitude tremblante.

Un coup de cravache lui coupa les lèvres.

— Tais-toi, dit Igricheff, sinon je te tue à l'instant.

Une fureur contenue rendait difficile la respiration du fils de la Kirghize. Il demeura quelques secondes sans bouger, tandis que son regard qui reflétait la lueur de l'incendie examinait le groupe réuni devant lui. Il cherchait sur les visages, non pas à découvrir le coupable (car il les tenait tous pour fautifs), mais une inspiration pour le châtiment, la torture qu'il appliquerait à chacun. Soudain, ses pensées changèrent de cours. Il venait de voir que, dans cette tourbe apeurée, manquait l'adolescent qui, seul, était vigoureux à Ouadi-Serab. Aussitôt l'instinct du danger qui, tant de fois, avait sauvé Igricheff lui fit sentir que l'incendie — puisqu'il s'en était tiré — importait beaucoup moins que cette absence. Il enfonça ses ongles dans l'épaule flasque du chef et demanda :

— Où est le jeune homme?

Le borgne, dont saignait la bouche, murmura :

— Mohammed a le sommeil profond.

— Va le chercher, ordonna Igricheff à l'une des femmes.

Mais celle-ci ne bougea pas.

— Il est parti, dit lentement Igricheff. Où?

Le borgne baissa la tête et répondit :

— Je ne voulais pas le croire, seigneur étranger, mais il a dû mettre le feu à ta hutte et s'enfuir. Il voulait ton or, je pense.

— Tu mens.

— Par Allah...

— Hussein, amène-moi Chaïtane.

Le chaouch qui, le fusil au poing, se tenait près de son maître, courut vers les chevaux et revint avec l'étalon de l'Imam.

— Attache ce fourbe par les mains à la queue de Chaïtane, dit Igricheff.

Quand Hussein eut obéi, Igricheff sauta en selle et déclara :

— Si tu ne me dis pas la vérité sur-le-champ, je lance mon cheval et je ne reviendrai qu'avec ton corps rompu et tout vif écorché.

Il leva sa cravache sur Chaïtane.

— Attends! hurla le borgne.

Puis d'une voix sourde, sans inflexion :

— J'ai entendu que tu voulais passer chez les Zaranigs. J'ai envoyé Mohammed chercher les askers d'Obal. Mais j'ai été trop cupide. J'ai essayé, avant qu'ils viennent, de gagner ton or. Allah m'a puni.

— Combien d'askers à Obal?

— Ils sont douze, répondit Hussein. Et ils ont des méhara. Ils peuvent être ici avant le soleil... bientôt.

Le chaouch montrait les aiguilles les plus hautes des djebels qui commençaient à percer au fond de l'obscurité.

— Bien, dit Igricheff.

Il réfléchit intensément, très vite. Puis il commanda :

— Attachez-les tous les uns aux autres, sauf le chef. Donne un poignard à Yasmina. Qu'elle égorge comme un mouton le premier qui bouge, qui crie.

Il attendit que Hussein eût exécuté son ordre et reprit :

— Entrave de nouveau Chaïtane et plus solidement. Puis va te cacher derrière une dune, dans la direction d'Obal à une demi-portée de fusil et attends. Laisse passer jusqu'à moi, mais ne laisse revenir personne.

Resté seul, Igricheff jeta plusieurs jarres d'eau sur le foyer qu'il éteignit, ordonna au borgne d'amener l'unique chameau de Ouadi-Serab, le fit baraquer, lui ficela les jarrets. Ensuite, il ligota le chef du village contre les flancs de la bête et s'allongea derrière cet abri vivant, son revolver et son fusil de chasse posés sur le dos du borgne, sa carabine pointée entre les bosses du chameau.

L'aube vint. Et, avec elle, comme l'avait pensé Igricheff, l'attaque. Dans la pénombre, sans que nul bruit eût averti de leur arrivée, surgirent les silhouettes blêmes de cinq méhara. Chacun d'eux portait deux hommes, fusil épaulé.

Avant qu'ils eussent pu s'orienter, Igricheff, posément, lentement, comme à un stand, tira. Quatre askers, coup sur coup, culbutèrent de la haute selle dans le sable.

Les autres, avec des clameurs sauvages, lâchèrent une salve dans la direction d'où venait le feu meurtrier. Deux balles frappèrent le chameau. Une autre cassa une jambe du borgne.

Igricheff sourit et reprit son tir. Deux askers furent encore abattus.

Alors, n'ayant pas le temps de recharger leurs armes, les autres tournèrent bride et s'enfuirent vers Obal. Quelques instants après retentit le crépitement d'une carabine à répétition.

Igricheff se redressa, tranquille.

Hussein tirait encore mieux que lui.

Le chaouch mit assez longtemps à revenir. Mais il était monté sur un méhari et en tirait un autre par la bride.

— Il faut ramener ceux qui restent, dit-il, pour qu'ils ne donnent pas l'alerte dans Obal.

La chasse menée par Hussein et Yasmina dura une demi-heure. Quand elle fut terminée, il faisait grand jour. Igricheff avait eu le temps d'établir son plan.

Il fit remplir d'eau toutes les outres du village par les habitants, les fit accrocher sur les chameaux rapides. Tout le fourrage également.

Deux chèvres furent égorgées, dépecées, grillées. Yasmina et quatre enfants furent chargés de monter les méhara.

— En route, dit Igricheff. Que les traîtres de Ouadi-Serab courent devant. Le premier qui s'arrête mourra comme celui-ci.

Il cassa la tête du borgne, mit le feu à toutes les huttes.

Sa caravane, conduite par Hussein, était déjà loin qu'il regardait encore brûler les dernières branches.

Ainsi périt Ouadi-Serab.

6

LES PIRATES DU PROPHÈTE

CHAÏTANE eut vite rattrapé le convoi. Hussein l'avait, jusque-là, mené sans pitié, mais Igricheff trouva beaucoup trop lente son allure. Il fut comme un chien féroce qui presse un troupeau. Sa cravache mordait les méhara, les hommes, les femmes. Il n'avait plus à ménager que le temps.

Avant que le soleil terrible de midi eût imposé la première halte, deux malheureuses étaient tombées, mortes d'épouvante et de fatigue.

Igricheff fit abreuver et nourrir les chevaux par ses esclaves, mangea et but avec Hussein, Yasmina et les petits conducteurs des méhara. Pour les autres, il ne leur donna rien. Le soir il ne restait plus que le lépreux. Il fut chassé dans le désert. Il était déjà, lui aussi, un cadavre.

Cette nuit-là fut paisible. Au milieu de leurs bêtes, Igricheff et Hussein dormirent dans le sable chaud, sous le vaste ciel. A l'aurore, ayant bu un peu d'eau saumâtre et achevé leurs provisions, ils se remirent en route vers le sud. Toute la journée, ils contournèrent les villages et la nuit les surprit de nouveau dans le Téhama aride, obscur. Deux des enfants de Ouadi-Serab étaient épuisés. Ils furent abandonnés avec leurs méhara. Les autres suffisaient à porter la charge d'eau et de fourrage.

Un jour s'écoula encore pendant lequel la petite troupe ne mangea rien. Aussi, le lendemain, ils résolurent pour se ravitailler de ne plus éviter les huttes misérables. Mais le seul village qu'ils trouvèrent sur la piste était vide. Il ne portait aucune trace de lutte, ni de pillage.

— Le terrain de la guerre commence, dit Hussein. Le pays des Zaranigs n'est plus loin, mais j'ignore où, je n'ai jamais été jusqu'ici.

— Tu es sûr que cette piste y va? demanda Igricheff.

— On le dit.

— Et si tu te trompes?

— Nous mourrons, maître.

Le soir, les bêtes et les hommes épuisèrent la provision d'eau. Et le soleil se leva, rouge, sec, sur la terre fauve du Téhama.

— Au galop, commanda Igricheff.

Seule, Yasmina fut emmenée.

Toute la matinée ils pressèrent leurs chevaux. Chaïtane lui-même commençait à trébucher et Igricheff avait un voile trouble devant ses yeux d'épervier lorsque, dans la morne succession des dunes, ils perçurent une sorte de fil verdoyant. C'était une levée de terre, haute d'une vingtaine de mètres environ et couverte d'herbe, qui arrêtait l'horizon.

— Si nous devons périr, ce sera d'une balle, dit Hussein avec un sourire exténué. Voici le défilé zaranig. Derrière sont leurs villages et leurs villes et la capitale Bet-el-Faki.

Après une si longue course sur un sol sans relief, cette légère ondulation de terrain parut monumentale aux voyageurs. Elle s'élevait comme une enceinte placée par la nature au seuil d'un domaine interdit.

— Nous ne passerons pas de force, ni par surprise, dit Igricheff pensivement. Leurs guetteurs nous ont déjà aperçus de là-haut.

— Ils préparent leurs fusils, sûrement, murmura Hussein.

— Il vaut mieux voir.

Igricheff tendit Yasmina au chaouch et donna furieusement de l'éperon à Chaïtane. Celui-ci, qui n'avait jamais été traité ainsi, partit comme une flèche, malgré sa fatigue. Seule la rapidité de sa course fit que, de la volée de balles aucune ne le toucha, ni son cavalier. Igricheff fit volter Chaïtane et revint au pas vers Hussein qui accourait.

— Il faut que j'aille chez eux en ami, dit le fils de la Kirghize.

Il descendit de cheval et ajouta :

— S'il m'arrive malheur, fuis, garde et soigne Chaïtane. Tu as assez d'or pour te faire une bonne vie.

Hussein baisa la main de son maître. Celui-ci lui remit ses armes, et les bras levés, marcha vers la colline. Tout en avançant à pas tranquilles et réglés, il pensait :

« Je ne suis pas encore à portée de fusil. Ils doivent tenir conseil... Interroger un chef... S'ils tirent de loin, j'approcherai tout de même... J'ai toujours cru que je mourrais dans du sable chaud qui m'ensevelirait sans trace... Mais je n'ai pas l'impression que le moment soit arrivé. Me voici à peu près dans la zone... Ils tirent... »

Quelques balles encadrèrent Igricheff. Le sable s'éleva autour de lui en minces colonnes. Sans ralentir ni presser sa démarche, le bâtard kirghize porta sa main droite à son cœur, à son front. Et la tête haute, le regard rivé au sommet dentelé de la colline d'où allait lui venir, en l'espace de quelques secondes, l'amitié ou la mort, il poursuivit son monologue intérieur :

— Ils ont dû voir que j'étais sans armes... Je les ai salués courtoisement... Ils ont arrêté le feu. Mais cela ne veut rien dire encore... Ils doivent ménager les munitions. Ils m'attendent peut-être à une portée sûre... Je joue sur leur curiosité. Sera-t-elle plus forte que la méfiance ?

Igricheff n'était plus qu'à une centaine de pas de la levée de terre. Un coup de fusil retentit, un seul. Sur la colline se propagea une rumeur gutturale. Igricheff fit quelques pas en chancelant et tomba la tête la première contre le sol.

Hussein frémit dans toute la longueur de son corps.

Son premier mouvement fut de se lancer au galop vers son maître étendu, mais l'ordre que celui-ci lui avait donné en le quittant le retint immobile et glacé.

Au bout d'instants qui parurent terriblement longs au chaouch, une demi-douzaine d'hommes se détachèrent de la crête et dévalèrent, comme des chats, le long du versant nord. Parvenus au bas de la colline, ils inspectèrent l'horizon. Deux d'entre eux n'avancèrent plus et braquèrent leurs fusils dans la direction de Hussein. Les autres, légèrement courbés, souples et silencieux, coururent vers le corps d'Igricheff. Comme ils se penchaient sur lui, une terreur superstitieuse les fit soudain trembler. Le cadavre parlait.

— Je ne savais pas, disait-il, que les pirates du Prophète sont assez lâches pour tirer sur un vrai croyant qui les a salués en ami.

Profitant de la stupeur des Zaranigs, Igricheff se redressa d'un bond.

— J'aurais pu, poursuivit-il en montrant le browning qu'il tenait serré dans sa main, vous tuer tous tandis que vous veniez à moi. Mais j'ai préféré que vous me serviez d'escorte pour aller voir votre chef, car, dans ma terre, je suis un émir. Et je veux maintenant que mon serviteur m'accompagne.

Sans laisser aux autres le temps de se ressaisir, il agita son kolback. Quand Hussein et Chaïtane eurent rejoint leur groupe, Igricheff sauta sur son étalon, passa ses deux fusils en bandoulière et ordonna :

— Menez-moi chez celui qui commande ici, sans quoi je penserai que le peuple des fiers Zaranigs a peur de deux hommes libres et d'une fillette.

Sans dire un mot, la main à leurs poignards, les pirates encadrèrent les cavaliers. L'un d'eux prit Chaïtane par la bride et le conduisit vers la colline. Il fallut qu'Igricheff en touchât presque la terre grenue couverte d'une pauvre végétation pour distinguer tout à coup la fissure mince et sinueuse qui l'ébréchait. Le défilé était si étroit que les deux cavaliers n'y pouvaient avancer de front. Igricheff s'en réjouit. Quand viendrait l'heure du combat, les troupes yéménites ne passeraient pas facilement. Hussein, qui n'avait pas les mêmes préoccupations ni la même assurance que son maître, jetait, par instants, un regard rapide sur les parois qui encadraient le corridor. Chaque fois il voyait, au sommet, luire entre des broussailles, des armes et des yeux. Il était sûr d'aller à la mort, mais comme il avait remis son destin aux mains d'Allah et d'Igricheff, il se sentait tranquille.

De l'autre côté de la colline campaient six cents guerriers. Ils n'avaient ni tentes ni convoi. Répandus autour d'un puits, ils se tenaient accroupis sur les talons, le menton contre leurs fusils. Quand ils virent apparaître les deux prisonniers, ils les entourèrent, avec des regards farouches, mais sans crier.

Ce silence, dans une foule orientale, surprit Igricheff. Il considéra intensément les hommes réunis autour de lui et vit qu'ils ne ressemblaient en rien ni aux montagnards des djebels ni aux paysans du Téhama. Ils étaient courts, larges, avec des épaules et des cuisses très développées. Leurs cheveux noirs comme du jais, épais, durs et drus, se tenaient droits sur leurs têtes rondes et mangeaient la moitié de leurs fronts bas. Les nez étaient légèrement écrasés, les bouches bestiales. Pour vêtement, ils avaient des pagnes et des tuniques en toile, teintes d'un indigo craquelé et lourd qui les rendait rigides. Ils portaient tous de longs fusils, ornés de cercles d'argent et des poignards plus longs, plus effilés que ceux des Yéménites. Dans chaque muscle du corps et du visage, il y avait quelque chose de violent, d'insensible. On eût dit une meute disciplinée et muette.

Le pirate qui avait mené Chaïtane par la bride le confia à deux autres gardiens et, par un sentier à peine visible, grimpa sur la crête de la colline. Il en descendit bientôt, accompagné d'un homme dont le maintien et la démarche montraient qu'il était écouté des autres.

— Tu es venu chercher la mort? demanda-t-il d'un air sombre et hautain à Igricheff.

— Je suis un grand prince, dans un pays riche et fort, répliqua avec plus de superbe encore le fils de la Kirghize, et je ne parle qu'à mes égaux. Où est celui qui commande le peuple zaranig tout entier au combat?

Sa fermeté, son arrogance, ses armes et celles de Hussein, la beauté de Chaïtane, en imposèrent au chef des avant-postes.

— Bien, dit-il, on va te conduire chez Mohammed le Terrible, dans notre grande ville, et tu le regretteras, si le Prophète ne t'a pas en protection et amitié.

— Je veux d'abord que mes chevaux se reposent, boivent et mangent, exigea Igricheff.

Son ascendant était tel qu'il fut obéi.

Trois heures après, pendant lesquelles, malgré leur faim torturante, ni lui ni Hussein ne demandèrent aucune nourriture, il remonta en selle. Six Zaranigs allèrent chercher les méhara les plus rapides parmi le troupeau caché près du camp dans un repli de terrain. Et le prisonnier qui semblait commander son escorte donna le signal du départ.

Au milieu de la plaine assez fertile qui interrompt les sables du Téhama lorsque l'on va du nord au sud et que peuplent les tribus zaranigs, se trouve leur capitale, Bet-el-Faki. C'est une ville ronde, aux rues étroites, tortueuses, serrées entre des maisons grises, à plusieurs étages. Les dômes des mosquées, parce qu'ils s'appuient à d'autres édifices, ressemblent à des boucliers de forteresse. Une muraille épaisse, unie, strictement fermée, protège la cité farouche et nette qui jaillit soudain du sol plat comme un énorme nid de terre et de pierre.

Il faisait encore jour lorsque Igricheff arriva à la porte nord de Bet-el-Faki avec ses gardiens. Ceux-ci le remirent au chef du poste qui surveillait le seuil de la ville et retournèrent au trot des méhara prendre leur faction au défilé qui commandait la plaine. Deux guerriers saisirent par les rênes les chevaux d'Igricheff et de Hussein, deux autres se placèrent derrière eux. Ce fut de cette manière qu'ils cheminèrent vers le centre de Bet-el-Faki.

Les rues s'étaient aussitôt emplies d'une foule armée, sombre et silencieuse. Toute la méfiance, toute la haine d'une race étaient dans les yeux, noirs, lourds, brûlants. Jamais Igricheff n'avait senti un tel poids contre sa nuque. Les femmes surtout montraient une passion terrible sur leurs visages immobiles. Elles étaient, pour la plupart, élancées et belles, mais leurs corps et leurs traits portaient une sévérité sans miséricorde. Beaucoup avaient des poignards à la ceinture.

Ce peuple en armes avait toute la force et toute la rigueur d'un clan. Livrés à eux-mêmes, ces hommes, ces femmes ne devaient pas avoir de qualités régulières, mais réunis sur un bateau rapide, en troupe de choc ou en ville assiégée, on sentait la vigueur, le courage et l'acharnement de chacun décuplés par l'entente profonde et mystérieuse du sang.

On arrêta Igricheff devant un portail de très simple apparence qui ouvrait sur une cour, emplie de guerriers et de chevaux. Au fond se voyait une maison basse. Une seule pièce, très grande, composait toute la demeure du grand chef de guerre zaranig. Il était à moitié étendu sur un angareb richement décoré et promenait un regard dur et fixe sur les murs de la chambre comme pour y trouver une réponse aux questions incessantes que venaient lui poser ses lieutenants et ses messagers qui, les uns à cheval, les autres sur des méhara, partaient vers la ville, les défilés ou la plaine.

Lorsque Igricheff et Hussein furent amenés devant Mohammed le Terrible, celui-ci, une fois encore, sembla prendre conseil de ses murs blancs. Ils étaient ornés de tout ce que peuvent fournir des années de pillage et de course en mer Rouge. Des soieries, des armes, des peaux de bêtes, des fils de perles grossièrement noués formaient des trophées sans ordonnance. Dans les coins, il y avait des jarres d'huiles précieuses, des parfums, des sacs de café odorant. Cette abondance inutile, ces richesses venues de l'Arabie, des Indes, du golfe Persique, faisaient un contraste barbare avec la nudité de la pièce, et surtout avec l'homme qui les avait conquises. Il avait les épaules anormalement développées ainsi que le torse. Il portait une courte barbe carrée et grisonnante qui rendait effrayant son visage massif — plus bronzé encore que celui des autres Zaranigs.

« Il ne voudra rien entendre, pensa Igricheff en examinant les traits de Mohammed le Terrible. Nous sommes perdus. »

Il regretta de n'avoir pas livré combat près de la colline ou du moins dans les rues de Bet-el-Faki. Il eût succombé, certes, mais avec Chaïtane sous lui et en plein mouvement. Tandis qu'ici, bloqué, désarmé, au moindre signe du chef, dix poignards le perceraient, impuissant.

Des murs où étaient marquées ses victoires, Mohammed ramena son regard sur Igricheff. Cela ne dura qu'une seconde. Elle suffit pourtant à rendre l'espoir au fils de la Kirghize. Les yeux du chef zaranig étaient féroces, impitoyables, mais intelligents. Et Igricheff qui, avant de les avoir croisés, se préparait seulement à mourir avec arrogance, dit d'une voix grave et pénétrée :

— Je suis heureux d'être en ta présence, grand chef sur les eaux et sur les terres. Car plus encore que par ton courage et par ton bras invincibles, tu es fort par l'esprit. Et toi seul me comprendras. Je suis le premier des envoyés moscovites chez l'Imam Yahia.

La courte barbe grise s'inclina imperceptiblement pour montrer que Mohammed le Terrible connaissait l'existence de la mission russe.

— Or, j'ai été insulté à Sanaa. Et je veux me venger. Mon pays est trop loin pour que j'y aille chercher des soldats sans nombre, car l'outrage me brûle comme du feu. Je veux me battre parmi tes guerriers. Je t'apporte mon bras qui ne connaît pas la défaite, celui de mon serviteur qui tire mieux que tireur au monde, un étalon sans pareil et des armes de l'étranger que tu ne soupçonnes même pas.

Une deuxième fois, le regard épais de Mohammed le Terrible rencontra celui d'Igricheff. Il y eut un pesant silence.

— Tu retourneras au défilé d'où tu viens, dit enfin le chef zaranig; tu combattras là une semaine, car les chiens yéménites sont proches. Et si le Prophète te soutient, je te donnerai une troupe à commander. Maintenant restaure-toi, et va reposer jusqu'à l'aube. Tu n'auras pas trop de tes forces.

— Un dernier mot : sache que j'ai déjà tué à Ouadi-Serab, près d'Obal, huit askers. Tu pourras te renseigner facilement par tes espions.

— Je te crois sans peine, tu as des yeux de milan.

Et Mohammed le Terrible se remit à interroger les murs de sa chambre qui contenait les dépouilles de vingt sambouks désemparés et sanglants...

7

LE DÉFILÉ DE ZARANIG

DEPUIS trois jours, Igricheff, Hussein et Yasmina étaient au défilé.

La petite Bédouine se tenait la plupart du temps avec les bêtes, soignait les chevaux. Pour les repas, elle apportait à ses maîtres du lait de chamelle et les galettes qu'elle avait fait cuire. Les deux hommes menaient exactement la même vie que les pirates du camp, dormant par terre, sans tente ni couverture, prenant leur tour de garde sur la crête de la colline, et dissipant le reste des heures en une rêverie confuse, en brefs propos.

Or, vers le milieu de leur quatrième nuit de veille, Igricheff et toutes les sentinelles disséminées dans l'ombre, entendirent un faible bruit monter des sables. Il eût ressemblé à un froissement d'étoffe rugueuse si, par instants, il n'eût été rompu par un léger cliquetis de métal. Du fond du Téhama l'ennemi approchait, invisible.

Allait-il s'arrêter plus loin que ne portaient les fusils zaranigs? Ou, malgré l'obscurité, chercher le passage, essayer de le franchir?

— Aziz, dit Igricheff au pirate qui commandait le détachement de la colline, donne-moi quinze guerriers, je prends Chaïtane, et j'irai voir.

Aziz qui connaissait les volontés de Mohammed le Terrible, appela les plus souples, les plus silencieux de ses hommes et leur ordonna d'obéir au Moscovite comme à lui-même. La petite troupe se fondit dans la nuit.

Une demi-heure s'écoula, au bout de laquelle un de ceux qu'avait emmenés Igricheff revint au camp des pirates.

— L'étranger, dit-il, a envoyé le Yéménite en avant, il nous a arrêtés et m'a commandé de te faire savoir d'attendre sans inquiétude.

Aziz réfléchit, puis, soucieux :

— Que la moitié du camp, fit-il, monte avec les guetteurs, que l'autre garde le passage. Et que chacun ait des yeux de chat.

Il n'avait pas avoué sa pensée profonde, mais tous les pirates, comme lui farouches et soupçonneux, partagèrent sa crainte. Le Moscovite avait emmené leurs meilleurs hommes à la mort et cherchait à livrer le défilé.

Tendus, crispés, la main sur la gâchette de leurs

armes, ils cherchaient à pénétrer la nuit. Mais les ténèbres étaient opaques et, à trente pas de la colline, refermaient leurs rideaux. Le temps fuyait dans l'ombre. Chaque minute confirmait dans le cœur des Zaranigs leurs soupçons et leur haine.

Soudain, le roulement d'une salve fit trembler tous leurs muscles. Puis un autre, un troisième... Des cris, des coups de feu désordonnés parvinrent jusqu'aux pirates. Et, de nouveau, la cadence d'un tir précis et ferme.

Le silence retomba sur la plaine et sur la colline. Une demi-heure coula encore et comme aucune silhouette n'apparaissait dans la nuit aux abords du défilé, Aziz dit :

— Nos guerriers sont morts. Dès que les chiens yéménites attaqueront, j'égorgerai la Bédouine. Qu'elle vienne.

Et Yasmina attendit l'aube, sur la crête, auprès du chef zaranig.

Dès qu'il avait atteint la piste et tout en marchant avec ses hommes muets, le bâtard kirghize avait senti dans ses nerfs joyeux, dans sa tête d'une merveilleuse lucidité, naître l'inspiration et la méthode qui, toujours, le visitaient à l'approche du combat. Ses pensées, ses décisions s'ajustaient l'une à l'autre avec une promptitude, une clarté surprenantes. La confuse rumeur, plus distincte à chaque pas, que suscitait l'ennemi avançant, ne faisait qu'exciter et féconder son cerveau.

Les éclaireurs avaient quitté la colline depuis une vingtaine de minutes quand Igricheff demanda, d'un murmure à peine perceptible, au pirate le plus proche de lui :

— Sommes-nous loin du défilé?

— A une demi-portée de fusil.

— Alors, halte!

L'ordre courut à travers la chaîne silencieuse et mobile. Hussein, qui marchait en tête, revint auprès d'Igricheff. Celui-ci lui parla brièvement à l'oreille puis lui remit son gros revolver. Le chaouch s'élança vers la plaine obscure. Après quelques foulées il ne se distingua plus de la nuit. Ce fut à ce moment qu'Igricheff envoya un messager vers Aziz.

— Maintenant, dit-il à ses pirates, creusez le sable, en ligne droite l'un près de l'autre et de chaque côté de la piste comme si vous travailliez pour le Prophète lui-même.

Et, le premier, il se mit à fouiller fiévreusement le sol de ses mains nues. Ses hommes l'imitèrent. Bien qu'ils ne comprissent point le but de leur labeur, ils y mettaient une ardeur sauvage. On eût dit une équipe de fossoyeurs de ténèbres.

Cependant Hussein courait vers l'obscurité toute peuplée d'invisibles et bruissantes menaces. Il ne suivait plus la piste. Il la côtoyait. Ses pieds nus n'éveillaient aucun son. Il tenait sa winchester écartée de son corps, pour éviter tout heurt de métal. Ses deux revolvers étaient solidement fixés à sa ceinture d'étoffe. La main libre maintenait les trois poignards yéménites ajustés au même fourreau. Terriblement armé et silencieux sous le couvert de la nuit, il allait d'une cadence rapide, mais aussi attentif que s'il eût été à l'affût.

Or, une autre ombre, aussi muette, aussi tendue, venait à sa rencontre. Mais elle courait sur la piste et se détachait un peu plus dans l'obscurité que celle qui glissait le long des courtes dunes.

Hussein aperçut l'éclaireur yéménite quelques secondes avant de le croiser. Cela suffit à sa manœuvre. Il s'accroupit dans le sable, laissa passer l'homme, se lança derrière et lui planta un poignard dans la nuque. La lame perça le bulbe. Sans un soupir, le coureur s'affaissa. Hussein enterra le cadavre dans le sable et s'assit sur les talons.

Quelque temps après, trois silhouettes parurent sur la piste. Le chaouch courut à leur rencontre.

— C'est toi, Saoud? demanda l'une d'elles dans un souffle.

— C'est moi, répondit le chaouch si bas que sa

voix n'avait plus ni nuance, ni timbre. J'ai été très loin, j'ai vu la colline. Les Zaranigs ne s'attendent à rien. La première troupe peut attaquer.

Il parlait avec assurance, connaissant les méthodes de combat de sa race. Il savait que l'armée yéménite venait en vagues successives d'un millier d'hommes chacune et celle de tête ne devait pas être loin. Un groupe plus important d'éclaireurs vint se joindre au premier, puis un autre et un autre plus nombreux encore. Le dernier commandé par un officier.

— Nous sommes deux cents, dit-il, Saoud, mène-nous au pied de la colline.

Avec six hommes — la piste n'en pouvait contenir davantage de front — Hussein reprit la tête de la troupe de choc. Il ne pensa pas une seconde qu'il allait trahir des guerriers de son sang, qu'il travaillait pour de vieux ennemis. Les uns et les autres lui étaient indifférents tant qu'il obéissait à Igricheff. Son vrai souci était que, dans la marche rapide et obscure où les corps se frôlaient souvent, ses voisins ne sentissent pas les crosses de ses deux colts, armes inconnues d'eux et qui le pouvaient livrer. Il avançait les coudes collés aux hanches à l'endroit où les gros revolvers faisaient des bosses dures. Ses avant-bras en étaient tout meurtris lorsqu'il aperçut, dans l'ombre profonde, au ras du sol, une sorte de ver luisant, à reflets rouges. C'était la cigarette d'Igricheff, le signal convenu.

Hussein fit encore quelques pas, de façon à se glisser insensiblement sur le bord gauche de la piste. Là, il fit entendre un glapissement de chacal si parfaitement imité que tous ses compagnons s'y méprirent, et bondit dans les dunes.

En même temps, des éclairs jaillirent du sable et des balles vinrent frapper la masse confuse des Yéménites. Avant qu'ils aient pu prendre conscience des événements crépitait une autre grêle de feu. Hussein reconnut la winchester d'Igricheff. Puis les Zaranigs, ayant eu le temps de recharger leurs armes tandis que tirait le Moscovite, firent feu de nouveau. Les Yéménites ripostèrent en hurlant, dans la direction d'où venait cette fusillade. Mais leurs décharges ne pouvaient rien contre les pirates étendus dans une tranchée rudimentaire.

Alors, à son tour, le chaouch tira. Il vida sa carabine, les chargeurs de ses colts. Ignorants des armes à répétition, les Yéménites crurent qu'un autre parti ennemi était dissimulé sur leur gauche. Ils tournèrent leur feu de ce côté. Ils fusillèrent vainement le désert. Cependant, salve sur salve, Igricheff et ses hommes les décimaient de front. Et Hussein ayant garni ses armes, tira de nouveau.

Les guerriers de l'Imam étaient braves, mais cette lande inconnue, ces ténèbres opaques et toutes hérissées de feu, de plomb et de mort, eurent raison de leur courage. Ils s'enfuirent en criant :

— Chaïtane, Chaïtane.

Un hennissement sauvage leur répondit et un véritable démon fut sur eux, un centaure hululant qui les piétinait, les écrasait, les sabrait à la fois. Igricheff, seul dans la nuit, achevait la déroute.

Comme il revenait au galop, une ombre se dressa devant lui sur la piste. Déjà il levait le bras pour frapper lorsqu'il reconnut la voix de Hussein :

— J'ai fait un prisonnier, maître, disait le chaouch. Emporte-le.

Il tendit au Moscovite une forme confuse. C'était un Yéménite que, dans la panique, Hussein avait étourdi d'un coup de crosse. Igricheff le posa devant lui et, en quelques foulées, fut auprès de ses pirates. Hussein les rejoignit peu après. Ils n'avaient pas une écorchure.

L'aube vint. Les Zaranigs de la colline se préparaient avec une silencieuse fureur à l'attaque qu'ils croyaient inéluctable et déjà leur chef allait faire jaillir le sang de la gorge d'Yasmina lorsque ceux des pirates qui avaient la vue la plus perçante et qui, dans les expéditions de mer, servaient toujours de vigies, crièrent :

— Aziz, Aziz, ne touche pas la Bédouine.

— Que voyez-vous donc, mes milans?

— Il y a beaucoup de corps immobiles dans la plaine et tous portent le turban yéménite!

Le soleil montait vite, rouge et net sur le sable fauve. Aziz aperçut aussi, les uns raidis, les autres tressaillant, des guerriers de l'Imam étendus à travers la piste. Leurs fusils, qui jonchaient le sol, brillaient aux premiers rayons. A ce signe, Aziz reconnut que la défaite était complète et que le Moscovite était maître du terrain. Mais, lui, où était-il?

Aziz apercevait bien entre deux dunes une tache noire qui devait être Chaïtane. Mais son maître et les hommes à lui confiés?

Instinctivement, férocement, le Zaranig dénombra les blessés et les morts. Il y en avait plus de soixante. La troupe d'Igricheff eût-elle péri tout entière qu'elle eût fait largement payer sa mort. Mais l'ennemi n'eût point, dans ce cas, abandonné ses guerriers abattus et leurs armes. Où se trouvait donc le chef moscovite?

Pour répondre à la stupeur d'Aziz une foudre sombre jaillit soudain sur la piste, Igricheff avait lancé Chaïtane d'un terrible coup d'éperon. Il arriva ainsi au défilé, le franchit et lança comme un paquet son prisonnier aux pirates accourus.

— Pas un homme à nous n'est blessé, Aziz, dit le bâtard kirghize. Tu as compté les Yéménites tombés. Je t'amène une langue. Mais tu l'interrogeras plus tard. L'armée de l'Imam va sûrement vouloir prendre les trous où sont mes éclaireurs. Que tous les guerriers montent sur la crête et barrent l'approche de leur feu. J'ai fait creuser le sable à demi-portée de balle, ayant prévu cela.

— Tu es grand chef de guerre et Mohammed est aussi sage que terrible, murmura respectueusement Aziz. Je suivrai tes avis.

Il faisait grand jour. Au loin, dans les replis des

dunes, les Zaranigs virent flotter des tuniques blanches.

— Ils n'attendront plus longtemps, dit Igricheff. Divise tes hommes en deux, Aziz. Que chaque guerrier en ait un autre près de lui et quand il a tiré, qu'il prenne le fusil de son compagnon et que celui-ci recharge l'arme vide. Ainsi jamais ne s'arrêtera notre feu.

A peine avait-il fini de parler qu'une clameur suraiguë monta de la plaine et qu'avec un chant de guerre — celui-là même qui avait fasciné Igricheff sur la grande place de Sanaa — les Yéménites se jetèrent en avant. Les plus impétueux couraient sur la piste, mais la plus grande partie avançait à travers les dunes.

Ceux du chemin furent vite cueillis par les balles des Zaranigs enfouis dans la tranchée et que commandait maintenant Hussein. Pour les autres, ce fut différent. Les hommes de la colline les guettaient au moment où ils devaient se montrer à la crete d'une vague de sable. Les Yéménites avaient beau essayer de les franchir d'un bond après avoir rampé dans le creux des dunes, l'œil perçant des pirates les attendait à cette place même et leurs balles les foudroyaient en plein élan. La tactique d'Igricheff ne laissait aucun répit, aucun temps mort, aux assaillants. La fusillade roulait sans cesse — nourrie par 300 canons brûlants. Cinq fois les Yéménites s'approchèrent des éléments de tranchée, cinq fois le tir meurtrier des Zaranigs, invisibles dans les aspérités de la colline, les fit refluer. Enfin, ils abandonnèrent.

Cette fois, Aziz ne put compter les ennemis tombés, car les replis du sol dissimulaient les victimes. Mais il savait que l'Imam avait perdu beaucoup de guerriers valeureux ce matin-là. Lui, n'avait pas un homme touché.

Alors les Zaranigs chantèrent à leur tour une mélopée plus lente, plus dure et plus barbare que celle des djebels, le chant de la mer infinie et du Téhama ardent.

Ayant fixé les relèves des sentinelles, ayant envoyé très loin sur la colline, vers l'est et l'ouest, des guerriers pour éviter un mouvement débordant, Aziz dit à Igricheff :

— Viens voir le prisonnier avec moi.

Ils trouvèrent le Yéménite couché dans ses liens, les yeux clos sous le soleil qui, déjà, frappait fort. Il fut détaché et redressé d'un coup de crosse.

— Parle, chien, ordonna le chef zaranig. Combien êtes-vous d'esclaves du faux Imam de Sanaa devant le défilé ? Qui vous mène ? Comment compte-il passer ?

Le captif répondit sans qu'un indice de crainte parût dans sa face pure de montagnard :

— Nous sommes aussi nombreux que les graines du désert et nous prendrons la colline, puis Bet-el-Faki. Je n'ai rien d'autre à dire.

Aziz le regarda profondément et sut qu'il ne tirerait pas un renseignement du guerrier obstiné.

— Qu'on lui coupe les mains au ras du poignet, dit-il, qu'on lui fasse sauter les yeux et qu'on le chasse dans le sable.

Mais, Igricheff, levant la main, arrêta les pirates qui saisissaient déjà la victime et proposa :

— Je te demande, Aziz, d'attendre jusqu'au soir.

Sans vouloir pénétrer les desseins du Moscovite, le chef zaranig accepta. Le captif fut ligoté de nouveau et jeté sur le sol. Une heure après un autre guerrier yéménite, aussi étroitement lié, tomba à côté de lui. Il n'y avait pas de surveillance autour d'eux. A voix basse, ils parlèrent.

Lorsqu'il eut achevé son frugal repas, Igricheff, suivi de quelques pirates, se dirigea du côté des prisonniers. Celui qui avait été amené le dernier hocha imperceptiblement la tête.

— Faites ce qu'Aziz vous a commandé, dit le bâtard kirghize aux Zaranigs.

Ils emportèrent le premier captif à quelques pas. Deux cris retentirent, étouffés entre des dents coincées par une atroce douleur, puis deux autres encore. Et un homme tâtonnant, égaré, perdant son sang de quatre sources rouges, fut poussé à travers le défilé vers le désert, vers les siens...

Cependant, Hussein se délivrait sans peine de ses liens mollement noués, se relevait et disait à Igricheff qu'Aziz avait rejoint :

— L'armée compte six mille guerriers, mais seule la première troupe est arrivée. La seconde viendra ce soir. Avec elle le chef de l'armée. Ce n'est pas le prince Achmet Seif El Islam (Hussein soupira d'aise), mais Moulaï Ibn Ager, un grand guerrier courageux et sournois. C'est lui qui décidera. En l'attendant, ce qui reste de la première troupe monte le camp.

— Il faut les retenir la moitié d'une lune, dit Aziz pensivement. Alors, la soif et la fièvre les feront fuir. Nous sommes six cents et ne pouvons être plus. Mohammed le Terrible a besoin de tous les autres pour défendre la ville et la côte. Ils sont six mille et nous sommes six cents...

— Cela suffit, affirma Igricheff.

— Que le Prophète t'entende.

Ainsi que l'avait annoncé au chaouch le prisonnier, la journée fut calme. Du haut de la colline, les Zaranigs virent se dresser quelques tentes sombres, fumer des feux. Ils nettoyèrent leurs fusils, dormirent beaucoup, ramassant leurs forces pour la nuit. Mais rien ne troubla celle-ci. Quand le soleil se leva, il y avait au loin, parmi les dunes, beaucoup plus de tentes. Entre elles erraient des points bruns qui étaient des montures. Et la journée coula de nouveau paisible, ainsi que la nuit.

Au matin suivant, à quelques centaines de mètres de la tranchée, où se relayait à tour de rôle une poignée de pirates, se dressa un talus de sable assez haut.

— Il faut abandonner les trous, dit Igricheff soucieux.

Aziz réfléchit et refusa.

— Les libres Zaranigs, dit-il, n'ont jamais reculé devant les serfs Yéménites.

— Comme tu voudras, répliqua Igricheff, ils ne sont que dix et tu t'instruiras à peu de frais, pauvre cervelle.

Le lendemain, à l'aube, le talus était tout proche de la tranchée et une centaine d'hommes aux vêtements flottants l'escaladèrent avec des clameurs. Les Zaranigs de la crête les prirent sous leur feu, mais la pénombre empêchait la justesse du tir. Comme une avalanche les Yéménites fondirent sur la petite tranchée. Ils furent accueillis par une décharge à bout portant. Une douzaine d'entre eux tombèrent, mais les autres, chaque main armée d'un poignard, se ruèrent sur l'avant-poste des pirates. Il y eut une lutte brève et hurlante puis les guerriers de l'Imam rejoignirent leurs défenses.

Bientôt, sur le talus, dix têtes coupées aux cheveux rudes et droits regardèrent vers la colline.

Trois jours passèrent encore. Le mur de sable devenait plus haut, plus large. Les Zaranigs regardaient pousser, insoucieux, méprisants, cet ouvrage de termites. Mais Aziz consultait sans cesse Igricheff du regard.

Celui-ci demeurait silencieux, indifférent en apparence, mangeant peu, dormant beaucoup, et passant le reste du temps à soigner lui-même Chaïtane. Hussein l'imitait pour son cheval.

Enfin, Aziz n'y put tenir. S'il s'était agi de lui seul, il eût préféré mourir supplicié que de prendre encore conseil de cet étranger hautain qui toujours avait raison et l'avait humilié, mais il sentait peser sur lui la responsabilité terrible de défendre le défilé, la tribu.

— Que penses-tu de ce travail? demanda-t-il au bâtard kirghize.

— Si tu les laisses faire, ils pourront bientôt mettre à l'abri de vos balles toute une armée et un matin ils emporteront la colline. Il en mourra beaucoup mais ils sont dix contre un. Pour moi, cela importe peu, mon cheval a des ailes, et je montrerai à Mohammed, dans Bet-el-Faki, qu'il avait mal choisi le chef de courageux guerriers.

— Que faut-il alors, selon toi?

Igricheff fixa sur Aziz les fentes étroites par où jaillissait son regard d'épervier, et avec hauteur :

— Que je sois le maître ici.

Aziz le contempla longuement, tourna la tête vers le sud où était la capitale de sa race, vers le nord où croissait chaque jour l'armée ennemie, abaissa les yeux sur le mur de sable tout proche, couronné de têtes putrides. Puis il réunit d'un geste les pirates désœuvrés autour de lui et dit :

— Je vous annonce, et faites-le savoir aux autres, que désormais, le seul chef sur la colline est le chef moscovite et que je lui obéirai comme vous m'obéissez.

— J'accepte, cria d'une voix aiguë Igricheff. Je vous serai aussi fidèle que vos poignards.

Et, tourné vers Aziz :

— Maintenant, allons voir les bêtes.

8

LES GUÉPARDS

IL y avait un endroit, au revers de la colline, où l'herbe était plus drue, plus verte et où croupissaient des flaques d'eau. C'était là que les Zaranigs avaient réuni quelque deux cents montures. Les chevaux étaient peu nombreux et sans éclat. Ils ne valaient pas, et de loin, les coursiers des djebels. Mais l'orgueil zaranig n'était pas en eux. Il se réjouissait des grands méhara puissants et souples, aux longues jambes, au col de cygne, et que la richesse de la ville pirate avait permis de teindre au henné : tous avaient une couleur de cuivre rouge à reflets d'or.

— Dans le sable, dit Aziz avec fierté, ils vont aussi vite que ton étalon qui, seul de tous les chevaux que j'ai vus dans ma vie, a les jambes assez fines, les reins assez vifs et le sang assez puissant pour courir à travers les dunes.

— Choisis les cent meilleurs, car tu les connais mieux que moi, ordonna Igricheff. Et fais-le avec soin. De leur vitesse dépend le succès de mon dessein.

Aziz passa le reste de la journée à marquer les bêtes demandées par le Moscovite. Celui-ci, cependant, appelait les cinq pirates qui restaient de ceux qu'il avait emmenés avec lui pour la première sortie. Il commanda à chacun de désigner vingt guerriers à son goût parmi les plus braves et les meilleurs méharistes. Puis il prit la moitié de la troupe et confia l'autre à Hussein.

Quand s'annonça le crépuscule il dit au chaouch :

— Tu longeras la colline pendant une heure en allant du côté de la mer. A la nuit, tu la franchiras. Puis, tu obliqueras vers le talus yéménite en silence, de façon à être un peu derrière lui et sur sa gauche à l'aube. Dès que tu verras poindre la première clarté, tu te jetteras sur ceux qui le gardent. Tu me retrouveras là. Je viendrai sur la droite.

Les méhara baraquèrent. Les pieds nus posés sur le col flexible, le fusil à la main, leurs noirs cheveux épais et hérissés résistant à la brise du soir, les Zaranigs du chaouch se suivirent comme une longue frise barbare le long de la colline.

Igricheff monta sur Chaïtane, groupa ses hommes. Avant de s'éloigner il appela Aziz.

— Au premier coup de feu, conduis tout ce que tu as de guerriers droit sur le mur de sable et détruis-le. Ramène-les ici ensuite sans t'occuper de nous. Je me charge du reste.

Depuis longtemps, depuis les dernières convulsions de la guerre civile sur le Don et l'Oural, Igricheff n'avait plus connu le frémissement farouche et joyeux qui joua dans son sang, dans ses nerfs, sur sa peau, au moment où s'évanouissaient les étoiles sans clarté du Téhama nocturne. Il avait pris position à un kilomètre de la pointe est du talus et à son alignement. Il était sûr de la place qu'il occupait et des distances malgré l'obscurité, car il s'était fié pour cela au sens animal infaillible des guides zaranigs. Il avait fait baraquer les bêtes, était descendu de selle et depuis plus d'une heure, dans un silence absolu, il guettait le jour.

De temps en temps, Igricheff essayait le glissement dans le fourreau de son lourd sabre cosaque, flattait l'encolure de Chaïtane et lui chuchotait à l'oreille des syllabes rauques et brèves, des paroles de guerre et d'amour, venues de Mongolie. Les grains de sable commencèrent à devenir pâles sur le dos des dunes. Les Zaranigs firent lever leurs méhara. Quelques minutes plus tard on put voir à plusieurs pas devant soi. Igricheff sauta sur Chaïtane, mais attendit un peu encore, pour laisser croître et s'exaspérer son plaisir aride, enivrant.

Il souriait avec une expression de terrible souffrance. Il avait derrière lui cinquante hommes sauvages, montés sur des bêtes splendides. Ces hommes étaient à lui, comme ceux qu'il sentait trembler d'impatience de l'autre côté dans la brume et le sable. Il allait les mener au combat, il avait entre ses cuisses les flancs du plus bel étalon d'Arabie. Tout, les hommes, les bêtes, la plaine et le matin lui appartenait pour un combat de ruse, d'audace et de cruauté.

Il avait conquis tout cela, tout seul, dans ce pays inconnu, au hasard de sa fantaisie qui forçait le destin. Il savait bien, en dévalant du haut plateau de Sanaa, qu'il allait vers une aventure sans limite ni raison. Il attendait, il attendait avec son sourire de masque. Enfin, il leva sa main armée. Le tranchant brilla comme un faible et courbe et fugitif éclair.

Avec l'aube, sa troupe fondit en silence sur les Yéménites du grand talus.

Aziz n'avait pas menti pour les méhara. Ils suivirent sans peine Chaïtane dans son effort et ce fut bloqué, soudé, sans un cri, sans un mot, que l'escadron zaranig aborda l'ennemi. Sans doute, à deux cents mètres, les guetteurs du talus avaient vu venir la charge muette, mais le rempart qu'ils avaient eux-mêmes élevé gêna le tir des Yéménites. Ils n'avaient pas fini de se réunir du côté d'où venait la menace, qu'Igricheff, à bout portant, déchargea sur eux son colt. Ses hommes tiraient en même temps. Puis le sabre cosaque, les crosses des fusils, les poignards commencèrent leur labeur. Et tandis que les défenseurs du talus essayaient en vain d'atteindre les assaillants sur leurs montures, la troupe d'Hussein les chargea à son tour. En quelques minutes le carnage fut achevé.

— Rechargez les fusils, dit Igricheff.

Là-bas, dans le lointain que commençait à percer le soleil, un mouvement intense agitait le camp yéménite. Et bientôt une troupe de cavaliers et de méharistes courut vers le mur de sable.

Igricheff jeta un regard sur la colline. Les derniers guerriers zaranigs en dévalaient. Les premiers devaient déjà toucher le talus, le démolir. Il fallait, pendant qu'ils travaillaient, contenir l'ennemi. Pour cela, Igricheff qui, tant de fois, avait chargé sur tous les fronts de l'immense Russie, savait que, seule, la force du choc et la densité de la masse pouvaient donner la victoire. Il groupa derrière lui tous ses hommes en rangées de cinq, leur recommanda de se tenir serrés les uns contre les autres, de pousser leurs bêtes à la limite du possible et les enleva d'un hululement à ce point inhumain que les méhara s'élancèrent d'eux-mêmes, affolés.

Les Yéménites n'avaient pas eu le loisir de préparer leur contre-attaque. Ils s'étaient précipités en désordre, au plus pressé. Si bien qu'ils s'étaient échelonnés par petits groupes, selon la vitesse de leurs montures. Les premiers furent rompus, foulés par la trombe compacte qui poussa plus loin sa charge. Ce fut alors qu'elle heurta le gros des Yéménites montés. Il comprenait trois cents méharistes et une cinquantaine de cavaliers. Au milieu d'eux galopait sur un beau cheval le chef Moulaï Ibn Ager, reconnaissable au yatagan turc qu'il brandissait. D'instinct Igricheff le chercha.

Parmi les détonations de l'unique salve qui pouvait être tirée, son revolver claqua, fit tomber six hommes. Dans cette trouée, il poussa Chaïtane. Derrière lui venait Hussein qui ne s'était pas servi de son colt, en gardant les sept balles pour protéger son maître. Mais, au début, il n'eut pas à en user. Le bâtard kirghize semblait avoir dix bras. Il frappait de pointe, il frappait de taille. Son sabre rouge était partout autour de lui comme une mouvante et tranchante cuirasse. Quand il était serré de trop près, il disparaissait soudain sous le ventre de l'étalon et surgissait sur l'autre flanc. Les cavaliers yéménites croulaient autour de lui. Moulaï Ibn Ager avait compris tout de suite le dessein d'Igricheff et tâchait de fendre la masse de ses propres hommes pour arriver jusqu'à lui.

Un instant, ils furent face à face, mais un remous du combat les sépara brutalement. Igricheff fit faire un bond à Chaïtane qui le dégagea et promena un rapide regard sur le champ de bataille. Le talus de sable avait disparu. Déjà, Aziz et ses guerriers rejoignaient la colline. Les méharistes zaranigs, grâce à leur masse et à leur rapidité, avaient percé le centre des méharistes yéménites et revenaient sur les ailes. Mais ils étaient de moitié moins nombreux qu'au départ. S'il voulait en ramener quelques-uns, c'était la minute décisive. Ensuite, les pirates succomberaient car, déjà, apparaissaient entre les dunes les turbans sans nombre des fantassins du camp.

Le bâtard kirghize poussa son hululement sauvage. Tous les Zaranigs tournèrent les yeux vers lui. Il montra de sa lame sanglante la colline. Ils lancèrent vers elle leurs méhara.

Igricheff alors voulut retarder de quelques secondes la poursuite. Il savait que Chaïtane, par la piste, le sauverait toujours et il chercha de nouveau le chef yéménite, certain que, avec lui, il retiendrait dans la confusion première, le gros de ses hommes. Fouaillé, l'étalon se rua de nouveau vers Moulaï Ibn Ager. Comme celui-ci ne refusait pas le combat, les deux chefs se heurtèrent, le sabre cosaque croisa le yatagan turc.

Dès le premier contact, tous virent que Moulaï était impuissant à soutenir l'assaut d'Igricheff, rompu aux luttes équestres et mieux monté. Cependant qu'à coups de revolver, Hussein demeuré seul avec son maître faisait le vide autour de lui, le bâtard kirghize par trois fois blessa le cavalier yéménite. D'un dernier coup de sabre il lui enleva par dérision une oreille et, après un moulinet qui lui fraya le passage, fut sur la piste. Il n'avait plus qu'à laisser courir Chaïtane.

A ce moment, il entendit un gémissement strident et, ayant reconnu la voix du chaouch, se retourna. Atteint d'un coup de crosse au front, Hussein roulait à bas de son méhari.

Le réflexe d'Igricheff fut instantané : faire volter et agenouiller Chaïtane, ramasser Hussein, repartir. Mais, saoulé par le combat, il avait oublié que l'étalon n'avait pas le dressage des chevaux cosaques. Cela fit perdre une minute à la manœuvre. Comme Igricheff saisissait le chaouch par la ceinture, dix hommes se jetèrent sur lui.

— Prenez-le vivant, cria Moulaï Ibn Ager.

Étourdi de coups, le bâtard kirghize fut ligoté. On le porta au camp, inanimé, ainsi que Hussein.

Ils reprirent conscience assez vite et presque en même temps. La laine rugueuse, sale, d'une tente en poil de chameau leur cachait l'éclat du jour.

— Où sommes-nous, maître? murmura Hussein pour qui le choc avait été plus imprévu.

Mais, subissant le tranchant des liens contre ses membres qui essayaient de se détendre, il dit tout de suite :

— Captifs...

Et quelques instants après :

— Perdus...

Il ne marqua pas ce mot d'un accent de plainte ou de désespoir. Il constatait simplement la volonté du destin.

Un pan de toile se souleva et deux figures se montrèrent. Elles étaient noires comme de la poix. Un vague et cruel ricanement retroussa leurs lèvres bestiales. Puis la toile retomba.

— Ce sont les esclaves de Moulaï Ibn Ager, dit Hussein. Ils nous gardent.

Igricheff ne proféra pas une parole, ne fit pas un mouvement jusqu'au soir. Il réservait d'instinct ses forces. Et Hussein lui-même n'aurait pu dire si son maître dormit tout ce jour-là ou veilla les yeux fermés.

Lorsque l'ombre fut assez épaisse pour qu'on ne pût distinguer sa pâleur ni son pansement, Moulaï Ibn Ager pénétra sous la tente.

— Tu m'as outragé, fils de mère impudique, dit-il à Igricheff d'une voix basse et ardente, tu ne m'as pas traité en guerrier, tu as voulu qu'on rie de moi dans les villes et les montagnes. Allah ne te l'a point pardonné et moi, son serviteur, pas davantage. Tu mourras demain à l'aube comme un esclave voleur, sur le pal, et le chaouch infidèle sera brûlé vif près de toi.

Le bâtard kirghize répondit avec tranquillité :

— Si tu veux avoir la tête tranchée, fais de la sorte. Je ne suis ni Zaranig, ni Yéménite. Je suis messager d'outre-mer, d'un pays grand et fort mille fois comme le tien. Seul, l'Imam peut décider de mon sort. Tu n'en es pas digne, pas plus que de toucher à mon serviteur, à mon cheval, à mes armes. Je remets tout à la garde de l'Imam et tu en répondras devant lui car je suis un prince.

— Tu n'es qu'un chien maudit, cria Moulaï.

Et avant de sortir, il essuya les semelles de ses deux sandales sur le visage d'Igricheff.

— Tu le paieras de tout ton sang, gronda le bâtard kirghize, avec un effort terrible et vain pour rompre les bandes d'étoffe qui l'attachaient.

— Allah t'entende! murmura Hussein, convaincu que, pour son maître, rien n'était impossible.

La nuit vint. Elle fut remplie de la rumeur que fait un vaste camp sauvage : chansons monotones qui poignaient le cœur du chaouch, bruit de bêtes lasses, armes entrechoquées, nonchalantes conversations. Mais il s'y ajoutait parfois des plaintes, des feulements singuliers et cruels. Les prisonniers s'endormirent sans en avoir pu deviner la nature...

Leur épuisement était tel qu'ils ne se réveillèrent que douze heures après, courbatus, raidis. Sur eux était penchée la face de Tolma, l'un des noirs de Moulaï. Il tenait une gourde contenant un peu d'eau croupie. Il en appliqua le goulot aux lèvres d'Igricheff puis à celles d'Hussein. Les deux hommes, dont la gorge était ardente, burent avidement. L'esclave sortit sans avoir prononcé un mot.

— Tu vois que nous sommes vivants, remarqua Igricheff, tournant son corps vers Hussein d'un violent coup d'épaule et de rein.

Le chaouch réfléchit quelques instants et dit :

— Je sais ce qui s'est passé. Ibn Ager a réuni les chefs sous sa tente et leur a répété tes paroles. Le conseil a décidé d'attendre les ordres de l'Imam ou de son fils Achmet Seif el Islam. C'est alors que nous mourrons.

— Nous serons libres avant.

— Que le Prophète t'entende.

Mais rien dans les journées qui suivirent ne vint justifier l'assurance du bâtard kirghize et la foi d'Hussein en son maître miraculeux. Tolma leur apportait à boire quelques gorgées d'eau corrompue, leur enfonçait dans la bouche une poignée de dattes et s'en allait. Le reste du temps, ils ne voyaient personne, sauf, le soir, Moulaï qui venait, régulièrement, insulter, piétiner Igricheff. Celui-ci alors fermait les yeux et demeurait immobile.

La faim, la soif mal apaisées, la posture où le tenaient ses liens, ses propres excréments parmi lesquels il était forcé de vivre, rien ne semblait avoir de prise sur le bâtard kirghize. Simplement, la peau de son visage collait davantage aux pommettes pointues.

Mais les forces du chaouch cédaient. Il grelottait de la mauvaise fièvre du Téhama. Ses yeux étaient tour à tour brillants ou vides. Il ne parlait plus, ne regardait plus Igricheff. Comme un animal, il avait honte de sa faiblesse, de sa maladie. Il attendait la mort avec résignation. Parfois, un sursaut d'espoir secouait son corps rompu. C'était aux instants où, du camp, on entendait vers le sud crépiter une fusillade. Mais l'illusion était brève. Que pouvaient les Zaranigs de la colline, si courageux et acharnés fussent-ils, contre les milliers de soldats yéménites? Bien heureux s'ils parvenaient à tenir le défilé, à fatiguer la patience des guerriers de l'Imam. Seul, le chef moscovite aurait été capable de tenter, avec une poignée d'hommes, l'impossible... Mais il était là, ligoté, muet, absent et soumis aux plus basses injures. Et il ne répondait même pas.

Un soir pourtant, Hussein frémit. Moulaï Ibn Ager entrant sous la tente pour son insulte quotidienne, y trouva son esclave qui apportait la ration d'eau. Exaspéré par l'indifférence avec laquelle Igricheff accueillait ses paroles et ses coups, le chef yéménite chercha un outrage qui fût insupportable. Il arracha la gourde aux mains du noir et cracha dedans.

— Tu n'en auras pas d'autre avant d'avoir bu celle-ci, dit-il au prisonnier.

Le bâtard kirghize tressaillit dans tous ses muscles, comme brûlé au fer rouge. Il savait que la soif serait plus forte que son dégoût. Impuissant à se maîtriser davantage, il cria :

— Tu es plus lâche et plus immonde qu'un porc.

Tu n'oserais m'affronter, moi les mains nues et toi armé au milieu de tous tes serviteurs.

A ce dernier mot, une étrange lueur parut dans les yeux durs et sournois de Moulaï.

— Les mots courageux sont faciles dans la bouche d'un vaincu, dit-il. Tu n'es pas digne de te mesurer avec moi, mais si tu veux te battre avec le serviteur que je choisirai, tu le peux.

— Tout de suite.

Pour sentir ses membres délivrés des étoffes qui, depuis plus d'une semaine les tenaient captifs, pour avoir un couteau à la main, Igricheff eût accepté la lutte avec le plus bestial des esclaves. Il répéta :

— Tout de suite.

— Attends.

Ibn Ager quitta la tente pour quelques minutes. Lorsqu'il revint, les quatre principaux chefs de l'armée yéménite l'accompagnaient.

— Vous qui êtes des guerriers illustres et loyaux, dit solennellement Moulaï, vous êtes témoins et vous rapporterez à l'Imam notre maître, que son prisonnier étranger a voulu lui-même combattre mon serviteur Iphid.

— Je l'atteste, dit Igricheff.

— Nous sommes témoins, déclarèrent les chefs avec un intérêt singulier.

Moulaï fit un signe à ses esclaves. Ils délièrent Igricheff. Celui-ci se dressa d'un mouvement spontané et puissant comme la vie. Aussitôt, il eut les pointes de deux poignards sur la gorge. Ibn Ager ordonna aux noirs :

— Menez-le près d'Iphid. Puis, vous lui donnerez à manger et à boire autant qu'il le faudra toute la nuit. Ils se battront demain matin.

Bien que le soleil fût à son déclin, Igricheff trébucha presque en recevant ses rayons en plein visage. Il put ainsi mesurer sa faiblesse. Il dilata ses épaules, aspira profondément l'air du soir qui n'était plus souillé par la puanteur de la tente, fit jouer par des gestes brefs et sobrement mesurés ses muscles un à un. Quand son sang eut repris une circulation normale, lorsqu'il ne sentit plus qu'un léger étourdissement, causé par le manque de nourriture, il se mit en marche. Il portait la tête très droite, mais ses yeux presque invisibles glissaient sans cesse et avec avidité le long de leurs fentes étroites. Tout le camp se gravait dans sa mémoire.

Il était très vaste et sans limites définies, les guerriers couchant à même le sol et se déplaçant à leur gré autour des tentes de leurs chefs respectifs. Igricheff en compta douze. Sur l'une d'elles flottait l'étendard pourpre, semé de sept étoiles et d'une lame blanches.

« Celle de Moulaï », pensa le bâtard kirghize en serrant les dents.

Entre ces bruns abris, des centaines de soldats désœuvrés, le fusil à la main, le poignard à la ceinture, vivaient à leur gré. Les uns, assis en groupe sur leurs talons, discouraient lentement. D'autres, couchés le long des dunes de manière à éviter les feux du soleil, dormaient. D'autres allaient sans but, se tenant par la main et chantonnant. Mais Igricheff remarqua tout de suite que cette animation était faible, triste. La plupart des visages portaient les traces de la malaria, de la chaleur torride, de l'eau malsaine que distribuait avec avarice une mare croupissant par miracle au milieu du sable et qui avait fixé l'emplacement du camp. Non loin d'elle étaient parquées les bêtes dans un enclos primitif, fait de cordes et de nattes accrochées à des lances.

Un peu de sang monta aux pommettes d'Igricheff. Chaïtane se trouvait là.

Mais outre les deux noirs, outre les askers répandus autour de lui et qui suivaient ses pas avec une morne curiosité, dix hommes gardaient l'entrée de l'enclos. Igricheff continua à marcher d'un pas égal.

Il traversa ainsi tout le camp. A mesure qu'il avançait, sa curiosité grandissait. Où et vers qui le menait-on? Encore quelques rangées désordonnées de guerriers couchés ou debout à franchir, et il arriverait au sable nu. Ce fut alors qu'il aperçut trois grandes caisses grillagées et posées en bordure du camp. Les deux esclaves le poussèrent vers l'une d'elles, si brutalement qu'il heurta les barreaux. Un rugissement traînant se fit entendre et une gueule striée s'écrasa contre les morceaux de fer.

— Iphid, serviteur du grand Ibn Ager, dit Tolma en ricanant, comme ceux-ci.

Il montra deux autres fauves que la voix d'Iphid avait réveillés.

— Tu vois, poursuivit le noir, le maître te fait honneur. C'est le plus grand, le plus vaillant des trois guépards. Et il a faim... Le maître ne pensait pas rester si longtemps ici. Les méhara et les chevaux blessés par tes Zaranigs maudits ont suffi jusqu'à ce jour. Mais il n'y a plus de viande.

L'esclave se mit à rire bruyamment et ajouta :

— Sauf la tienne.

Igricheff ne l'écoutait pas. Il regardait le guépard avec une intensité tragique, où il entrait de la fureur, et un étrange amour, comme si, tout en mesurant déjà le félin et les risques et le rythme du combat, il eût trouvé dans cet adversaire imprévu un être fraternel.

Des muscles fins et durs, sans cesse en action, faisaient trembler la robe tachetée du guépard. Dans le mufle ardent, zébré de rayures noires, les yeux étaient d'un bleu profond, brûlant, pareils à des pierres précieuses traversées de soleil. Tiré de son rêve famélique, il lacérait de ses griffes le plancher de la caisse et, arqué, crispé, la gueule entrouverte, montrait l'ivoire humide de ses crocs.

Igricheff admira longtemps les armes de la bête, et sans qu'il s'en aperçût, son corps tâchait d'imiter les contractions brèves et flexibles qui leur donnaient tant de puissance. Lorsque fut établie en lui une sorte de cadence intérieure qui s'accordait à celle du guépard, et que par là même il se sentit avec le félin dans une intimité et une rivalité physiques également étranges, Igricheff retourna vers sa tente.

Il ne regardait plus le camp. Il en connaissait déjà toute la disposition. Il ne pensait pas au grand guépard. Il voulait seulement manger à sa faim, boire à sa soif, dormir sans liens. Il avait une légèreté musculaire, une insouciance, une voracité qui n'étaient pas d'un niveau humain.

Tout lui fut accordé selon ses désirs.

Jamais nuit ne fut plus réparatrice. Le bâtard kirghize sortit de son sommeil aussi frais, aussi souple et lucide qu'au moment où il avait lancé Chaïtane vers le talus yéménite. Il refusa toute nourriture, but et se laissa conduire par ses gardiens noirs. Le chaouch le suivit d'un regard désespéré jusqu'à ce que se fût rabattu sur lui le pan de la tente.

Tous les askers s'étaient portés vers le point du camp où étaient placées les cages. Ils entouraient une vaste fosse rectangulaire creusée pendant la nuit. Là, devait se livrer le combat. Bien peu parmi eux comptaient voir le spectacle, car les premiers rangs étaient composés de chefs et de chaouchs qui, seuls, pouvaient plonger du regard dans l'arène formée par les murs de sable. Sur le bord de la fosse, près de Moulaï Ibn Ager, étaient posés sept poignards de même taille...

— Choisis, dit Moulaï Ibn Ager à Igricheff.

Le bâtard kirghize, attentivement, les essaya tour à tour à sa main. Lorsqu'il eut désigné son arme, on le descendit avec des cordes au fond de la fosse. De la même manière, la cage d'Iphid y fut déposée.

— Tu ouvriras sans peine, cria Moulaï. Il faut soulever un tout petit morceau de fer.

Du fond de la fosse, Igricheff répondit :

— Ne t'inquiète pas, Sans-Oreille. Je saurai ouvrir, tuer ton serviteur et toi-même quand le jour viendra.

Puis il oublia tout au monde, sauf son adversaire et l'espace réservé au combat qu'il devait livrer.

Il en fit le tour deux fois, l'arpenta de long en large, faisant crisser le sable sous ses bottes. Toutes les aspérités, toutes les déviations, il les connut, les assimila. Enfin, ayant rempli largement ses poumons d'air vif, il se plaça sur le côté droit de la cage et leva la targette. Iphid sortit lentement, s'étira, aiguisa ses griffes. La liberté l'étourdissait un peu. Il dilata ses épaisses narines. Sa queue commença de battre ses flancs. Une seconde, Igricheff, qui se tenait derrière, eut la tentation de se jeter sur lui, de planter son poignard dans la nuque offerte. Mais il pensa que s'il manquait l'attaque, il trébucherait, serait perdu. Il attendit, se déplaçant insensiblement.

Un grand silence pesait sur les spectateurs et tous jugèrent Igricheff égorgé d'avance, car il se mettait face au soleil, donnant ainsi l'avantage à la bête. Mais le bâtard kirghize était sûr d'éviter le premier élan d'Iphid. C'était pour le second qu'il voulait avoir le soleil dans le dos.

S'étant habitué à l'air libre, le grand guépard poussa une plainte rauque. La faim qui le travaillait depuis deux jours lui devenait, hors de sa cage, plus cruelle. Il leva la tête vers la foule amassée, inaccessible, ramena son regard bleu sur Igricheff.

Celui-ci se tenait légèrement courbé, les épaules et les reins souples. Le soleil donnait en plein sur sa vareuse de cuir, la faisait ruisseler de lumière comme une eau sombre. Cette tache animale et luisante fascina Iphid. Il écrasa son ventre un instant contre la terre comme pour y puiser une force décisive. Et sa détente fut si magnifique et si juste qu'une rumeur d'admiration se propagea au-dessus de la fosse. Mais les griffes du félin ne rencontrèrent que le sable. Igricheff d'un saut aussi précis, aussi ferme, avait évité le choc.

Le guépard se retourna et bondit comme la foudre. Mais le soleil le gênait. Il manqua encore sa proie.

De nouveau, il avait l'avantage de la lumière. Cette fois, il s'en fallut d'un pouce qu'Igricheff ne fût culbuté, déchiré. Et, déjà le guépard était sur lui. Il ne put éviter complètement le contact. Il sentit le souffle du félin l'envelopper. Et les griffes frappèrent son dos.

Le vêtement de cuir le sauva. La bête glissa dessus en le lacérant. Mais à travers les fentes, parut une onde rouge. Les Yéménites hurlèrent d'excitation et de joie. La fin approchait. A la vue des blessures, à leur odeur, le fauve allait devenir enragé. Aucune manœuvre ne pouvait plus parer son élan furieux. Igricheff haletait.

Porté par l'instinct de vivre, il avait profité du glissement de la bête qui l'avait, une seconde, désaxé, pour se dégager et reculer d'une dizaine de pas. Une dernière fois il rencontra les yeux de turquoise ardente et vit se former le bond. L'intuition suprême le visita. Il arracha sa veste de cuir, la fit miroiter au soleil et la jeta derrière lui. Ce fut elle que visa la bête, car c'était elle qui l'avait magnétisée jusqu'alors. Iphid ne sentit le stratagème qu'au moment où il se détacha du sol. Il voulut alors redresser son bond, le raccourcir, mais ne le put complètement. Au lieu des griffes de devant, son ventre porta sur Igricheff.

Celui-ci s'était laissé tomber par terre en boule, la tête collée aux genoux et sur eux, des deux mains, il tenait son poignard tout droit. Et quand il sentit la pointe empaler le félin, il se détendit avec une énergie désespérée, fendit de son arme le ventre, fouilla, fouilla, toucha le cœur.

Il était si mélangé à la bête, qu'il en perçut dans ses muscles la dernière vibration. Alors, il se releva, teint, tout entier, de sang animal et humain.

Une vaste et profonde rumeur le salua. Des premiers rangs yéménites la nouvelle de sa victoire s'était répandue aux suivants et de bouche à oreille tout le camp, stupéfait, l'avait en quelques instants connue. Comme un gladiateur triomphant, Igricheff, étourdi, ivre de se sentir vivant, regardait tout à tour le félin étendu à ses pieds et la foule dressée.

Soudain, il vit un canon de fusil étinceler à quelques mètres de lui. Moulaï Ibn Ager ne pouvait accepter la mort de son fauve favori. Mais les chefs assis à côté de lui saisirent l'arme et la balle dévia, frappa seulement la paroi de la fosse. Des askers jetèrent des cordes à

Igricheff. Dès qu'il fut hissé, ils l'attachèrent solidement et le rapportèrent sous sa tente.

— Véritablement, le Prophète se tient à tes côtés,
murmura Hussein d'une voix qui tremblait.

9

LA VOILE

Pendant deux jours, Moulaï ne vint plus voir
les prisonniers et Igricheff demeura, sans une parole,
les yeux fermés. Il ressemblait à une bête de combat
blessée qui laisse sa seule chair travailler à la guérison.
Ses plaies étaient fermées lorsque son ennemi reparut.

— Puisque tu es si fort et si habile, dit lentement ce
dernier, tu te battras après-demain contre les deux
autres guépards à la fois. Comme je suis juste, tu auras
deux poignards.

A cet instant, l'esprit d'Igricheff comprit qu'il était
perdu, mais ce qu'il y avait en lui de plus vrai et de
plus essentiel que son intelligence refusa de l'admettre
et, avec la nuit, il s'endormit du même sommeil brutal
qu'à l'ordinaire.

Le chaouch ne put l'imiter. L'angoisse qu'il avait
pour son maître avivait sa fièvre, crispait ses membres
qu'aucune détente, depuis des jours et des jours, n'avait
libérés. Il écoutait les rumeurs nocturnes du camp, la
respiration d'Igricheff, le crissement des insectes des
sables. Parmi tous ces bruits, il perçut au bout de quelques heures celui, tout proche, tout léger, d'une déchi-

rure d'étoffe. Il pensa qu'une des lanières de toile dont était enveloppé Igricheff s'était rompue, mais le bruit se répéta, à peine perceptible. Avec un pénible effort, Hussein se retourna du côté de son maître. L'obscurité complète l'empêchait de rien distinguer de cette forme immobile. Il prêta l'oreille avec un espoir insensé, mais le souffle d'Igricheff avait la régularité organique du sommeil. Hussein crut à un commencement de délire et allait retomber dans sa torpeur lorsque, au fond des ténèbres de la tente, plus épaisses encore que celles du désert, il vit une sorte de pâle zébrure. Cette fente s'élargit, devint un triangle pâle et sur cette clarté une silhouette frêle et petite se dessina. L'obscurité fut de nouveau totale, mais cette brève apparition, le chaouch l'avait, dans ce qu'il croyait son rêve fiévreux, identifiée.

— Yasmina, murmura-t-il.

— Me voici, Hussein, répondit à son oreille une voix douce comme le miel.

Une main enfantine, tremblante, glissa le long de son corps et soudain Hussein fut libre de ses liens. Il étendit les bras. A la douleur de ses jointures, il reconnut que tout était vrai.

— Yasmina, Yasmina, chuchota-t-il, brisé d'émotion, de fatigue, de joie. Le maître... il est là...

Par bonheur pour les captifs, les réflexes d'Igricheff étaient silencieux. Débarrassé brusquement de ses entraves, il se dressa dans l'ombre sans un bruit. En quelques secondes, il eut compris la situation.

— Ils ne se méfient pas de toi, Yasmina, dit-il. C'est ainsi que tu as pu arriver jusqu'à nous.

— Oui, maître, j'ai dit que je m'étais enfuie des Zaranigs qui m'avaient faite prisonnière et j'avais un poignard caché dans ma robe.

— Lève-toi, Hussein.

— Je ne peux pas encore, maître.

— Attends.

Igricheff se courba sur lui, massa ses épaules, ses hanches, ses genoux. Une bienheureuse et moelleuse chaleur courut par les membres du chaouch. Il fut vite debout.

— Maintenant, allez dehors, tous deux, commanda le bâtard kirghize. Yasmina passera partout. Toi aussi avec tes vêtements yéménites. Yasmina lâchera les méhara, en les piquant de son couteau, les chevaux, sauf Chaïtane et un autre. Hussein lâchera les guépards. Puis Hussein prendra Yasmina en croupe et galopera par la piste vers la colline.

— Et toi, maître? osa demander le chaouch.

— J'y serai avant vous, allez.

Hussein et la petite Bédouine disparurent à travers l'échancrure de la tente. Igricheff se recoucha. Malgré tout son empire sur lui-même, il n'arrivait pas à empêcher le battement de ses tempes. Jamais demi-heure ne lui parut aussi longue. Enfin, il entendit deux rugissements jumelés, un piétinement éperdu de sabots, des clameurs. Il s'élança par l'ouverture qu'avait pratiquée Yasmina, courut vers l'enclos aux bêtes. Dans l'ombre et la bousculade, nul ne s'aperçut que le captif fuyait. Il traversa des groupes d'askers, buta contre des corps qui se redressaient. La voix des guépards, les hennissements des chevaux, le bramement des méhara accompagnaient sa course. Qui, bêtes ou hommes, déchiraient les fauves? Qui piétinaient les chevaux? Igricheff riait, riait en silence et se sentait rapide comme Chaïtane lui-même.

Mais quand il eut désentravé son étalon, qu'il fut en selle, qu'il trouva son sabre courbe, il cria comme un fou.

Dans le camp, des torches s'allumaient, perçant l'ombre. Elles le guidèrent. Il passa comme un ouragan parmi les guerriers affolés, piqua vers la tente de Moulaï Ibn Ager. Celui-ci était sur le seuil, éclairé par des esclaves. Il vit une ombre équestre fondre sur lui et sa tête éclata comme une noix sous le coup frénétique du sabre cosaque. Et Igricheff sembla emporté par la nuit.

— Allah soit béni et son prophète, cria Aziz, quand Igricheff, ayant dépassé Hussein sur la piste et s'étant fait reconnaître par les sentinelles zaranigs, fut auprès de lui. Je ne pensais pas qu'en laissant partir la petite Bédouine je te reverrais. Si je l'ai fait, en vérité, c'est par une sorte de désespoir et parce que Mohammed le Terrible t'appelle sans arrêt depuis trois jours. Je n'osais lui dire, sans en être sûr, que la mort t'avait pris.

— J'ai soif et j'ai faim, répondit Igricheff.

Tandis qu'il mangeait, Aziz poursuivit :

— Je crains que tu n'aies à combattre plus durement encore auprès du Terrible. Une autre armée yéménite est passée le long de la mer, a tourné la défense et vient sur Bet-el-Faki.

Il fit une pause et acheva pensivement :

— Achmet, le protégé du Diable, la mène.

— Seif El Islam, dit Hussein, qui partageait le repas de son maître.

— Nous partirons le matin qui viendra après celui-ci, dit Igricheff. Il faut que nous ayons toutes nos forces.

Et il pensa que l'heure qu'il fixait était celle où les deux frères d'Iphid eussent dû le dévorer.

Mais, le soir même, un coureur sur méhari arriva hors d'haleine, ayant fourbu sa monture, couvert de sueur et de sang.

— Je suis, dit-il, le dernier homme à sortir de Bet-el-Faki. La cité est entourée de tous côtés par des askers plus nombreux que des sauterelles. Ils ont des canons. Déjà les murs croulaient quand je suis parti.

La décision d'Aziz fut rapide : il irait vaincre ou tomber avec son peuple. Ne l'eût-il point prise que la volonté des pirates qu'il commandait l'y eût forcé. Sombres et muets, l'instinct de la tribu les tirait en arrière, vers la mort.

Aziz, alors, dit au bâtard kirghize :

— Nous allons nous quitter, pour toujours, étranger, mon ami. Longe ce versant de la colline vers

104

l'ouest. Tu auras ainsi de l'herbe et de l'eau presque jusqu'à la mer. Et là, si tu as toujours ta chance, tu gagneras vers le sud notre port Taïf où tu trouveras un de nos zarougs ou une barque somali.

Igricheff regarda défiler les pirates à pied et à méhari dans le crépuscule, car il aimait les visages courageux aux portes de la mort.

Quand le dernier se fut effacé à l'horizon, il hissa Yasmina sur Chaïtane, fit signe à Hussein et ils se mirent en route vers la mer.

Ils suivirent le pied de la colline pendant trois jours et trois nuits, prenant très peu de repos. Plus ils allaient, plus la levée de terre devenait abrupte, haute et sablonneuse.

« Si les Zaranigs avaient pensé à continuer jusqu'à la mer par des fortifications leurs défenses naturelles, ils eussent été invincibles », se dit Igricheff.

Ce fut le dernier souvenir qu'il accorda à ses alliés de quelques jours. Ils périssaient par leur propre faute. Il avait eu raison de les abandonner. Si au lieu de l'envoyer en épreuve au défilé, Mohammed le Terrible l'eût pris tout de suite comme principal lieutenant, il eût sans doute sauvé la ville et la tribu des pirates. Maintenant il n'avait plus qu'à s'occuper de son propre salut.

Tant qu'ils furent à l'abri de la colline, leur course fut aisée. Il y avait de l'eau, un peu d'herbe. Les provisions prises au camp zaranig étaient abondantes. Personne ne se montra à l'horizon. La première alerte survint le quatrième jour du voyage.

Ils aperçurent, venant de chez les Zaranigs et se dirigeant, suivant une ligne oblique, à leur rencontre, une dizaine de chameliers.

Chaïtane et le cheval d'Hussein (qui avait choisi au camp yéménite celui de Moulaï Ibn Ager), eussent pu rapidement mettre les deux hommes à l'abri de toute poursuite. Mais l'ignorance où il se trouvait de la situation générale pesait à Igricheff. Les méharistes étaient peu nombreux. Ils n'avaient certainement pas d'officier avec eux. Ils ne savaient donc rien du rôle joué par les deux cavaliers auprès des pirates. Il fallait utiliser l'occasion. Et, s'il y avait combat, Igricheff et Hussein, dans ces derniers jours, s'étaient mesurés à des forces autrement disproportionnées! Le bâtard kirghize piqua vers la petite caravane. En approchant, il distingua d'abord la couleur cuivrée des méhara.

— Ce sont des pirates, dit-il à Hussein.

Le chaouch laissa passer quelques instants et répondit :

— Je ne le pense pas, maître. J'aperçois maintenant les turbans de nos askers.

Bientôt le doute fut impossible. Ils avaient devant eux des guerriers yéménites montés sur des méhara zaranigs.

— Salut, vainqueurs vaillants, cria Igricheff lorsqu'il fut à portée de voix.

Puis, ayant arrêté Chaïtane tout près du premier des askers :

— Je voyage, moi, chef moscovite, avec le chaouch Hussein, que m'a donné l'Imam pour me montrer la défaite des chiens zaranigs. Je viens du défilé de Bet-el-Faki, qu'ont enfin traversé les troupes de Moulaï Ibn Ager et je voulais voir, avant de retourner auprès d'elles, ce qui se passait du côté de la mer.

— Tu n'en es plus loin, répondit le méhariste yéménite. La colline s'arrête d'un seul coup à une heure de marche d'ici et nous la tournerons pour rejoindre, par le sable, Hodeïdah. Quand nous sommes partis, Bet-el-Faki brûlait. Les pirates défendent chaque maison comme une forteresse, mais ils seront tous exterminés par Seif El Islam. Et il nous a envoyés à son frère Mohammed, le second fils de l'Imam, gouverneur de Hodeïdah, avec le premier témoignage de sa victoire.

— Tu veux dire ces méhara, peints comme des femmes.

— Et ces sacs surtout.

Chacune des bêtes portait en effet deux ballots volumineux et tout bosselés, fixés à ses flancs.

— De l'or? Des armes? demanda Igricheff.

— Regarde.

Le bâtard kirghize ouvrit l'un des sacs ajustés sous la selle de l'asker. Ses paupières battirent un peu plus vite. Il venait de rencontrer, sous un front bas et couvert d'une rude chevelure, deux yeux fixes, vitreux.

— C'est un beau cadeau que le prince Achmet envoie à son frère, dit lentement Igricheff.

— Nombreuses vont être maintenant ces caravanes, répliqua l'asker.

Il fit signe à ses hommes. De leur pas régulier, les chameaux teints au henné et chargés de têtes tranchées reprirent leur marche.

Igricheff ayant rejoint le pied de la colline laissa les chevaux brouter, boire et dormir jusqu'au matin. Qui pouvait dire ce que les heures suivantes allaient apporter avec elles?

Très vite, ils furent en vue de la mer. La plage s'étendait sauvage et déserte, indéfiniment. Sur le sable mouillé, résistant, au ras de l'écume, ils galopèrent, ils galopèrent en silence. Vers une heure de l'après-midi, dans la lumière chaude et tremblante, une sorte de brume verte parut à l'horizon, sur le sable. C'étaient les palmiers célèbres de Taïf, oasis miraculeuse dans le désert côtier, au bord même de la mer Rouge.

Igricheff et Hussein pressèrent leurs chevaux. Soudain, ils virent déboucher des dunes et courir vers la plage une centaine de méharistes yéménites.

Cette fois, la ruse ne pouvait plus servir, il fallait passer de force. Ils passèrent.

Le bâtard kirghize s'enfonça le premier dans la troupe surprise, tirant, sabrant. Dans son sillage, le chaouch se glissa. Les cris de la poursuite s'éteignirent vite.

« Chaïtane vaut dix guerriers », pensa Igricheff avec amour.

Déjà, dans le rideau verdoyant de Taïf, il discernait les troncs et l'éventail des palmes, mais une fusillade nourrie arrêta son élan. Il comprit alors la rencontre qu'ils venaient de faire. Se rabattant de Bet-el-Faki, déjà emporté sans doute par le Glaive de l'Islam, des troupes yéménites venaient envelopper le port orgueilleux des pirates. Des flammes montèrent entre les arbres verts, des hurlements sauvages se firent entendre. Continuer la route vers Taïf devenait inutile. Rebrousser chemin l'était également. Pris entre des tenailles yéménites, ayant chaque minute comptée, Igricheff jeta un regard vers la mer. Elle était déserte. Alors, il lança Chaïtane.

Et de nouveau, suivi de Hussein, il traversa, grâce à la confusion du combat finissant autour du dernier réduit zaranig — blanche maison forte posée sur une dune — les troupes yéménites. Ils dépassèrent les palmiers, aperçurent deux bateaux effilés à l'ancre. Sur eux flottait déjà le rouge étendard orné du cimeterre blanc et des étoiles blanches.

Ils poussèrent plus loin, traqués, fuyant sans but. Mais du sud vers lequel ils couraient, arriva jusqu'à leurs oreilles le chant de guerre yéménite. De nouvelles troupes arrivaient à la tuerie.

Igricheff se dressa sur ses étriers et scruta l'horizon. Soudain, il cria :

— Regarde, regarde, Hussein!

A cinq cents mètres d'eux, au fond d'une crique protégée par de faibles dunes, une grande aile blanche se levait.

— Allons, Chaïtane, un dernier effort, dit Igricheff en se penchant sur l'encolure de l'étalon.

Et Chaïtane sembla comprendre. Il s'enleva tout seul vers la voile qui montait, montait. Et voici ce que vit le bâtard kirghize, arrivé au dernier repli de sable : un boutre ponté... un équipage noir et nu. A la barre, un homme qui avait l'air d'un Arabe, le torse découvert, et près de lui un Européen vêtu d'une chemise et d'une courte culotte en toile. Le bateau appareillait.

— Attendez, attendez, cria Igricheff au barreau en arabe.

— Va au diable, répondit celui-ci.

Et tourné vers ses noirs, il hurla :

— Vite, vite...

— Je suis Européen, reprit Igricheff en anglais pour le jeune homme qui se tenait sur le pont arrière.

— Au diable, répondit encore l'homme du gouvernail.

— Je suis en danger de mort, cria en français cette fois Igricheff.

Son accent était très pur. En l'entendant, le jeune homme tressaillit. Il se pencha vers son compagnon, il y eut un bref colloque que n'entendit pas Igricheff, puis deux noirs mirent à l'eau une pirogue faite d'un tronc d'arbre évidé et pagayèrent fiévreusement vers la plage.

— Tu monteras le premier, dit Igricheff à Hussein, quand la pirogue fut près d'accoster.

Une immense détresse venait de fondre soudain sur le bâtard kirghize. Il avait compris qu'il fallait abandonner Chaïtane.

Tandis que Hussein passait Yasmina aux pagayeurs et montait dans le canot, Igricheff, sautant à terre, regarda les beaux yeux humides de l'étalon. Jamais il n'aurait une monture pareille, jamais coursier ne l'avait en si peu de temps, sauvé tant de fois.

Il le caressa, il l'embrassa.

Les clameurs yéménites se rapprochaient.

— Que faites-vous donc! cria en français l'homme du gouvernail. Vous allez nous faire tous tuer, j'appareille.

Et il ordonna aux rameurs du canot de revenir.

Igricheff ne pouvait se décider encore. La force du sang kirghize couvrait en lui l'instinct de la vie. Il pensa à ses aïeux, les Khans des steppes, qui faisaient égorger leur cheval préféré sur leur tombeau.

Il prit son revolver, mais le cœur lui manqua.

La pirogue s'éloignait. Alors, il bondit en selle et poussa Chaïtane dans la mer. L'étalon nagea. Il atteignit le boutre au moment où celui-ci piquait vers le large. Mouillé jusqu'au bassin, Igricheff s'agrippa au bordage, monta sur le pont. Sans faire attention à personne il passa la bride de Chaïtane à un bout de bois. La brise gonfla la voile. Des coups de feu la trouèrent. Igricheff ne voyait et n'entendait rien. Il était debout à la proue les yeux fermés.

Quand le bateau eut gagné le large, il dit, sans se retourner, à Hussein :

— Coupe la bride.

DEUXIÈME ÉPISODE

LE FILS DU VENT

1

L'AVENTURIER DE LA MER ROUGE

LE voilier que l'étoile d'Igricheff lui avait fait découvrir près de Taïf s'appelait *Ibn-el-Rihèh*, fils du vent.

C'était un assez étrange bâtiment. Bien que sa silhouette générale rappelât celle des sambouks ou boutres de la mer Rouge avec un avant effilé et bas et un arrière assez haut et large, son gréement était tout autre.

L'*Ibn-el-Rihèh* était ponté, portait un foc, une trinquette et une grand-voile dont la bôme en pitchpin, pivotant autour du mât, balayait pendant les manœuvres toute la partie arrière du bateau, sauf, pourtant, la banquette légèrement surélevée où se tenait l'homme de barre. Un autre détail achevait de singulariser des sambouks cette grosse barque hybride, longue de quinze mètres, large de trois au maître couple : à l'arrière, un roof couvrait une cabine capable de loger deux personnes et à laquelle menait une brève échelle.

Sur le pont, par le travers du mât, une caisse en bois, recouverte de tôle, arrimée à tribord, abritait le foyer sur lequel on faisait la cuisine. A bâbord et à la même hauteur, se trouvait le four à pain : une barrique posée debout, ouverte dans le haut, solidement saisie sur le pont et contre le bastingage et revêtue intérieurement d'une épaisse couche de terre réfractaire. Dans l'axe du bâtiment, deux panneaux permettaient l'accès, l'un de la cale, l'autre d'un petit poste d'équipage qui servait aussi de soute à voiles et à filins et de puits à chaîne.

Pas d'autres commodités : aucun meuble, pas de matelas ni d'oreillers. Les paquets de mer éteignaient le feu au moindre gros temps et, sauf l'ombre mince que donnait la grand-voile suivant son orientation, il n'y avait point d'asile contre le soleil terrible de la mer Rouge.

Enfin, le pont était encombré d'une pirogue, de pièces de bois, de prélarts, de barils, de glènes, de cordages, semés dans le plus grand désordre. Parmi ces obstacles, des matelots noirs bondissaient.

Le seul espace dégagé par eux au moment où le bizarre bâtiment, échappant à la côte des Zaranigs et au feu yéménite, cingla vers le large, se trouvait à l'extrême pointe du bateau, autour du treuil qui servait à mouiller et à rentrer l'ancre. Pour se serrer contre leur maître autant que pour ne pas gêner la manœuvre, ce fut là que Hussein et Yasmina rejoignirent Igricheff.

Le visage du bâtard kirghize était sans expression. Les mains lâches, les muscles abandonnés, il regardait, sans plus la voir qu'un aveugle, l'eau profonde et bleue qui se fendait avec un sifflement léger et une vive ondulation écumeuse contre l'étrave du boutre. Il respirait doucement. C'était la seule activité consciente de son être, comme s'il eût voulu absorber dans ses cellules la densité et l'humidité marines avant de prendre contact avec la figure nouvelle de son destin.

Hussein, lui, avait fermé les yeux. Une grande lassitude l'accablait, qui venait non seulement de l'effort fourni, de la malaria contractée au camp yéménite, mais, surtout, du dépaysement qu'il ressentait tout à coup. Hussein avait le cœur brave et fidèle, mais guère aventureux. Il aimait ses montagnes, son peuple, ses coutumes. Déjà le Téhama, les Zaranigs l'avaient meurtri dans cet instinct profond. Pourtant, c'était une terre, une tribu proches des siennes. Voilà qu'il se trouvait au milieu d'hommes noirs et nus qui parlaient une langue où il ne comprenait que la moitié des mots, environné par une masse liquide dont il ne connaissait rien et porté par quelques planches sans cesse frémissantes! Désœuvré soudain, après tant d'action, les paupières baissées, il s'en remit, une fois de plus, à son Dieu et à son maître, les derniers éléments familiers qui fussent encore à lui.

Seule, la petite Bédouine, que protégeait la fraîcheur de son âge, dirigeait par instants ses yeux vifs, ingénus et curieux vers l'arrière du boutre. Elle vit ainsi diminuer les colonnes de flamme et de fumée qui montaient au loin entre les palmiers immobiles de Taïf, elle vit la silhouette crispée, au torse de terre cuite, du barreur. Elle vit trembler les voiles selon les variations de la brise et de la route. Mais, bientôt, ce spectacle et celui des hommes sombres qui travaillaient au palan d'écoute et aux drisses la fatigua. Elle s'assoupit, debout près du chaouch et d'Igricheff. Leur groupe demeura sans mouvement, silencieux, percevant confusément la rumeur de la brise, le sifflement de l'eau, le battement des toiles, le cliquetis léger des anneaux sur les drailles, et les ordres rauques et courts que criait l'homme au gouvernail.

Cette léthargie dura jusqu'au moment où la côte arabique eut fondu à l'horizon. Igricheff entendit alors derrière lui et presque à son oreille une voix belle et flexible qui disait en français :

— Je comprends votre tristesse, monsieur. C'était un cheval splendide.

Le bâtard kirghize se retourna d'un mouvement tellement brutal qu'on eût pu le croire brûlé au fer rouge. Il se trouva en face du jeune homme vêtu de blanc qui semblait être le seul Européen sur le voilier.

— Ai-je l'air de pleurer? demanda-t-il.

Puis, sans laisser à son interlocuteur désorienté le temps d'une explication, il joignit les talons à la manière des officiers russes, tendit la main et se présenta :

— Comte Igricheff.

— Philippe Lozère, répondit machinalement le jeune homme, en serrant les doigts durs et longs qui s'offraient à lui.

Autant la courtoisie d'Igricheff était sèche, hautaine et comme forcée, autant celle de Philippe Lozère paraissait une partie de lui-même. Ce grand garçon, aux larges épaules, aux hanches minces, de figure agréable et régulière, plaisait dès l'abord par son naturel. L'aisance de ses manières, de sa voix, de son regard lui valaient tout de suite une amitié instinctive, ainsi que la franchise de son front lisse et la gentillesse de ses yeux gris. De plus, bien qu'il fût habillé le plus simplement du monde d'un pantalon de toile et d'une chemise de tennis, chaussé d'espadrilles et coiffé d'un large terrail décoloré par le soleil, il y avait, sur Philippe Lozère, cette indéfinissable patine, cette persistante présence d'une élégance et d'un raffinement entrés dans la peau qu'aimait profondément Igricheff. Il reprit, d'un ton tout différent :

— Si je ne vous ai pas remercié, jusqu'à présent, comme je le devrais, c'est que vous aviez autre chose à faire que de vous occuper de mes sentiments.

— Je vous en prie, vous ne me devez rien.

— Sauf la vie.

— Mais non...

— Votre bateau m'a sauvé.

— Il n'est pas à moi.

— A qui donc?

— A lui.

Philippe montra l'homme au torse brun et nu qui, les côtes saillantes, s'arc-boutait en cet instant à la barre pour changer le cap du voilier.

Igricheff considéra avec curiosité cette peau foncée, ces muscles secs, cette maigreur ascétique, ce nez busqué, ces traits sans âge, écouta cette voix gutturale qui lançait des commandements en un arabe auquel se mêlaient des mots inconnus.

— Turc, Maltais, Syrien? demanda Igricheff.

Philippe Lozère se mit à rire.

— Mais non, dit-il. Mordhom est Français, comme moi.

Entendant prononcer son nom, le barreur tourna la tête pour un instant vers Philippe et Igricheff. Ce dernier, alors, mesura d'un coup son erreur.

Les yeux, d'un bleu dense, presque violets, les yeux sans fond, pleins d'une étrange et dure tristesse, trahissaient complètement le personnage. Certes ils étaient seuls à demeurer intacts dans un corps, dans un visage transformés, maquillés par une vie qu'ignorait Igricheff. Mais ils suffisaient pour montrer, sans doute possible, que cet homme n'appartenait pas à l'Orient, qu'il était d'Europe et même d'une Europe au climat changeant, au ciel d'orage, de brume et de perle douce.

Le voilier maintenant, cap au Sud, filait grand largue, taillant sans peine sa route dans une mer tranquille que la fin du jour adoucissait encore. Les matelots noirs qui, jusque-là, s'étaient tenus à portée de manœuvre, sentant que la voilure était, pour quelque temps, bien établie, gagnèrent l'avant où ils s'accroupirent en rond sur leurs talons. Mais, au cri du barreur, l'un d'eux se releva, vint au gouvernail. C'était le seul, de tout l'équipage, qui eût le torse couvert de quelques lambeaux d'étoffe et le seul aussi que l'âge eût marqué nettement. Il avait des épaules étroites, un peu voûtées, une figure de vieille femme, grêlée par la petite vérole, des paupières sans cils. Mordhom lui donna quelques indications, étira ses muscles fatigués et vint s'allonger sur le roof.

— Daniel! cria gaiement Lozère, voici le comte Igricheff qui tient à vous déclarer sa gratitude.

— Il n'y a vraiment pas de quoi parler, dit Mordhom d'une voix lente et voilée, tout en reculant un peu afin de laisser à Igricheff et à Philippe la place nécessaire pour s'asseoir près de lui. Non, il n'y a vraiment pas de quoi parler, car, si vous n'aviez pas eu l'idée d'appeler en français, je vous aurais bel et bien laissé étriper par les Zaranigs ou les Yéménites, peu m'importe.

Il promena ses yeux vagues sur le pont brûlant, sur les nuques sombres des matelots, sur l'aridité de la côte, sur toute cette sauvagerie franche et libre et reprit :

— Je ne croyais même pas que cela pût me remuer à ce point d'entendre du français sur les sables de Taïf. J'aime autant vous le dire tout de suite, ce n'est point par pitié ou par humanité que j'ai envoyé le houri. Je ne sais plus ce que c'est. Je connais encore un peu l'amitié (il posa sa main brune sur le genou de Philippe) et l'esprit de bord (il eut un regard pour son équipage).

Il réfléchit quelques instants, dit encore :

— A part cela, je ne pense qu'à ma peau et à ma cargaison.

— A votre place, dit Igricheff avec simplicité, je n'eusse pas retardé d'une seconde l'appareillage, même si l'on m'avait hélé en russe.

— On dirait, je vous assure, s'écria Philippe, que vous prenez plaisir à vous montrer plus insensibles l'un que l'autre.

Mordhom contempla une seconde Igricheff. Les minces filets noirs d'épervier soutinrent tranquillement le regard des yeux violets.

La brise qui emplissait les voiles sifflait doucement. Une buée rose, messagère du crépuscule, montait à l'horizon.

— J'ai risqué toute ma fortune à vous attendre et ma tête, sans doute, dit Mordhom. Mais qui, diable, pourrait mettre un nom de pays sur votre figure?

— Et sur la vôtre, donc!

Ils eurent un rire presque identique, difficile et court, le rire des hommes mal habitués à la gaieté. Dans leur échange de regards, il n'y avait pas d'attrait mutuel, mais de l'estime, ou, mieux, une sorte de complicité qui les faisait se reconnaître réciproquement comme des gens de même climat moral.

Philippe Lozère dit à mi-voix :

118

— C'est curieux, Daniel, jusque-là je me sentais en accord avec vous. Maintenant, il me semble que vous êtes seuls ici tous les deux.

Mordhom baissa la tête, passa le bout de son pouce rugueux dans la rude moustache noire qui s'arrêtait aux commissures de ses lèvres.

— Ne le regrettez pas, murmura-t-il.

Sa voix s'était faite légèrement plus sourde et plus creuse. Il eut aussitôt le sentiment qu'il se découvrait et se redressa. Les yeux d'Igricheff étaient sur lui, immobiles.

— Ah! Vous en êtes plus loin que moi encore? demanda Mordhom avec une tranquille curiosité.

— Je ne sais pas... Je ne vous comprends pas.

— Ne le regrettez pas davantage.

Mordhom quitta le roof d'un mouvement brusque et prit la barre des mains du matelot noir, au visage de vieille femme. Incurvé contre le bois dur, ses pieds nus appuyés fortement au pont, il parut soudain plus vif, plus jeune, comme si le contact profond qu'il prenait avec son bateau l'exorcisait.

— *Ouria!* (1) cria-t-il dé tous ses poumons.

— *Ouria!* répéta le vieux marin d'une voix perçante.

Les cinq hommes et le petit mousse assis en rond à l'avant se jetèrent au palan d'écoute, aux drisses du foc et de la trinquette. Drus, impérieux et comme métalliques, les commandements de Mordhom se succédèrent pour un nouveau changement d'amures. Cette fois, on revenait à l'Est.

Tandis que la bôme, dans sa giration, chassait Igricheff et Philippe, le bâtard kirghize demanda :

— Quelle est cette langue? Il y a de l'arabe sans doute... Mais le reste?

— C'est du somali, je pense. Tous les matelots sont de Djibouti, de Zeïla ou de Berbera, sauf Youssouf, pourtant, qui vient des montagnes Danakils. On voit

(1) Écoute.

119

d'ailleurs tout de suite qu'il n'est pas marin. Regardez-le.

Celui dont parlait Philippe, quoiqu'il eût bondi comme les autres à l'ordre de manœuvre et qu'il aidât ses compagnons, n'avait pas, en effet, leur justesse de mouvements, leur équilibre cohérent, instinctif. Il était, pourtant, de tous et de beaucoup, le plus grand, le plus fier, le plus beau. Ses proportions admirables, ses larges yeux, sa bouche sombre qui s'ouvrait sur des dents éclatantes, au milieu d'une courte barbe carrée, lui donnaient l'aspect d'un jeune roi mage.

— Quel guerrier! dit Igricheff.

— Dans tous les Mablat, il n'en est point de plus réputé, paraît-il. C'est le garde du corps de Mordhom. On ne peut pas courir plus longtemps et plus vite que lui, ni mieux tirer.

— Pour le tir, je ne pense tout de même pas qu'il vaille Hussein.

— Votre serviteur?

— Si vous voulez. Mais, auparavant, il était chaouch des gardes de l'Imam.

— Et il vous a suivi? Comment? Pourquoi? Vous avez vécu à Sanaa?

Les questions de Philippe avaient une fraîcheur, une avidité puériles. Ses yeux étaient devenus brillants.

— Pardonnez mon indiscrétion, s'excusa-t-il aussitôt. Mais tous ces pays, toutes leurs histoires me saoulent. C'est tout le temps comme une légende. Je ne connais rien d'eux. Tout ce que je vous ai dit sur les matelots, sur Youssouf, je le tiens de Mordhom. J'étais venu chasser il y a un mois en Abyssinie pour... je voulais... enfin (il baissa la voix) à cause d'un chagrin d'amour. Là, j'ai connu Mordhom et, figurez-vous, j'ai tout oublié tout de suite. C'est un personnage extraordinaire. Il a tout vu, tout fait par ici. Et je crois qu'il m'aime bien.

Philippe s'arrêta, confus. Il venait de se livrer entièrement à un étranger hautain et secret. Qu'allait-il penser de lui, cet inconnu de qui Mordhom lui-même avait dit qu'il l'avait dépassé, dans un domaine où Philippe perdait pied? Il balbutia :

— Excusez-moi, je vous prie. Je vous interroge, puis je ne vous laisse pas parler... excusez-moi.

— Mais, c'est tout naturel. Quand on embarque un passager dans les conditions où vous l'avez fait, on a le droit de vouloir le connaître un peu. Et je vois bien que vos confidences ne sont que courtoisie de votre part pour me mettre à l'aise.

« Se moque-t-il de moi? » pensa Philippe, encore tout à sa honte juvénile.

Mais il y avait, sur le visage d'Igricheff, quelque chose d'indéfinissable qui le rassura. C'était une sorte de détente dans les muscles inflexibles de la bouche, de légère mollesse dans les paupières de plomb. La curiosité passionnée, l'élan, l'abandon de Philippe, puis sa pudeur soudaine avaient rappelé au bâtard kirghize les hommes que, dans sa vie tragique, il avait le mieux aimés : les jeunes officiers de la guerre qui, arrivant à son escadron, montraient à son égard la même ingénuité, la même admiration et qui savaient si bien mourir.

— Je suis né dans les steppes de Samarkande, sous une tente, commença Igricheff.

Il raconta son enfance, sa jeunesse, la division sauvage, la guerre civile, Chaïtane, et la descente de Sanaa jusqu'à la mer Rouge. Quand il eut terminé, il y avait sur le boutre, pour Lozère, un deuxième héros.

— Et dire que Mordhom, Breton de père en fils, murmura Philippe, est venu à point sur la côte zaranig pour sauver un prince kirghize! Quelle chance j'ai eu de voir cela!

— Si vous suivez l'un ou l'autre de nous, vous verrez bien autre chose, dit Igricheff, avec son assurance souveraine.

— Vous avez des plans, déjà?

— Aucun, comme toujours... J'attends, comme toujours...

— Mais, pourtant, Mordhom forme sans cesse des projets... Il cherche, prévoit, arrange.

— Il est d'Occident, répondit Igricheff, en haussant imperceptiblement les épaules.

La nuit tombait, mais en même temps se leva la lune à son premier quartier. Le ciel était si pur que cette clarté permettait de distinguer tous les hommes, tous les objets du bateau. La grand-voile était d'argent et les corps des matelots semblaient d'un métal plus poli encore qu'à la lumière du jour. On aperçut une côte; de nouveau le boutre changea de cap et fit une route parallèle au rivage.

— Nous sommes un peu plus haut que Moka, dit Mordhom, en remettant la barre à son homme de confiance. Le vieil Abdi est d'accord avec moi là-dessus. Alors je suis tranquille et l'on pourrait manger.

Il appela le mousse. Celui-ci disparut dans le poste d'équipage et rapporta une boule dure et lourde. C'était un pain de doura cuit la veille. Mordhom le fendit en trois avec un couteau et tendit un morceau à chacun de ses compagnons. Philippe mordit avec peine dans sa miche et la déposa sur le roof.

— Jamais je ne pourrai m'habituer à cela, soupira-t-il.

— Je croyais la même chose, il y a dix ans, dit Mordhom.

Igricheff ne s'étonnait pas facilement. Pourtant, il ne put retenir une exclamation.

— Dix ans? Il y a dix ans que vous êtes ici?

— Dans ces parages, oui.

— C'est-à-dire dans la brousse abyssine, dans les montagnes Danakils, dans le Gubbet-Kharab, et dans toute la mer Rouge, depuis Suez jusqu'à Bab-el-Mandeb, s'écria Lozère avec transport.

— Le rayon est petit, tout de même, remarqua Igricheff. Pour quelqu'un de votre trempe, bien entendu. Vous ne vous ennuyez pas encore?

Mordhom eut un ricanement sourd où il entrait de la passion soutenue et du mépris.

— Sans parler des sentiments que je puis avoir pour ces côtes et pour cette mer, fit-il, je suis arrivé en Éthiopie à vingt-quatre ans pour être riche. Et je cherche encore cette richesse, ce qui ne m'a pas permis de m'ennuyer.

— Ri-chesse!

Igricheff avait détaché les syllabes avec une stupeur si hautaine que Mordhom en fut comme fouetté.

— Hé oui! Richesse! On voit bien que vous n'en avez jamais manqué, vous. Il est facile, vous savez, de courir l'aventure avec de l'or plein les poches, avec les plus beaux chevaux, les meilleures armes, les bateaux les plus fins. J'aime, plus que tout au monde, le désert et l'eau. Mais il y faut des caravanes et des planches avec un gouvernail. Et, sans un sou, comment faire? Parbleu, vous êtes d'un pays où tout est possible parce que tout est en plein chaos. Le nôtre est vieux, ordonné, calme. On y vit à l'étroit, et sans argent on n'y fait rien. Alors, je suis venu ici pour en trouver. J'ai fait la brousse et les pierres noires seul, à pied, armé d'un mauvais browning. J'ai construit mes boutres moi-même et celui-là encore, le dernier, est entièrement de ma main, depuis le beaupré jusqu'à la barre. J'ai essayé de tout, pêcher des perles, ramasser des nids d'hirondelles, planter du café. Rien n'a réussi. J'allais, grâce à Philippe...

— Non, je n'y suis pour rien...

— Pardon, vous m'avez avancé l'argent nécessaire pour acheter les fusils, les cartouches...

— Des fusils, des cartouches! s'écria Igricheff.

— Et sur quoi vous croyez-vous donc? Toute la cale, toute la cabine en sont pleines. Je les ai achetés à un cargo grec qui les portait en Chine, et je m'étais entendu avec les Zaranigs qui sentaient venir la guerre. Trois fois le prix... Je suis arrivé quelques jours trop tard. Me voilà ruiné de nouveau, avec une dette en plus.

— Je vous en prie, Daniel, dit Philippe, ne parlons pas de cela. Vous savez bien que voyager avec vous n'a pas de prix pour moi et que, de plus, je suis très riche.

— Et moi je ne le suis pas du tout, ce qui fait que je vous rembourserai.

— Écoutez, Mordhom, dit Igricheff, j'ai pris pas mal de livres à nos imbéciles de la mission de Sanaa.

— Hé bien?

— Hussein, cria le bâtard kirghize, donne le sac d'or.

Quand le chaouch eut apporté la lourde sacoche, Igricheff dit à Mordhom :

— C'est à vous.

— Vous êtes fou! cria l'aventurier. Mais, si j'avais voulu votre or, vous seriez déjà aux requins. Je joue avec la fortune un jeu loyal et je ne triche pas.

— Ça, je le comprends mieux, dit pensivement Igricheff. Moi aussi... Seulement nous n'avons pas les mêmes règles.

Le boutre courait doucement sous le clair de lune. La côte suivait sa course comme un immense serpent noir. Dans le fond, vers l'Est, la crête des montagnes, qui bloquent le rivage désert tout le long de la presqu'île arabique, découpait l'azur poli et glacé du ciel nocturne. Parfois les vagues se brisaient sur un récif à fleur de l'eau et leur écume était toute moirée d'ombres et de reflets.

Mordhom se pencha sur le bref bastingage, écouta dans la déchirure des vagues la marche du bateau qu'il avait pièce à pièce assemblé. Il connaissait chaque signe du jour et de la nuit sur la mer Rouge. Il savait ses chenaux, ses lagunes, ses écueils, ses criques, ses îles sauvages. Chaque ligne de la côte d'Afrique et d'Asie lui était un repère. Son esprit pouvait en suivre le prolongement sinueux, bâtir les ports et les villages blancs qui, de loin en loin, la jalonnent, la peupler des hommes silencieux et rares qui l'habitent...

Ainsi faisait-il encore cette nuit-là tandis que ses noirs matelots, les yeux fixés sur lui, attendaient qu'il commandât la manœuvre qui perd ou qui sauve, et qu'un autre aventurier sans frein, venu du Turkestan par mille traverses, sifflait très bas un air mongol en regardant la lune monter parmi les astres au-dessus de la grand-voile.

— Philippe, nous allons mouiller devant Moka, dit lentement Mordhom. L'équipage est à bout. Et, de toutes manières, nous ne pouvons glisser de jour dans le golfe de Tadjourah. Nous le ferons la nuit prochaine sous le nez des patrouilleurs.

Il reprit la barre et ajouta d'une voix soudain impérieuse :

— Maintenant, plus un mot. Jusqu'au mouillage c'est plein de cailloux.

— Cailloux, reprit gravement l'équipage.

— Ils ont appris le mot et la chose avec moi, grommela Mordhom.

Il ne fut plus qu'une silhouette vigilante fondue au gouvernail, dans le clair-obscur. La grand-voile amenée, le boutre allait plus lentement et, d'une façon insensible, se rapprochait de la côte. On entendait déjà le bruit du ressac sur le rivage. Tout autour du sillage, des récifs affleuraient comme des bornes sombres couronnées d'écume. Certains, immergés, se devinaient seulement, lorsque le bateau les frôlait, à un infime remous décelé par la lune. La plus légère embardée eût été funeste à ces moments.

La lune touchait presque l'horizon. Encore quelques instants et la nuit opaque des tropiques allait cacher tous les écueils. Il n'y aurait plus, alors, qu'à s'en remettre à la chance.

Mais Mordhom avait bien calculé et la marche de l'astre et celle de son voilier. La côte fit un dernier méandre et Moka apparut.

Un cri d'admiration s'arracha de la bouche de Philippe et Igricheff lui-même éprouva, au creux de sa poitrine, si lente à s'émouvoir, le choc de la beauté. A la clarté suprême du clair de lune, se détachait du bleu noir de la mer et du pelage fauve des dunes une immense ville d'argent. Remparts et bastions, minarets en fuseaux, palais et maisons hautaines nouaient et dénouaient leur réseau fantastique comme dans un rêve délicat et nacré. Toute la puissance, tout le charme et tout le secret de l'Arabie des contes semblaient dormir là, derrière les murailles massives, au fond des demeures blanches où Philippe croyait voir, dans les cours dallées de marbre et bruissantes de jets d'eau, vivre des femmes nonchalantes, enfin dévoilées, heureuses de respirer la nuit.

Le boutre entra dans le port où des sambouks reposaient, à peine balancés par l'eau frémissante. Aussitôt, de l'un d'eux s'éleva et fut repris sur tous les autres un cri long, âpre et rythmé. Philippe, dont les nerfs étaient tendus à l'extrême, tressaillit tout entier.

Était-ce la voix de la cité lunaire, de la Fable sans âge?

Mais, à ses côtés, jaillit la même modulation, traînante et farouche. Il comprit soudain. Les matelots arabes aux turbans flottants et les noirs Somalis aux cheveux crépus échangeaient de leurs bateaux obscurs le grand salut de la mer Rouge.

Mordhom donna un dernier coup de barre. La chaîne de l'ancre commença à filer en grinçant dans l'écubier.

2

L'ANCRE PERDUE

LA lune sombra dans les flots. Et tout s'évanouit, la perspective marine, les mâtures des boutres voisins, la merveilleuse cité spectrale.

126

— Quel malheur! A peine découverte, déjà disparue, s'écria Philippe.

— Oui, c'était bien, dit Igricheff.

Mordhom vint à lui et, avec un inconscient orgueil, comme si la ville eût été sienne :

— Vous n'avez rien vu, dit-il. Ces remparts massifs, ces maisons magnifiques ne sont qu'un trompe-l'œil. Tout est rongé, taraudé, tout s'en va en poussière. On expédiait d'ici, autrefois, le meilleur café du monde. Aujourd'hui, c'est de Hodeïdah qu'il part. Et Moka a été abandonnée à son destin qui est de périr. Pas une muraille sans crevasse, sans brèche. Pas un plafond qui ne soit effondré. Quand vous marchez de jour dans les rues, malgré la plèbe qui s'y presse encore, vous foulez déjà de grandes ruines. Les moucharabiehs sont aveugles, les fontaines muettes. Le bétail couche dans les cours des riches harems. Et les charognards passent à travers les toits crevés. C'est splendide!

Philippe, alors, ne put s'empêcher de remarquer :

— Vous avez le goût des choses mortes.

— Elles sont peut-être les seules à nous donner le sentiment que nous vivons, dit Mordhom, ne croyez-vous pas, Igricheff?

— Est-ce que je sais, mon cher? Vous êtes là, sans cesse, avec des questions... des questions à vous-même surtout... Moi, non, j'attends...

— Quoi?

— Tout.

— Et cela vient?

— Toujours.

Cette fois encore, Mordhom s'appuya fortement contre son bateau, comme pour recevoir une leçon, une règle qui lui échappaient. Mais l'*Ibn-el-Rihèh* était immobile maintenant, inanimé et tout couvert de ténèbres.

— *Fanous!* cria Mordhom.

Un corps petit et souple, comme celui d'un très jeune animal, se faufila sans rien heurter parmi les obstacles enchevêtrés au milieu du pont, frôla Philippe, se glissa dans la cabine sans toucher au panneau du roof. Une seconde après, le mousse en sortit, portant une lampe-tempête allumée.

Pareils à des insectes de nuit, les hommes du boutre s'étaient rapprochés d'elle. Ils n'en avaient nul besoin, mais elle brillait. Et Mordhom reconnaissant chacune de ces figures noires, de ces yeux simples et fidèles, de ces épaules denses, faites pour le travail et le péril de mer, nomma intérieurement ses marins tour à tour :

— Le vieil Abdi, le beau Youssouf, les frères Ali, En-Daïré, le plongeur, se dit Mordhom.

Il respira largement et ses yeux se réjouirent.

Quand Hussein vit surgir soudain la rangée des visages sombres et crépus qui avaient été jusque-là effacés par l'ombre, il gémit doucement :

— Maître, mon maître.

— Que veux-tu, Hussein? demanda Igricheff.

— Te parler. Viens.

Ils s'isolèrent dans la zone obscure, contre le bastin-gage.

— Maître, mon maître, dit Hussein, c'est bien Moka la Yéménite que j'ai vue?

— Certes. Et puis?

— On ne sait pas, dans cette ville, qui nous sommes, ce que nous avons fait. Nous pouvons y rester, au lieu d'aller de l'autre côté des eaux, à l'étranger, sur des terres mauvaises.

— Tu as peur, Hussein?

— J'ai mal.

Igricheff savait comprendre ceux qui le servaient. Il devina le caractère et l'étendue de la détresse du chaouch. Quelques secondes lui suffirent à prendre une décision. Parmi les pics vertigineux et les sentiers de chèvre sur les pistes incertaines du Téhama, Hussein lui avait été nécessaire. Il avait mis alors toute sa ruse à le gagner. Mais si maintenant Hussein voulait...

— Écoute-moi bien, chaouch, dit Igricheff, car je te parle avec sincérité. Moi je n'ai plus rien à faire dans ton pays. Mais toi tu peux y vivre heureux et libre. Prends de l'or, prends Yasmina. Je ne t'en voudrai pas. Tu m'as bien servi. Je vais demander au Français qu'il te débarque.

— Attends, maître, attends, s'écria Hussein.

Igricheff se tut. Il ne pouvait voir le visage de son chaouch, mais, à la forme qu'avait prise son corps, il le devinait penché sur la mer, comme pour en mesurer tout l'inconnu. Enfin, Hussein parla :

— Non, je te ne quitterai pas, maître. Où que j'aille sans toi, le châtiment d'Allah me rejoindrait pour t'avoir abandonné.

Avant qu'Igricheff ait eu le temps de répondre, le chaouch se courba davantage sur l'eau et murmura :

— Écoute, écoute, maître.

Un bruit cadencé d'avirons se rapprochait du boutre, mêlé de rires et de voix. Et ces voix parlaient arabe avec l'intonation yéménite, la seule qui fût chère à Hussein entre toutes celles que l'on peut entendre depuis les rives du Maroc jusqu'aux côtes du golfe Persique.

— Omer el Bahar (1) et ses askers, dit Hussein. Ils viennent sur le boutre.

Le chaouch ne se trompait pas. Quelques minutes après, la barque du chef du port accosta l'*Ibn-el-Rihèh*. A la force du poignet, il se hissa sur le pont. Des gardes le suivirent avec un cliquetis d'armes. Mordhom portant la lampe-tempête le salua à la manière arabe.

L'Omer poussa une exclamation de joie, tandis qu'un grand sourire éclairait sa barbe en broussaille.

— Mon cœur se réjouit de te revoir, *Françaoui Kébir* (2), dit-il. La guerre pas plus que la tempête ne t'empêche de naviguer. Tu es le maître de l'eau et ton boutre est, en vérité, le fils du vent.

Où étaient les ombres tristes que, dans la journée, Igricheff avait vues flotter parfois dans les yeux de Mordhom? Où étaient sa lenteur de langage, son attitude tranquille? Dès les premières paroles de l'Omer

(1) Le chef de la mer.
(2) Français grand, courageux.

129

il s'était transformé. Sa prodigalité de gestes, son emphase, sa figure soudain mobile, expressive, sinueuse n'avaient rien à envier à celle de l'Arabe. Il ne l'imitait point, il était devenu pareil à lui.

— Voilà ce qui me manque, pensa Igricheff pour cesser d'être toujours l'étranger. Mais je préfère.

Et il continua de regarder la scène avec une curiosité froide.

Mordhom prit le chef du port par la main, le conduisit à l'arrière du boutre, l'installa sur la banquette. Puis, pour honorer le visiteur, il appela Philippe Lozère et le bâtard kirghize, et les fit asseoir à ses côtés. A leurs pieds s'accroupirent les quatre askers. La lampe-tempête posée entre eux, seule tache lumineuse du bateau, faisait ressortir avec violence le visage farouche de l'Omer, le délicat ovale de Philippe, le profil de Mordhom, tout en angles, les pommettes d'Igricheff et les turbans vifs des soldats, ainsi que le métal de leurs fusils.

Le vieil Abdi, aidé du mousse, servit le thé sucré comme un sirop. Après quoi, il s'assit près des askers. Les autres matelots firent de même. Seul Hussein demeura en dehors, près du mât.

Ayant bu les trois tasses rituelles, ayant remercié comme il convenait, l'Omer accepta une cigarette, se cala moelleusement sur ses jambes nues et croisées sous lui. Mordhom, assis de la même manière, demanda :

— Es-tu toujours content de ta belle ville de Moka, grand chef? Tes fils sont-ils toujours l'orgueil de ta vertu virile? Rassure le cœur d'un ami lointain et vagabond, mais qui te porte sans cesse dans ses pensées.

— Allah soit loué et l'Imam son serviteur, notre maître. Moka continue à se montrer une cité fidèle. Et mes fils grandissent en louant le Prophète. Je ne les vois pas beaucoup en ces jours glorieux. L'amil m'a chargé d'armer en guerre les plus gros sambouks du port. Et tous ceux que tu devines dans la nuit sont pleins d'askers que je commande.

Il passa orgueilleusement sa main droite dans sa

130

barbe inculte et attendit la louange de Mordhom. Celle-ci vint aussitôt, naturelle et fleurie.

— Quel que soit leur nombre, il est indigne de ton courage et de ta valeur, chef de la mer.

L'aventurier fit une pause, tira quelques bouffées de sa cigarette et poursuivit :

— Certes, je l'affirme, quel que soit le nombre de guerriers dont tu disposes et de fusils...

Il n'avait pas changé de ton, mais son épaule, au dernier mot, s'était serrée plus étroitement contre celle de l'Omer.

— Ton amitié est flatteuse, dit l'Arabe. Et je sais que, si je te le demandais, tu saurais, par affection, suppléer, du moins pour les armes, à mes pauvres moyens. Mais on voit que tu viens de l'autre côté de la mer et que tu ne sais pas encore qu'Achmet, Glaive de l'Islam, a défait à jamais les Zaranigs rebelles et que nous avons maintenant tous leurs fusils aux canons cerclés d'argent.

— Gloire au prophète, à l'Imam et au prince, s'écria Mordhom qui, d'ailleurs, avait offert sa cargaison sans aucun espoir.

La conversation continua longtemps, nourrie par des histoires de guerre et de navigation, scandée aux moments les plus pathétiques par la rumeur des askers et des noirs Somalis. Enfin l'Omer se leva.

— Tu m'as grandement honoré, dit Mordhom, et je t'en remercie singulièrement, car, dès que viendra l'aube, je mettrai à la voile. Et je serai heureux que tu ordonnes à tes sambouks de me laisser partir.

Il serrait chaudement la main de l'Arabe et celui-ci sentit glisser dans sa paume quelques pièces d'or.

— Il n'y aura pas de difficulté pour un ami tel que toi, dit l'Omer. Je te connais et je connais ton équipage. Tu as toujours les mêmes matelots?

— Certes.

Sans aucune méfiance et par un mouvement machinal, professionnel, de contrôle, l'Omer prit la lampe-tempête et la promena devant tous les visages réunis autour de lui. Soudain, ses épaules tressaillirent.

— Quel est celui-ci? s'écria-t-il, en tendant son poing porteur de lumière vers Igricheff.

Mordhom répondit avec sérénité.

— Un ami français. Je te l'ai présenté avec l'autre qui est près de toi, quand tu es venu à mon bord.

— Ils ne se ressemblent guère, pour des hommes du même pays. Écoute bien, Françaoui Kébir, car la chose est grave. Un Moscovite, traître à l'Imam, a défendu les Zaranigs mieux qu'eux-mêmes.

« Ils savent déjà », pensa le bâtard kirghize, sans remuer d'un pli ses paupières, malgré la dure clarté qui lui heurtait les yeux.

— Il était suivi d'un chaouch fugitif, poursuivit l'Omer. Mais celui-ci ne valait pas plus qu'un grain de poussière, tandis que le Moscovite était le diable. Il a frappé des guerriers sans nombre, il a gardé les défilés de Bet-el-Faki mieux qu'une armée. Il a tué, au poignard, le grand guépard Iphid. Il a fendu la tête de Moulaï Ibn Ager, un chef terrible, et puis il a disparu comme la foudre sur la côte de Taïf. En même temps, un voilier prenait la mer sous les balles des guerriers yéménites. Un zaroug monté par des matelots de l'Imam est venu de Taïf un peu avant toi, Françaoui Kébir, exprès, pour me dire de faire bonne garde et il est reparti aussitôt vers les ports du Sud avec la même mission. L'Imam tient à la capture du Moscovite comme à la lumière de ses yeux. Il le veut voir se tordre sur le pal. Il le veut. Et voici que j'aperçois sur un bateau plein d'armes, un homme qui a la peau jaune et les yeux du démon, tels qu'on les dit du Moscovite.

Mordhom prit un temps assez long pour bien montrer son calme. Puis il dit :

— Je sais ton zèle à servir l'Imam vénérable. C'est pourquoi je n'accueille pas tes soupçons comme une offense.

— Toi et moi nous ne sommes plus des amis, quand

132

parle le service de mon maître... Assez de paroles creuses, cria l'Omer.

C'était un autre homme. La voix brutale, un pli inflexible entre ses épais sourcils, la main posée sur ses poignards, il regardait tour à tour Igricheff et Mordhom prêt à lancer sur eux ses askers.

— Que se passe-t-il? murmura Philippe, qui ignorait la langue arabe.

— Que se passe-t-il? répéta plus haut et en français également le bâtard kirghize.

— Tu vois comme ton ardeur te trompe! dit lentement Mordhom à l'Omer. Mes deux amis m'interrogent sur la raison de ta colère. Ton oreille exercée a sûrement entendu les mêmes mots sur leurs lèvres. Ils ne connaissent rien du langage du Yémen. Et, d'après ton récit, ce Moscovite sans foi le parle comme nous-mêmes.

— La feinte n'est rien pour un pareil démon et, s'il ne tremble pas en m'entendant, je ne m'en étonne pas davantage.

— Puisqu'il faut qu'un ami se justifie devant toi, reprit Mordhom avec son inaltérable tranquillité, je te demanderai de réfléchir à la vérité, chef de la mer. Tu sais que je ne suis pas un apprenti dans ces eaux. Crois-tu que, portant sur mon boutre un homme tel que tu le dis, je serais venu me mettre dans tes mains, alors que je connais mieux que personne ton œil infaillible et ta pénétration sans égale?

L'argument porta. Le visage de l'Omer se détendit. La lampe-tempête se balança avec plus de mollesse à son poing. Il considéra encore une fois Mordhom et Igricheff. Pour courageux que fussent ces hommes, ils n'étaient pas fous. Coupables, ils eussent préféré risquer le boutre sur les récifs que de braver la fureur de l'Imam, dont il était, lui, l'Omer el Bahar, le regard vigilant et le bras implacable.

— Je ne veillerai jamais trop, dit-il enfin, d'une voix adoucie. Mais je vois que je dois me fier à toi, Françaoui Kébir. Tu peux partir à l'aube.

Suivi de ses gardes, il se dirigea vers son embarcation, mais le rameur qu'il y avait laissé ne s'y trouvait pas. L'Omer le héla impatiemment. L'homme se détacha de l'avant du boutre, et dit, avant de sauter dans la barque :

— Excuse-moi, seigneur, j'ai été appelé par un marin yéménite qui se trouvait à bord.

Igricheff murmura à l'oreille de Mordhom :

— Hussein n'a pu résister au mal du pays.

— Nous sommes perdus, répondit Mordhom dans un souffle.

L'Omer arrachait en effet la lampe au vieil Abdi et se précipitait vers l'avant.

— Un marin, cria-t-il, en découvrant le chaouch, un marin avec des cartouchières d'asker!

Puis, se tournant vers Mordhom :

— Françaoui Kébir, ton boutre, dès cet instant, est saisi par ordre de l'Imam. Je vais chercher l'amil qui décidera de tout. Le Moscovite et le chaouch sont mes prisonniers. Askers, menez-les à l'avant. Sur votre vie, vous les garderez jusqu'à mon retour. S'ils bougent, si l'on veut toucher à la chaîne de l'ancre, tirez. Les guerriers des sambouks vous soutiendront.

Il poussa le cri modulé qui avait tellement ému Lozère lorsque l'*Ibn-el-Rihèh* était entré dans le port. Sur dix bateaux tout proches, le même cri répondit.

— Dirigez vos fusils sur le boutre et, au premier coup de feu, soyez sans pitié, hurla l'Omer. Il est maudit par l'Imam.

Son embarcation l'emporta vers le rivage invisible.

— Daniel, dit fiévreusement Philippe, Daniel, qu'allons-nous faire? On ne peut le laisser prisonnier.

— Mordhom, cria Igricheff, ne vous embarrassez pas de mon sort. A terre, je m'en tirerai.

Mais l'aventurier ne répondit ni à l'un ni à l'autre. Il avait disparu dans l'obscurité à l'arrière et même les yeux si perçants d'Igricheff ne l'y pouvaient déceler. Protégé par les ténèbres, il s'assit sur la banquette, prit la barre, appuya sa tête contre elle.

Mordhom réfléchissait sans hâte. Il connaissait la lenteur des dignitaires arabes. L'amil ne serait pas à son bord avant une heure ou deux. D'ici là, il fallait être loin de Moka.

Mordhom rêvait, le regard perdu vers l'avant du boutre. A la clarté de la lampe-tempête, il voyait le visage impassible d'Igricheff, celui, résigné, de Hussein et les traits attentifs des gardes. Ils étaient quatre... quatre coups de fusil (la cabine en contenait cent) et ils culbutaient dans la mer... Oui, mais aussitôt les soldats des sambouks cribleraient de balles l'*Ibn-el-Rihèh*, le prendraient à l'abordage.

Envoyer le guerrier dankali ramper vers eux, avec des poignards?... L'un des askers aurait toujours le temps de tirer... Rien ne pouvait être entrepris par force tant que l'*Ibn-el-Rihèh* se trouverait dans le port. Mais comment en sortir?

Le regard de Mordhom glissa vers le mât, sur les haubans, sur les drisses qui se dessinaient en traits sombres contre le fond lumineux. Quelques secondes suffisaient pour hisser une voile. Et, d'ailleurs, à cet endroit, le courant portait vers la mer... Mais l'ancre? L'ancre lourde, et fortement crochée, tenue par sa chaîne auprès de laquelle veillaient les soldats! Tant qu'elle garderait le boutre captif, aucun salut n'était à envisager. L'ancre...

Mordhom ferma les yeux. Quand il les rouvrit, il distingua à ses pieds des silhouettes confuses. Tous ses hommes étaient là, il le savait, sans les avoir entendus venir et prêts à exécuter ses ordres.

Une grande fierté lui chauffa la poitrine.

Il se courba en deux, si bien que leurs fronts se joignirent et, remuant à peine les lèvres, dit quelques phrases en somali.

De ce concile d'ombres, l'une se leva sans faire le moindre bruit, ouvrit le coffre dissimulé sous la banquette, tâta d'une main légère des chiffons, des instruments, prit une pièce de fer aiguë et solide, la tendit à Mordhom. Celui-ci, dès le premier contact, reconnut l'épissoire qu'il avait demandée et la remit au matelot.

Des voix grêles et flexibles s'élevèrent en chœur. Les Somalis de l'*Ibn-el-Rihèh* chantaient un chant de mer, né sur leurs côtes. Les askers redressèrent la tête, inquiets, mais la mélodie était dolente, monotone et pareille à toutes celles que berce la mer Rouge. Crispé, Mordhom prêtait l'oreille. Le chant était-il assez fort pour cacher?... Mais non, même sans cela, personne n'aurait pu se douter que cet imperceptible clapotis qui venait de frémir à l'arrière du boutre, avait été fait par un homme pénétrant dans l'eau. Et personne, même prêt à le toucher, n'aurait pu distinguer dans la nuit et dans la mer, le corps nu et noir autant qu'elles.

Il frôla la coque du bateau, la suivit, d'une nage savante, souple et feutrée, arriva sous le beaupré, plongea. Trois fois, il revint à la surface et trois fois se laissa couler, la tête la première. Puis, il gagna l'arrière, sans que l'eau fût ridée par son effort. Des mains qui attendaient, suspendues au-dessus du bordage, le hissèrent, tandis que la mélopée des marins somalis continuait à dérouler ses strophes aiguës et plaintives.

Mordhom avait toujours la tête collée à la barre, ses bras l'entouraient. Les ténèbres cachaient la joie de son visage.

Une demi-heure s'écoula.

De la banquette qu'ils ne pouvaient distinguer, les soldats de l'Omer entendirent crier :

— Askers, levez très haut la lampe.

Cette voix était si dure, si impérieuse, que l'un d'eux, machinalement, obéit. Ils virent alors cinq hommes noirs dont l'un était tout ruisselant, debout sur le roof et qui les tenaient en joue.

— Si j'avais voulu, vous seriez déjà des cadavres dans l'eau, reprit la voix. Mais je n'aime pas les morts inutiles. Personne ne fût venu vous secourir. Vous pouvez héler vos sambouks.

Et, comme les askers, stupides, hésitaient, l'équipage de l'*Ibn-el-Rihèh* modula lui-même, à pleine voix, l'appel des marins de la mer Rouge. Il resta sans écho.

— Jetez les fusils, ordonna Mordhom aux soldats.

Ils comprirent que toute résistance serait vaine. Les armes tombèrent de leurs mains. Puis, le mousse leur indiqua le poste d'équipage et, quand ils y furent descendus, referma la trappe. Youssouf s'accroupit sur elle, son fusil entre les genoux. Les matelots hissèrent les voiles. Ayant éteint la lampe. Mordhom cingla vers la haute mer, libre d'embûches.

Philippe avait assisté à toute la scène comme dans un rêve. Pétrifié par la stupeur, il n'avait pas fait un mouvement. Quand il reprit ses sens, ce fut pour crier :

— Mais comment, Daniel, comment avez-vous réussi? Et les sambouks, pourquoi n'ont-ils pas répondu, pas tiré? Qu'en avez-vous fait?

— Alors, vous n'avez rien senti, demanda Mordhom, vraiment rien?... Il est vrai que le courant est très doux.

— Quel courant?

— Celui qui nous a emmenés loin de Moka.

— Mais, je ne suis pas fou. Nous étions à l'ancre.

— Il y a longtemps que nous n'y sommes plus.

— C'est le diable, alors...

— Non, c'est En-Daïré.

Il y avait, dans les réponses de Mordhom, une expression de triomphe et de défi. Elle s'adressait à l'Omer el Bahar, aux sambouks, au destin.

Cette fierté du succès presque impossible, cette ivresse d'avoir forcé le sort, beaucoup mieux encore que Philippe, le bâtard kirghize les comprit. Il les avait si souvent éprouvées. Il ne vivait que pour elles. Mais, cette fois, aucune joie forte et aride ne le visita. Pendant quelques minutes, il ne prononça pas un mot.

— C'est trop, dit-il enfin, en s'avançant vers la banquette, de laquelle Mordhom continuait à piloter.

— Quoi donc? demanda paisiblement celui-ci.

— C'est trop de m'avoir sauvé encore. Il faudra que je vous paie de la même monnaie. Ce sera peut-être long et j'aime à me sentir libre.

— Vous n'avez pas honte, Igricheff! s'écria Philippe.

Le bâtard kirghize ne sembla pas l'avoir entendu et reprit :

— J'étais fautif, puisque mon serviteur l'était. Vous deviez nous abandonner. Si j'avais perçu votre manœuvre — mais sur un bateau, je ne suis qu'un objet inutile — j'aurais prévenu les askers, par mon sang. Maintenant, je suis à vous, comme le guerrier dankali. Bien entendu, jusqu'au moment où j'aurai payé ma dette.

— Ce n'est pas moi le créancier, pour parler votre langage. C'est En-Daïré, qui nous a sauvés tous.

— Je ne connais que vous ici et ne sais même pas de qui vous parlez.

— Vous allez l'apprendre. Attendez seulement que je fasse mettre en panne, pour attendre le jour.

3

EN-DAÏRÉ, LE PLONGEUR

SES voiles amenées, l'*Ibn-el-Rihèh* se balança mollement sur la mer calme et sombre. Tout autour frémissait la vie impalpable des eaux, de la brise et des astres. Où étaient les côtes? Les hommes? Leurs agitations?

Dans le monde entier existait cette barque perdue au large, dans la nuit, et qui, avec cinq matelots noirs, un guerrier yéménite et deux enfants, portait la fortune de deux aventuriers magnifiques.

Ce pont, couvert des engins les plus primitifs, traversé de corps nus et barbares, échappait au temps, aux conventions, à la prison humaine. Il était en dehors de tout, sauf de la nature, de la beauté, du courage et de la cadence éternelle des flots.

Et voici que, pour rétrécir encore cet univers enchanté, la lampe-tempête s'allumait à l'arrière du boutre, groupait Mordhom, Igricheff et, accroupi à leurs pieds, l'équipage, bercés par une eau qui baignait les rivages les plus secrets de la terre.

Avec un respect infini, Philippe vint s'asseoir auprès de Mordhom, qui tenait amoureusement la barre inutile.

— En-Daïré, dit Mordhom, place-toi au milieu, près du fanous et, parlant en arabe pour que te comprenne le grand chef du Nord, raconte-lui comment l'*Ibn-el-Rihèh* a quitté le port sans rentrer l'ancre, car mon hôte ne connaît pas beaucoup les choses de la mer.

Le premier réflexe d'En-Daïré, quand Mordhom lui adressa la parole, fut un sourire. Sourire de complicité, de joie et de dévouement, qui fendit si largement la figure noire, sur laquelle tombait d'aplomb la clarté crue, et fit étinceler des dents si bien rangées, si belles et si blanches, qu'Igricheff lui-même en ressentit une sorte de bien-être physique. Le visage d'En-Daïré inspirait la quiétude, la confiance. Il était tout rond, avec des petits yeux perçants et naïfs, un nez franchement camus. Les joues semblaient élastiques, tellement leurs muscles étaient fermes et sains. Cette plénitude, cette densité se retrouvaient dans les épaules bien remplies, dans le torse bombé, dans le jeu des bras, des cuisses et du ventre. En-Daïré semblait, dans sa peau noire, grasse et lisse, renfermer une substance analogue à celle qui forme les grands poissons de la mer Rouge à la chair dure et serrée.

— En-Daïré, dit Mordhom, comment, sans aucun bruit, et sans tirer sur la chaîne de l'ancre, avons-nous quitté Moka?

— Rien de difficile, répondit le marin surpris. J'ai

touché l'eau doucement, très doucement, je suis allé sous le boutre, à l'avant, avec un morceau de fer pointu. J'ai plongé en suivant la chaîne. J'ai commencé à défaire en travaillant de la pointe, la petite pièce qui attache l'ancre à la chaîne. Je suis remonté reprendre de l'air. J'ai plongé de nouveau et travaillé plus vite. Il m'a fallu revenir à la surface une fois seulement, puis j'ai fini. L'ancre était détachée. L'*Ibn-el-Rihèh* commençait à bouger. Rien de difficile. Je n'ai même pas eu besoin de me serrer le nez.

Il joua machinalement avec la rudimentaire pince en corne qu'il portait pendue à son cou par un lacet de cuir.

— Il y avait bien huit mètres de fond, dit Mordhom, qui venait de traduire rapidement à Philippe les paroles d'En-Daïré.

— Hussein, cria Igricheff.

La figure accablée du chaouch émergea lentement de l'ombre.

— Tu as entendu? demanda le bâtard kirghize.

— Oui, maître.

Et Hussein considéra le plongeur avec un sentiment quasi superstitieux. Igricheff reprit :

— Donne la part d'or que je t'ai remise pour tes services à cet homme qui a réparé ta faute. A la deuxième, je te reprendrai Yasmina. A la suivante, je te tuerai.

— C'est justice, maître, murmura Hussein, qui détacha une bourse de sa ceinture et la posa sur les genoux d'En-Daïré.

Le son des pièces entrechoquées, leur poids, leur forme qu'il sentit à travers l'étoffe, par la peau de ses cuisses nues, semblèrent affoler le Somali. Ses lèvres épaisses se mirent à trembler. Une lueur d'égarement parut dans ses petits yeux. Soudain, il précipita son visage contre les mains d'Igricheff et cria, au milieu de sanglots perçants :

— Chef, grand chef, généreux comme le soleil, je ne mérite pas. Jamais, pour mes plus grosses perles, cherchées au plus profond des bancs perfides, je n'ai touché pareille récompense. Chef, grand chef, ta mémoire sera bénie de mes enfants et de mes petits-enfants. Grâce à toi, je vais enfin me marier.

Le bâtard kirghize porta son regard de la tête ronde et crépue, secouée de soubresauts, vers Mordhom.

— La plongée l'a surmené? demanda en français Igricheff.

L'aventurier breton rit brièvement et répondit :

— Ce n'était pas une plongée pour lui, voyons. Il va facilement à vingt, vingt-deux mètres sous l'eau. Et, à ces profondeurs, il reste près de deux minutes. En-Daïré est un très grand pêcheur de perles.

— Alors, il a un accès de démence?

— Non. De tendresse... Je vous assure, je parle sérieusement.

Mordhom caressa les durs cheveux crépelés avec une douceur qu'on ne pouvait guère attendre de sa part. En-Daïré releva sa figure baignée de larmes et sourit magnifiquement.

— C'est un caractère singulier, reprit Mordhom. Avec des poumons d'airain, et un courage, en mer, sans égal, il a une sensibilité de petite fille. Quand il était mousse chez moi, je l'ai un jour giflé à tort. Il s'est jeté par-dessus bord et s'est mis à nager comme un fou dans une eau infestée de requins. Il a fallu que j'amène la voile et que je me lance en houri à sa poursuite. Il n'a consenti à remonter qu'après avoir reçu de moi l'assurance que j'avais toujours de l'affection pour lui. Sans quoi, il se serait certainement suicidé.

La main toujours posée sur la tête du plongeur, Mordhom lui dit :

— Le chef du Nord demande pourquoi tu as pleuré.

— De reconnaissance et de bonheur, mon maître. Son cadeau va me faire épouser la femme que j'aime.

Ces mots et leur accent passionné étaient si imprévus chez un musulman, un pêcheur rude et simple, un plongeur noir, qu'Igricheff releva un peu ses paupières.

— Raconte, ordonna-t-il.

Alors, avec la logique des primitifs qui, pour chaque détail, remontent aux sources premières selon des ramifications et des arabesques sans fin, le plongeur noir En-Daïré fit, sur le boutre chargé d'armes et stoppé dans la nuit, en pleine mer Rouge, le récit de sa vie surprenante.

— La fille que je veux pour femme, dit-il, est de Berbera. Moi aussi. Tu sais. Berbera, plus bas que Djibouti, et que Zeïla où sont maîtres les Anglais. Il y a beaucoup de marins somalis à Berbera parce que c'est leur vrai pays, et beaucoup de grands nakoudas. Son père à elle, était grand nakouda. Comme le mien. Et quand j'étais tout petit enfant, mon père promit que j'épouserais la fille de l'autre qui venait de naître. Elle est maintenant en âge de se marier. Je l'ai toujours aimée, plus encore que la plus belle des perles. Mais écoute, grand chef aux mains d'or, pourquoi elle n'est pas encore ma femme.

En-Daïré aspira l'air profondément comme si son histoire lui faisait mal. Il commença à gesticuler, à hausser sa voix aiguë. Le démon des conteurs s'emparait de lui. Et ses camarades, bien qu'ils connussent chaque trait de ce récit, émus comme à la première fois, répétèrent en chœur :

— Écoute.

— Mon père était maître d'un grand sambouk et de seize marins somalis. Il avait les meilleurs plongeurs de Berbera, Schehem, le sourd, le grand Brahim et le jeune Mohammed qui, déjà, n'avait plus qu'un œil. Ils partirent tous, au moment où je commençais à nager, pour les îles Farsane faire une grande pêche de perles. Certes, les bancs, aux îles Farsane, ne valent pas, pour la gloire des perles, Bareïn, la bienheureuse du golfe de Perse, mais un nakouda aussi habile avec de bons plongeurs peut gagner là, si Dieu le veut, une bonne fortune. Ils mirent à la voile avec un vent du Sud, comme on me le dit par la suite, quand je fus assez grand pour connaître la force et la volonté des vents. Mais dans Bab-el-

Mandeb (1), la bien nommée, les démons, assurément, soufflèrent une haleine empoisonnée contre les voiles du sambouk, car tu ne pourrais expliquer autrement, même toi, grand chef plein de science étrangère, qu'un tel nakouda et un tel équipage aient disparu.

» Et je fus orphelin et pauvre avec mes frères les plus jeunes, car les aînés étaient sur le sambouk perdu. Et je ne sais pas pourquoi et comment je me trouvai à Djibouti avec mon cousin Saïd. Il plongeait déjà et m'apprit à le faire. Puis il partit sur un petit sambouk de perliers, car un nakouda ayant confiance en lui malgré son jeune âge lui avait consenti un emprunt. Je pleurai beaucoup. Saïd était mon vrai père, plus que celui que je n'avais pas bien connu. Et je restai seul, et je gagnai mon pain en plongeant des ponts hauts comme les hautes maisons arabes des grands, grands vapeurs où il y a beaucoup de Françaoui qui jettent des piastres dans la mer pour les petits Somalis. J'allais plus profond, je restais plus longtemps que les autres et Françaoui Kébir qui est là devant moi, et qui connaît les ras abyssins, les sultans danakils et les émirs arabes, abaissa les yeux jusqu'à moi. Et il me prit comme mousse et me donna bien à manger et m'accorda une partie de son cœur. Et je fus heureux, jusqu'au jour où, passant à Berbera, je revis la fille de l'ami de mon père.

» Elle était devenue belle comme est belle l'eau calme après une terrible tempête. Et lui était devenu riche, parce que ses sambouks, Allah les avait toujours gardés contre les démons. Mais il était resté bon, parce qu'il me dit : « Quand tu auras assez d'argent pour acheter une bonne maison, un grand angareb et un petit sambouk, je me souviendrai de ce que j'ai convenu avec ton père, quand est née Fatouma. »

» Alors j'ai quitté Françaoui Kébir qui me le permit et commençai de pêcher la perle. C'est difficile, tu le

_____

(1) Détroit qui joint l'océan Indien à la mer Rouge. En arabe : porte de l'affliction.

sauras, chef généreux, de commencer. Les yeux sont comme du feu, chaque instant te met une pierre de plus en plus lourde sur la poitrine, les oreilles bourdonnent, bourdonnent, et la mer pèse sur toi. Je remontais souvent en crachant le sang par la bouche, le nez, les oreilles. Puis je m'habituai, je devins fort et rapide. Je pêchai seul, parce que je savais qu'accepter d'avance l'argent d'un nakouda est la fin de la liberté. Tu ne finis pas de le payer avant ta mort. Mon cousin Saïd qui, pourtant, était meilleur plongeur que moi encore parce qu'il était devenu sourd, ne pouvait déjà plus se débarrasser de sa dette.

» Et la Fortune me sourit. Un jour, je ramenai d'un banc de Zeïla une perle comme jamais on n'en avait vu dans le pays : ronde égale, et douce, douce, presque autant que le rire de Fatouma. Je la vendis à un marchand indien. Alors, je payai la dette de Saïd qui m'avait servi de père. J'achetai un petit sambouk, du riz pour une moitié d'année et nous pensâmes tous deux aux îles noires, aux îles désertes, aux îles sans nom, plus haut que Fersane, plus haut que Dahlak (1). Rares sont les sambouks qui poussent jusque-là. Les coraux de ces îles sont aigus, perfides, l'eau mauvaise, les requins plus cruels qu'ailleurs, parce qu'ils ont faim davantage. Mais les perles de là-bas, disait-on, avaient presque la grosseur et la couleur de celles qui dorment près de Bareïn, la bienheureuse du golfe de Perse.

» Je pensai fortement à Fatouma et nous partîmes. Le ciel, le vent furent favorables. Mon sambouk nous laissa sur la plus grande des îles noires et retourna vers l'Arabie. Il devait faire du commerce pendant une moitié d'année et partager le gain avec moi quand il viendrait nous reprendre. Car pourquoi laisser sans profit même un petit boutre ?

» Les récits des anciens étaient véridiques. Les perles de l'île noire, je n'en connaissais pas encore de pareilles

(1) Archipels perliers de la mer Rouge.

et Saïd non plus qui, pourtant, je te l'ai dit, était un très grand plongeur, parce qu'il n'avait plus mal aux oreilles. Et nous étions seuls sur cette île, seuls avec les oiseaux de mer et les hirondelles, car rien ne pousse sur les pierres noires et jamais les hommes n'y habitent. Et toutes les perles nous appartenaient. Mais après quatre mois vint le malheur. Un matin, nous pêchions pour la première fois sur un banc plus éloigné. Saïd qui, toujours, reconnaissait les fonds avant moi, plongea de toute sa force. Et la mer fit un remous qui n'était pas dû à son corps et une grande ombre passa et Saïd reparut un instant et cria : « Ma jambe est coupée. »

» Et l'eau devint rose autour de lui et je ne le revis plus. Les requins sont affamés entre les îles noires.

» Je restai tout seul avec les oiseaux de mer et les hirondelles. Alors, je n'eus plus de courage ni de faim. Et j'attendis le sambouk avec mon trésor de perles. Mais les lunes et les lunes passèrent et le sambouk ne revint pas. Alors, je sus que le destin lui avait été contraire. Et je ne m'étais pas trompé, car, plus tard, j'appris que les pirates zaranigs avaient tué tout son équipage.

» Des lunes et des lunes, j'entendis seulement la mer sur les coraux et les oiseaux crier, crier. J'aurais voulu être sourd, j'aurais voulu être aveugle, j'aurais voulu être mort. Et pourtant, j'étais riche, j'avais tant de perles et si belles que les marchands persans et indiens se seraient arraché les yeux pour les avoir. Alors je compris qu'il fallait les donner à Allah pour qu'il me sauve. Je l'invoquai pieusement et les jetai toutes dans la mer. »

Un murmure confus et pathétique courut parmi les matelots de l'*Ibn-el-Rihèh* qui étaient suspendus, anxieux, aux lèvres du plongeur.

— Dieu est grand, Lui seul, dirent-ils.

— Lui seul, répéta En-Daïré, car je vis des jours et des jours après venir vers l'île déserte et que jamais une voile n'approche, je vis venir un bateau.

» Pas un sambouk, pas un zaroug... non... un bateau gros, lourd, avec une voile étrange et des hommes chinois dessus. J'ai allumé un feu... Le maître chinois est venu dans l'île et m'a dit : « Je cherche des nids d'hirondelles, il y en a beaucoup ici sur les rochers noirs. Je vais te donner du riz pour six mois et je reviendrai te prendre avec les nids d'hirondelles que tu auras ramassés. Je ne dirai à personne que tu es là. »

» Il est revenu comme il l'avait dit, après six mois. J'avais beaucoup, beaucoup de nids. Il m'a emmené et m'a donné même un peu d'argent.

» C'est alors que Françaoui Kébir, mon maître, arma l'*Ibn-el-Rihèh* pour un voyage dangereux et me commanda de l'accompagner. Quand j'aurais vingt sambouks, je viendrais le servir comme dernier matelot. Et je suis parti pour Taïf. Et j'ai vu nager vers moi, sur son cheval de feu, le grand chef du Nord. Et j'ai défait en me jouant l'ancre à Moka. Et le chef aux mains d'or m'a donné assez d'argent pour acheter un autre sambouk sur lequel je retournerai aux îles noires pour gagner la maison, l'angareb et les voiles de soie qui me vaudront Fatouma, ma bien-aimée. »

Un silence magnétique suivit le récit d'En-Daïré. Et, comme d'une nappe souterraine qui vient lentement affleurer le sol, de ce silence, un chant jaillit. Qui l'avait commencé ? Le vieil Abdi ? Le beau Youssouf ?... Un des frères Ali ? Ou le mousse peut-être ? Ils n'en savaient rien, mais tous en furent la proie. Leurs voix grêles montèrent vers les étoiles pour célébrer, sur une mélodie sans âge, les malheurs, les exploits, la chance et l'espoir d'En-Daïré, le plongeur.

— Ils vont continuer jusqu'au jour, dit Mordhom, bien qu'ils n'aient ni mangé ni dormi depuis trente heures. Quant à moi, j'ai sommeil.

Il s'étendit sur la banquette et s'assoupit aussitôt. Contre le bastingage, Igricheff fit de même. Mais Philippe fut long à fermer les yeux. Il ne pouvait se rassasier du chant des hommes noirs.

4

PARESSE

Bien qu'il eût été le dernier à s'endormir, Philippe
se réveilla avant tout le monde. Ce n'était point qu'il
fût le plus résistant sur le boutre parmi ses compagnons. Au contraire, tous et le mousse lui-même étaient
capables de fournir un effort d'une durée et d'une
continuité auxquelles il ne pouvait prétendre. Philippe
se réveilla simplement à cause du soleil qui se levait à
peine et qui, déjà, brûlait.

Son premier réflexe fut de tourner sa figure contre le
bordage et de plonger de nouveau dans le sommeil heureux qu'il venait de connaître. Mais des flèches ardentes
lui touchèrent la nuque. Il se souvint des journées de
coma qu'il avait passées à Obock pour avoir voulu,
pendant une heure, imiter l'indifférence de Mordhom à
l'égard du soleil. Il se redressa, mit son terrail que, la
veille, il avait posé sur le roof. Le goût de dormir demeurait encore en lui, mais il en eut honte. Ce bloc de
feu qui montait au-dessus de la mer profonde, ce pont
encombré, pareil à celui d'un bateau corsaire, ces
hommes immobiles et comme frappés à mort par le
matin radieux, dont chacun avait risqué, peiné, vécu,
mille fois plus que lui, — comment ne pas jouir de tout
ce spectacle pleinement, sans contrainte ni pudeur,
puisqu'il était le seul à veiller à bord?

Il regarda avec ferveur Mordhom, Igricheff, les marins noirs. Tous dormaient tête nue, comme ils vivaient
le jour. Philippe songea... Qu'il était faible, mal accli-
maté encore pour ces courses, ces travaux de terre et de

147

mer dont il commençait d'entrevoir la perpétuelle, fascinante et mobile aventure! Mais il se réconforta un peu en mesurant les étapes qu'il avait franchies, le long du rude chemin qui endurcit les muscles et le cœur. Il avait bu de l'eau fangeuse... Passé des nuits en plein air dans les marécages... Il ne trébuchait plus sur le pont quand l'*Ibn-el-Rihèh* donnait de la bande. Et il connaissait Daniel depuis un mois en tout! Il était entièrement à lui, bien plus qu'il n'avait appartenu à Denise...

Il répéta ce nom à mi-voix et hocha la tête d'une manière qu'il croyait grave, mais qui était seulement naïve. Les syllabes dont le simple assemblage lui avait si longtemps paru doué d'une force mystérieuse, elles n'avaient plus aucun pouvoir, ni même aucun sens pour lui. Tandis que dans un chant somali, une flexion du torse de Mordhom à la barre, dans un gonflement de la grand-voile, il y avait tant de secrets et de sortilèges! Le vent, le soleil, la faim, le péril animaient tout cela. Et l'amour aussi parfois, mais simple et net comme la vie et la mort de ces hommes, comme la substance d'En-Daïré.

Philippe entendit la voix du plongeur racontant son histoire, que Mordhom lui avait traduite à mesure qu'elle se déroulait. Il eut dans les oreilles la mélopée aiguë de l'équipage. Et il fut content de sentir le soleil mordre sa peau à travers la chemise légère. Le même avait tanné Mordhom. Encore un peu de patience et il serait aussi bien trempé, lui, Philippe, qui avait armé un boutre contrebandier d'armes.

Qu'allait devenir maintenant cette cargaison redoutable sur laquelle dormaient paisiblement les aventuriers de l'*Ibn-el-Rihèh?* Le Gubbet-Kharab, avait dit Daniel. Philippe croyait pouvoir placer l'endroit sur la carte qu'il avait cent fois consultée pour avoir dans la tête ces côtes dont Mordhom nommait chaque pli. Mais en était-il sûr? Il descendit dans la cabine pleine de fusils, ouvrit le tiroir de la table grossière scellée au mur. Là se trouvaient pêle-mêle des instruments de navigation, un cahier de bord, des cartes, des plans. Visiblement, Mordhom ne s'en servait plus depuis des années. Le seul objet qui témoignait d'un soigneux entretien était une jumelle de prix, suspendue dans un étui solide.

— Par ici, il vaut mieux voir avant que d'être vu, disait Mordhom avec un sourire à peine indiqué.

Que de poursuites, de ruses, de combats devaient sous-entendre cette ligne sinueuse des lèvres!

Philippe quitta la cabine, étendit sur le roof une carte usée qui figurait la partie sud de la mer Rouge et le commencement de l'Océan Indien. Combien de fois, dans son enfance, Philippe avait rêvé sur son atlas en contemplant le bout de la presqu'île arabique, le bleu qui la bordait et cette porte sur les mers australes qui s'appelait le Bab-el-Mandeb! Et voilà qu'il devenait familier de ces lieux fabuleux. Le Yémen? Igricheff en venait. Philippe mit un doigt sur Sanaa et suivit la route du bâtard kirghize. Le rivage africain? Un bon vent pouvait y mener le boutre en quelques heures. Il l'avait quitté plus bas quelques jours auparavant, il l'avait longé. Ils allaient y aborder de nouveau. Oui, voici le Bab-el-Mandeb qu'ils traverseraient à la nuit... Quelque temps la côte demeurait rectiligne. Puis elle se dérobait. L'océan Indien y enfonçait le golfe de Tadjourah comme un coin et, au fond de ce golfe, cerné par des îles qui portaient le nom d'îles du Diable, se trouvait le Gubbet-Kharab.

Là, Daniel avait certainement une cachette plus secrète encore que dans son dédale des îles Moucha où Philippe avait erré en houri au clair de lune, entre les arceaux des palétuviers comme sur des canaux miraculeux, bercé par le chant ténu des noirs pagayeurs.

— Vous prenez une leçon de géographie? demanda soudain Mordhom qui, sans bruit, s'était penché sur l'épaule de Philippe.

— Je regardais le chemin que nous allions faire.

— Voilà.

Avec l'ongle de son pouce, brûlé par le tabac, déformé par mille travaux, Mordhom traça sur la carte une ligne qui était celle qu'avait prévue Philippe. Puis il dit :

— La cargaison débarquée, nous reviendrons en touristes sur Obock ou Djibouti. Je verrai à l'écouler quelque part. Et vous, vous pourrez éblouir vos amis, à Paris, de vos lumières sur un endroit assez curieux, comme on dit là-bas.

— Vous ne voulez plus de moi, Daniel?

Le regard que Mordhom fixa sur Philippe ne pouvait se définir. Il montrait de la joie, de la résistance, de la crainte, du regret, toute une étrange lutte intérieure.

— Je vous garderai tant qu'il vous plaira, dit-il d'une voix assourdie. Mais c'est un métier périlleux.

— Si ce n'est que ça! s'écria Lozère avec son beau rire. Je suis majeur.

— Il y a autre chose... Je vais trop m'attacher à vous... Vous comprenez, je suis seul, je me défends contre tout le monde... Alors, tout à coup, un ami et tel que vous... Si j'avais un fils, je le voudrais ainsi.

— N'exagérez pas, Daniel, dit Philippe en riant de nouveau, vous n'avez tout de même que dix années de plus que moi.

Mordhom tressaillit. Un bref calcul lui fut nécessaire pour croire ce que disait Philippe.

— C'est vrai, murmura-t-il, avec une sorte d'angoisse... Dix années seulement. Et il me semble, il me semble que je n'ai jamais été jeune... Ce matin surtout... A cause de l'autre...

Mordhom fit un léger mouvement vers Igricheff et poursuivit plus bas :

— Je lui ressemble déjà. Je lui ressemblerai de plus en plus... Et j'en suis content, et j'en ai peur... J'ai encore quelque chose d'humain qui me pèse, mais que j'aime, que j'aime... C'est une dernière lueur. Il s'étonne que je me pose des questions. Il me méprise pour cela... Mais c'est lui qui m'y force... Vous avez bien vu, j'étais tranquille... Vous me tiriez de votre bord... Il est venu, et je me suis senti à ma vraie place, la plus intolérable, à mi-chemin. J'aime les livres, la musique... et l'amitié... Et je hais les endroits où tout cela se cultive; les villes, l'Europe... Comédie, pourriture, agitation stérile, jeux de singes, je ne peux pas. Alors? Heureusement je n'ai pas le sou... Il me faut lutter sans répit, sinon...

Mordhom prit Philippe par le bras et le tourna brutalement vers l'endroit du pont où dormait Igricheff.

— Regardez-le, s'écria-t-il. Regardez sa figure de pierre jaune. Elle ne bouge pas!

— Et après quelle journée! murmura Philippe. Passer à travers les Yéménites, l'embarquement avec nous, l'affaire de Moka.

— Ce n'est rien... Au contraire... Question d'œil et de chance. On respire mieux... Mais son attente terrible du lendemain... Son assurance, sa patience inhumaines. Cette bête au guet. Regardez-le bien, Philippe. Il est fait à notre image pourtant... Et c'est l'animal le plus dangereux au monde... ou le plus beau... sans faille, sans fêlure... Mais non... Lui aussi... Même lui... il a risqué sa peau pour passer quelques minutes de plus avec son cheval. Alors? il n'y a pas de solution? A moins d'être comme les Danakils les plus sauvages. Ceux-là vraiment s'en foutent. Mais est-ce que je peux?

Il grinça des dents et son visage couleur de bois en fut tout ébranlé.

— Ça suffit, grommela-t-il. J'ai faim et ces paresseux...

Il enfonça trois doigts dans sa bouche. Un coup de sifflet strident fit mettre debout tous les dormeurs de l'*Ibn-el-Rihèh*.

— On part? demanda Igricheff.

— Pour l'instant, on déjeune.

— Ça, c'est bien, dit le bâtard kirghize avec un bâillement carnassier.

Le mousse bondit sur un coffre, de là sur un tas de cordages, et se trouva à tribord devant la caisse en bois recouverte de tôle qui servait de cuisine. Il alluma le foyer, mit de l'eau à chauffer.

Yasmina s'approcha de lui pour l'aider, obéissant à une habitude séculaire. Mais le garçon, l'ayant vue hésiter à travers les obstacles qui hérissaient le pont, la repoussa avec mépris. Il n'y avait de travail à bord que pour les marins. Passive, elle s'accroupit près du foyer, menue, tout enveloppée de ses cotonnades bleues en guenilles.

— Elle ne s'étonne de rien, dit Philippe. Elle se laisse vivre, douce et fidèle comme ses yeux charmants. Depuis que, au puits des djebels, vous l'avez jetée sur la selle de Chaïtane, il lui est indifférent d'être bercée par le galop de coursiers sauvages ou par les flots de la mer Rouge. Elle sert, ainsi que l'exige ici le destin des femmes.

— C'est tout à fait juste, dit le bâtard kirghize. Et si Hussein vous la cède, elle vous suivra comme elle nous a suivis et vous sauvera à l'occasion... Et vous ne lui devrez rien, ce qui est un avantage.

Il chercha des yeux Mordhom. Celui-ci, tout nu, se savonnait vigoureusement et se faisait asperger d'eau par l'un des frères Ali.

— Il y a des jours et des jours que je ne me suis pas lavé, et sans en souffrir, dit Igricheff en défaisant ses vêtements. Voilà que j'ai de nouveau besoin de propreté. Vice de la civilisation...

Tandis que Hussein douchait son maître, Philippe se dévêtit à son tour et plongea. Une clameur d'effroi courut sur le pont.

— Battez l'eau, malheureux, battez l'eau de toutes vos forces, vociféra Mordhom qui s'était retourné au bruit.

En-Daïré sauta dans la mer en hurlant et remuant comme un possédé des bras et des jambes. Il saisit Philippe, le ramena vers le boutre. Le vieil Abdi jeta un filin au jeune homme, le hissa. En-Daïré, plus vite encore, fut à bord.

— Qu'y a-t-il? murmura Philippe abasourdi.

— Regardez, lui répondit Mordhom.

A l'endroit où flottait encore l'écume soulevée par

les mouvements des nageurs, glissaient d'énormes fuseaux sombres.

Philippe, tout raidi, s'écria :

— Les requins!

— Ça n'est pas trop tôt, grommela Mordhom. Ne me faites plus jamais de plaisanteries pareilles ou je vous débarque sur le premier rocher.

Puis, il lui tendit la boîte de conserves vide qui lui servait de verre et qui était pleine de café brûlant.

— Trempez ce vieux pain de dourah dedans, dit-il, vous pourrez l'avaler. Et vous, Igricheff, en voulez-vous?

— Je mangerais de l'écorce, répondit le bâtard kirghize, en étirant avec volupté son torse de bronze clair.

— Nous mangerons mieux tout à l'heure... Il y a le temps de faire la cuisine. Je ne veux pas aborder le Bab-el-Mandeb avant la lune... Si ce vent se maintient nous serons en plein golfe de Tadjourah à l'aube.

— Comme vous voudrez, dit Igricheff.

Mordhom l'examina longuement. Enfin, il dit à Philippe :

— Vous voyez. Cela lui est complètement égal de savoir où il va, ce qu'il fera.

— Ce qui arrivera, corrigea doucement Igricheff.

— Mettons.

— En effet, je ne m'en soucie pas. Surtout en ce moment où je suis à votre disposition.

— Vous m'en voulez encore?

— Non. Je suis trop bien. Je renonce à penser.

Igricheff s'était allongé sur le pont torride que frappait de toute sa force le soleil déjà haut. Il alluma une cigarette et dit :

— Maintenant, je vais me faire raconter des histoires par votre Dankali. Il n'y a que lui qui m'intéresse à bord. Le plongeur est adroit, certes, mais son art ne me dit rien. Et puis, il pleure. Ce n'est pas votre homme de confiance, tout de même?

— Je n'en ai qu'un : Abdi, mon nakouda.

— Le vieux?

— Oui.

Igricheff se souleva paresseusement sur un coude, observa quelques secondes la tête rase, les oreilles décollées, le profil flétri du nakouda de Mordhom.

— Eh bien? demanda celui-ci.

— Je suis d'accord. C'est un rat qui flaire de loin les pièges.

— Il est payé pour ne plus se laisser prendre. Il était mousse sur un sambouk perlier, aux Farsane, quand le bateau fut attaqué par des pirates. Ceux qui restèrent vivants de l'équipage, on les vendit comme esclaves à Djizan. Abdi était agréable. Il fut châtré et emmené comme eunuque à La Mecque. Il s'est sauvé un quart de siècle après, en tuant ses maîtres. C'est un Somali. Il n'a pas le sang servile. Je l'ai recueilli sur les bancs proches de Djeddah. Je commençais à naviguer en mer Rouge. Il ne m'a pas quitté depuis. On l'appelle le vieil Abdi. Il n'a pas cinquante ans... Mais n'essayez pas de le faire parler. Il en a tant vu et tant fait avec moi qu'il a toujours peur de me trahir. Pas vrai, vieil Abdi?

— *Eoua... Eoua* (1), fit le nakouda en riant, parce qu'il ne comprenait pas la question posée en français.

Pour un instant, le rire brisa de mille plis sa figure noire et parcheminée, mais sans lui faire perdre son expression de ruse et de sagesse profondes. Puis il reprit son travail qui consistait à fixer un crochet à un filin qu'il avait noué solidement à l'arrière du boutre.

— Qu'il fait chaud, soupira Philippe. Et pas un coin d'ombre.

— Vous allez en avoir, dit Mordhom.

Il fit hisser la grand-voile et l'*Ibn-el-Rihèh* commença à tirer des bordées très faibles pour gagner du temps. Philippe se coucha au pied du mât, aspirant avec délices la faible brise qui passait sur le pont. Près de lui, le mousse, assis sur ses talons, retirait de l'eau des graines de dourah qu'il avait mises à tremper la veille. Elles

(1) Parfaitement.

154

étaient molles. Il alla chercher une pierre plate et les étendit sur elle. A ce moment, il rencontra le regard de Yasmina qui le suivait partout.

— Approche, femme, lui dit-il d'un air grave et en redressant sa petite tête ronde et fière. Cet ouvrage, tu peux.

Il lui tendit la pierre plate et une autre, allongée et lisse, destinée à broyer les grains. Cette tâche était familière à la Bédouine depuis sa petite enfance. Ses yeux brillèrent de plaisir. Enfin, ce garçon orgueilleux l'acceptait pour aide. Lui, alluma le four à pain, ouvrit une boîte de beurre à l'odeur forte. Les galettes de dourah seraient bientôt prêtes. Un appel d'Abdi, qui tenait la barre, arrêta un instant les deux enfants dans leur travail.

— C'est la pêche, dit le mousse.

Ali Mohammed et Ali Boulaos, les deux jumeaux, avaient bondi auprès du nakouda. Le filin tressaillait. Ils le halèrent avec peine et amenèrent sur le pont un énorme poisson.

— *Derak, derak*, crièrent-ils avec une joie enfantine, car ils savaient l'excellence de cette chair.

Laissant la cuisson des galettes à Yasmina, le mousse prit une vaste marmite cabossée, y jeta du beurre, du curry, du safran, des oignons en masse et la plaça au-dessus du foyer, dans la caisse-cuisine.

Cependant Igricheff appelait Youssouf et demandait au beau guerrier :

— Pourquoi portes-tu ces trois anneaux de cuir à ton bras droit?

— Tu viens de loin, je le vois, répondit le Dankali. Tu saurais sans cela, en les regardant, que j'ai tué trois ennemis.

— De toi, de ta famille?

— De toujours. Trois Issas vantards. Je n'aurais pas eu, autrement, le droit de me percer les oreilles. Et je n'aurais pas été un guerrier, et les femmes de chez moi m'auraient méprisé.

— Tu t'es battu au fusil?

— Tu veux rire, étranger. Perdre des balles contre

ces fils de chiennes! Ma *djemba* suffit pour eux!

Et, de la gaine en cuir de chèvre à peine tanné qu'il portait accrochée à ses reins nus, il tira un coutelas légèrement infléchi, large comme sa main, long comme son avant-bras et aiguisé des deux côtés comme un rasoir. La poignée était de bois noir. Igricheff le prit avec nonchalance, l'essaya à sa main.

— Voilà ce qu'il m'eût fallu contre Iphid, dit-il.

Il pensa au grand guépard, considéra longuement la lame qui, pour le moins, avait été trois fois rougie de sang humain, et reprit sa pose voluptueuse.

— Raconte tes combats, dit-il. Je suis d'accord avec ton cœur, guerrier.

Youssouf fit le récit de ses luttes barbares. Yasmina acheva de cuire les galettes. Le mousse jeta le derak coupé en grosses tranches dans la marmite d'où montait une violente odeur d'épices. Et le boutre courait doucement sur la mer Rouge, dirigé tour à tour par Abdi l'eunuque et En-Daïré le plongeur.

Il était dix heures, lorsque le déjeuner fut prêt. Il se composait de galettes chaudes et molles et de derak terriblement assaisonné. Mordhom, Igricheff et Philippe s'assirent côte à côte à l'ombre de la voile. Le mousse posa devant eux la marmite. En face prirent place l'équipage, sauf le barreur, Hussein et Yasmina. Chacun à tour de rôle plongeait un morceau de galette dans la marmite brûlante, l'emplissait de poisson et de sauce, le portait à sa bouche. Jamais repas ne parut meilleur à Philippe. Mais une pensée le gêna, soudain.

— Et les askers, demanda-t-il, ceux de Moka?

— Après un jour de diète, s'écria Mordhom, ils seront plus dociles.

Igricheff murmura :

— Les cadavres le sont tout à fait.

Ses yeux étroits effleurèrent le poignard dankali.

— Mais cela vous regarde, en somme, ajouta-t-il, en haussant légèrement les épaules.

— Cela et surtout le vent, dit Mordhom qui l'avait à peine écouté.

5

FORTUNE CARRÉE

Depuis quelques minutes, Mordhom ne mangeait, n'écoutait que machinalement. Un malaise, à peine conscient d'abord, l'avait distrait de la nourriture et de la conversation. Il prêtait l'oreille au frémissement des voiles, humait l'air comme un animal inquiet de sa route. Ne remarquant rien, il tendit cet autre sens qui n'a pas de nom, mais qui est celui par lequel l'homme se mêle à la matière qu'il fait vivre. L'aventurier de la mer Rouge eut alors l'impression que son bateau qui, jusque-là, avait évolué avec aisance vers le Sud, se mettait à renâcler, pareil à un cheval soudain moins docile à la main. Cette résistance était imperceptible, peut-être illusoire. Pour s'assurer de son sentiment, Mordhom alla vers la banquette et prit la barre aux mains de l'un des frères Ali.

Il ne s'était pas trompé. Personne que lui, sur le boutre, même pas En-Daïré, même pas Abdi, ne pouvait s'apercevoir, assis tels qu'ils l'étaient, de cette pesanteur du bateau. Mais aussi ils ne l'avaient pas assemblé pièce par pièce, ils ne l'avaient pas essayé avec une angoisse, une attention, une tendresse infinies. Ils ne l'avaient pas écouté, palpé, respiré.

— Il est plus lourd, Ali, dit Mordhom.

— Je l'ai senti, en vérité.

« Et pourtant, il n'a pas la main très fine », pensa

l'aventurier, tout en rendant la barre au Somali.

— Gouverne plus sur Bab-el-Mandeb. Ne laisse pas déporter, dit-il.

Il revint prendre place entre Igricheff et Philippe.

— Qu'y a-t-il? demanda aussitôt celui-ci.

— Rien de grave, mais cela pourrait devenir ennuyeux pour l'horaire que je me suis fixé. Le vent change. S'il reste comme il est maintenant, nous arriverons tout de même pour le soir au détroit, en travaillant dur. Mais s'il continue à tourner, s'il souffle plein Sud ou presque, je ne sais plus. Mon boutre remonte mal dans le vent.

Cet aveu lui avait coûté. Il se tourna vers Igricheff avec une sorte de rancune.

— Je vous le disais bien, hier, que l'aventure était facile avec de l'argent. Ce n'est pas la faute de ce bateau si j'ai dû le construire avec des épaves, avec des branches de jujubiers que j'ai coupées dans les Mablat. Et le gréement : voiles achetées au rabais, rapiécées, prenant mal la brise! comment voulez-vous que, bâti de la sorte, il remonte dans le vent comme un yacht de régates?

Il se tut quelques instants, mangea sans faim, mais voracement, comme s'il prévoyait que les événements ne lui laisseraient pas de longtemps le loisir d'absorber une nourriture chaude. Quand il eut terminé, il observa :

— J'aurais pu évidemment profiter ce matin de la brise favorable. Mais alors nous serions arrivés au Bab-el-Mandeb en plein jour. Et les abords du détroit, ainsi que lui-même, sont infestés de patrouilleurs anglais. Avec notre cargaison, nous étions aussitôt emmenés à Périm. C'est qu'ils commencent à connaître la silhouette de l'*Ibn-el-Rihèh*.

Une crispation parcourut son visage soucieux et il ajouta :

— J'aime mieux, s'il le faut, mettre une semaine pour toucher le Gubbet. J'aime mieux même jeter le boutre sur un caillou. Cargaison perdue pour cargaison perdue, je ne veux pas que les Anglais aient le meilleur sur moi.

— C'est le vrai jeu. Il n'y en a pas d'autre, dit Igricheff. Il est dommage pour moi que je ne comprenne rien à la façon dont vous allez le jouer.

— Moi non plus, avoua Philippe.

— C'est pourtant simple. Vous voyez bien ces risées à fleur d'eau. C'est la trace du vent. Vous voyez bien qu'elles viennent de plus en plus du Sud. Il n'y a plus aucun doute : le vent change. Avec un bateau très fin, on remonte aisément dans le vent. Avec le mien, non. Il dérive trop fort. Alors, à chaque virement de bord, on perd, pendant la manœuvre, presque tout ce qu'on a péniblement gagné dans la bordée précédente.

— Je vois, je vois, dit le bâtard kirghize. Je suis à cheval, je gravis une piste trop escarpée pour qu'il l'aborde tout droit. Je fais des détours qui ont cette piste pour axe. Le tout est de savoir le temps que je mettrai pour arriver au sommet.

— C'est à peu près ça. Maintenant, mettez-vous où vous voudrez, mais dégagez le mât, le palan d'écoute et la barre.

Déjà le mousse avait renfermé dans leur caisse la marmite et les boîtes de conserve vides qui servaient de verres et de plats. Déjà, les matelots étaient debout, scrutaient attentivement la mer et montraient sur leurs visages mobiles qu'ils comprenaient la signification de cette légère poussière d'eau qui palpitait au ras des vagues et qui venait du Sud.

Philippe et Igricheff quittèrent l'ombre de la grand-voile et s'allongèrent côte à côte à tribord entre le roof et le bastingage. Ainsi, la bôme dans le va-et-vient de la manœuvre passerait au-dessus d'eux. Le soleil était si cruel que le bâtard kirghize couvrit son torse et sa tête. Mordhom, debout à la barre, nu jusqu'aux reins, exposé pleinement à ce feu terrible et à sa réverbération, sourit. Dans ce domaine, au moins, il avait sur Igricheff l'avantage de l'insensibilité. Mais il oublia vite Igricheff et fut tout à la marche de l'*Ibn-el-Rihèh*.

Sa main, qui percevait la moindre réaction du bateau, déplaçait la barre avec une délicatesse extrême. Chacun de ses mouvements réussissait à réduire, dans toute la mesure du possible, et à l'instant nécessaire, l'obstacle mouvant que formait le courant aérien et, par là, à secourir l'effort des voiles qui était toute son espérance. Il sentait l'avance du boutre dans sa chair, dans ses nerfs, depuis la plante des pieds, posés sur le pont ardent, jusqu'à l'épaule où se répercutaient les réflexes du gouvernail. Chaque encâblure gagnée était pour lui une victoire physique. Quand la bordée arrivait à sa fin et qu'il hurlait l'ordre de virer de bord, il lui semblait qu'il pouvait compter les secondes que prenait la manœuvre aux battements de ses artères.

De ses yeux étincelants, de ses cris, il excitait sans cesse l'équipage. Il savait bien que ses matelots n'en avaient pas besoin, qu'ils étaient faits à lui comme il était fait à eux, mais il lui fallait libérer l'acharnement de lutte dont il était plein. Sa fièvre gagna En-Daïré, les frères Ali et Abdi lui-même. Ils ne connaissaient pas les projets exacts de leur maître, car Mordhom avait pour règle de ne jamais rien confier à ses matelots. Mais ils avaient fait assez d'expéditions semblables pour comprendre qu'il fallait gagner le détroit à la nuit, le traverser rapidement et se trouver au matin dans des eaux solitaires. Avant même que Mordhom eût lancé les ordres, ils les devinaient à l'expression que prenait sa bouche. Alors, ils bondissaient, ainsi que des démons propices, tous leurs muscles noirs jouant avec une harmonie si parfaite qu'ils paraissaient lissés par le vent. Et chaque fois, ils entonnaient le même chant strident et rompu, comme la peine des hommes sur la vaste mer.

La brise, quoique obstinément contraire à la route du boutre, était régulière et douce. Mordhom, d'après l'allure de son bateau, calcula qu'ils atteindraient le Bab-el-Mandeb un peu après le coucher du soleil. Comme il le faisait toujours pour vérifier ses conjectures, il appela son nakouda.

— Tu prévois juste, lui répondit Abdi. Tout à fait juste... Si le vent ne souffle pas plus fort.

Mordhom ne dit rien, mais les rides profondes qui encadraient sa bouche se creusèrent davantage. Il connaissait trop la manière d'Abdi pour supposer qu'il avait fait cette restriction au hasard. Abdi ne parlait jamais sans motif. Il pressentait quelque chose qu'il ne pouvait encore définir, mais qui menaçait. Mordhom en était sûr. Il savait que personne, sur le boutre, n'était capable de gouverner ni d'établir la voilure aussi bien qu'il le faisait lui-même. Mais il savait également que, pour flairer bien à l'avance les courants marins, les écueils et la vigueur des vents, Abdi, En-Daïré et même les frères Ali lui étaient supérieurs. Cette intuition leur venait de leur enfance soumise aux éléments et de leurs ancêtres qui avaient passé leur vie à écouter les voix de la mer Rouge.

A la barre, Mordhom se fit plus attentif encore, plus souple, plus délié. Il tâchait de deviner, lui aussi, ce qu'apporterait le soir qui, bientôt, descendrait sur l'eau tranquille. Mais, avant que les mouvements de son bateau le lui eussent appris, Abdi, spontanément, vint le rejoindre.

— Le vent va fraîchir, dit-il, et toujours du Sud.

Sans pouvoir encore contrôler la vérité de ces paroles, Mordhom fit diminuer la voilure.

« On gagnera moins à chaque bordée, mais on gagnera tout de même », pensa-t-il en serrant les dents.

A peine la manœuvre et son chant étaient-ils achevés qu'une légère rafale passa sur le pont. Elle rafraîchit les corps, mais ne détendit pas les visages. La vraie lutte allait commencer pour ramper, pouce par pouce, vers le détroit dangereux.

Le crépuscule vint et la nuit. Et les hommes noirs bondissaient et chantaient sous la lune comme sous le soleil. Et le torse nu de Mordhom se tordait toujours à la barre. Enfin, dans la clarté d'argent, parut une côte. A ses lignes, l'équipage reconnut que Bab-el-Mandeb était proche.

— Nous avons mis quatre heures de plus que je ne pensais, mais nous y sommes, dit l'aventurier à son nakouda.

L'avance devenait de plus en plus pénible. On pouvait mieux en mesurer la lenteur maintenant que se voyait la terre. Une heure passa ainsi. Mordhom observa qu'Abdi et En-Daïré se parlaient à voix basse.

— Je veux tout entendre, cria-t-il brutalement.

— Si j'étais le maître de l'*Ibn-el-Rihèh*, murmura le vieux Somali, je gagnerais une crique que toi et moi connaissons bien et qui est voisine.

— Pourquoi?

— Nous ne passerons pas le Bab-el-Mandeb.

— Et toi, En-Daïré, que dis-tu?

— Nous ne passerons pas, répéta le plongeur.

— Regarde bien, dit Abdi.

Le ciel était pur, lumineux, d'une richesse infinie d'étoiles. Mais au clair de lune on voyait courir au loin, sur la mer, des stries profondes, tantôt d'un noir sourd, tantôt d'un blanc de neige. Mordhom hocha la tête. Abdi reprit :

— Tu juges comme moi, mais tu ne m'écouteras point parce que tu cherches toujours à savoir si la chance t'aime.

— Oui, dit Mordhom.

Il maintint son cap. Les deux noirs coururent à la voile.

Cependant, Igricheff et Lozère dormaient l'un contre l'autre. Les bonds des matelots, le bruit et la masse de la bôme virant au-dessus de leurs têtes, les mollets agiles et noirs qui passaient près d'eux, les chants toujours les mêmes avaient peu à peu engourdi les deux hommes et, comme ils étaient également incapables de percevoir le combat minutieux de la mer et du boutre, Philippe et le bâtard kirghize s'étaient laissé gagner par un sommeil profond.

Ils se redressèrent en même temps et sans comprendre. Pourquoi cette sensation subite de froid? Ils se regardèrent. Ils ruisselaient. Un second paquet d'eau les mit sur pied.

— Bonne douche, s'écria Philippe en riant. Mais il fait nuit!

Il promena ses yeux tout alentour. Dans le clair de lune, chaque silhouette, chaque objet sur le boutre se détachaient comme dessinés à l'encre de Chine. Très nette, une côte dentelée fuyait, fuyait.

— Le vent a changé, dit joyeusement Philippe. N'est-ce pas, Daniel? Nous allons vite.

— Très. A l'envers.

La voix de Mordhom était si brève que Philippe en fut saisi. Les marins étaient silencieux. L'avant se levait plus fort, cachant la mer à intervalles réguliers. Ni foc, ni trinquette. La bôme était solidement arrimée au roof et la grand-voile était serrée sur elle. Mais comment l'*Ibn-el-Rihèh* avançait-il? Philippe remarqua alors une voile qu'il n'avait pas vue auparavant et sous laquelle marchait le boutre. Elle était rectangulaire et sa vergue supérieure faisait avec le mât une croix grise.

— Daniel, que se passe-t-il? demanda nettement Philippe.

— Je n'ai pas pu passer le détroit.

— Alors?

— Nous rebroussons chemin devant le vent. Pas autre chose à faire.

— Et ça?

Philippe montrait la voile toute gonflée et qui ressemblait à une bannière sur sa hampe.

— Ça. C'est la fortune carrée.

Mordhom hésita une seconde, puis ajouta:

— Pour la tempête qui vient.

Igricheff montra ses dents sous un long sourire aigu.

— Fortune carrée, dit-il lentement, fortune carrée... Je ne connaissais pas... C'est bien, c'est très bien... Je pense au poker... à la chance, à la tempête. Fortune carrée... J'ai toujours vécu sous elle et j'ignorais son nom... Fortune carrée... Merci, Mordhom.

— J'aimerais mieux ne pas avoir eu à vous l'apprendre, grommela l'aventurier breton.

Il jeta un coup d'œil derrière lui. La houle qui poussait le boutre était encore faible, mais plus loin, à la limite de la vue, se pressait une masse énorme, creusée, confuse et crêtée d'écume.

— Nous n'y échapperons pas, dit Mordhom. Et rien pour s'abriter dans ce détroit maudit.

— Nous y sommes encore? demanda Philippe.

— Pas pour longtemps. Mais quand nous sortirons, il n'y aura plus moyen de manœuvrer. C'est la queue d'un cyclone, je pense.

Malgré tout, Philippe ne pouvait pas croire au danger ou plutôt le sentir dans ses fibres profondes. Son courage fait en grande partie d'inconscience, le peu d'habitude qu'il avait des signes de la mer l'y aidaient et aussi la beauté de la nuit. Comment pouvait-on éprouver la moindre angoisse sous un clair de lune si pur, avec des matelots éprouvés, avec un tel capitaine? Les vagues bruissaient, balançant le boutre avec force, mais sur un rythme rigoureux. Leur écume chantait et chantait aussi, vif et dur, le vent. Il faisait frais. Le corps, grillé au soleil du jour, respirait merveilleusement par chacun de ses pores.

Mordhom se retourna encore une fois. La grande houle gagnait rapidement sur le boutre. Il aperçut nettement ses plis et ses replis.

— Youssouf, Hussein, Yasmina, dans le poste, cria-t-il.

Philippe aperçut un instant, par la trappe béante, la tête d'un asker. Le Dankali le frappa du poing au visage et disparut derrière lui avec le chaouch et la petite Bédouine.

— Philippe, Igricheff, dans la cabine! poursuivit Mordhom. Vous ne voulez pas? Alors, crochez-vous.

Ils passèrent un bras autour de la bôme. Il n'y avait plus à l'avant que quatre statues noires et, sur le roof, accroupi comme un petit animal mystérieux, le mousse. Le boutre fuyait, fuyait sous le clair de lune. Tout à coup et malgré la faible surface de la fortune carrée, il bondit. Igricheff et Philippe chancelèrent, se meurtrirent les épaules contre la pièce de bois qu'ils tenaient. La tempête avait atteint l'*Ibn-el-Rihèh*.

Il bascula sous le choc du vent et des lames, roula bord sur bord. Tous ses muscles bandés, Mordhom le redressa. Le boutre reprit sa course, mais avec une vitesse telle que tout le gréement siffla. Philippe regarda la côte. Elle disparaissait vertigineusement. Ils étaient de nouveau en pleine mer. Mais ce n'était plus celle qui, tout le long du jour, avait bercé leur paresse et leur rêverie. Gonflée et creusée tour à tour, écumante, elle courait aussi rapide que le boutre, aussi haute que ses flancs. Et la lune touchait l'horizon. Le voilier allait entrer dans la nuit.

— Igricheff, Philippe, pria Mordhom, descendez dans la cabine, cela vaut mieux. Je serai plus tranquille.

— Vous êtes le chef ici, dit le bâtard kirghize.

Il souleva la trappe du roof, se glissa dans le réduit obscur où cliquetaient les fusils de contrebande. Le mousse replaça soigneusement la trappe et reprit son immobilité.

— Et vous? demanda Mordhom à Philippe.

— Je ne veux pas... Ici, je me sens bien... En bas, je crois... je crois que je réfléchirais trop.

— Parbleu, grommela Mordhom, vous n'avez pas des nerfs de Chinois. Restez, mais attention!

Subitement, il fit très noir. D'un même mouvement, En-Daïré et Abdi se portèrent à l'extrême avant du boutre, s'allongèrent de chaque côté du beaupré et s'agrippèrent à lui, le corps à moitié suspendu dans le vide. Ils allaient servir d'yeux à l'*Ibn-el-Rihèh* pour explorer les quelques mètres visibles de la mer bouillonnante dans laquelle il s'enfonçait.

Mordhom tenait la barre droite et attendait les indications des guetteurs. S'ils n'apercevaient pas à temps un îlot, c'était la fin. Qu'y pouvait-il? Le grand fatalisme arabe l'emplit une fois de plus.

Le vent hurlait et grondaient les lames. Soudain,

Mordhom pensa à Philippe. Il ne l'avait plus entendu depuis qu'était venue l'obscurité. Une angoisse irraisonnée, folle, l'envahit.

— Philippe! cria-t-il de toutes ses forces.

Une jeune voix répondit, toute proche :

— Que voulez-vous, Daniel?

Mordhom respira largement.

— Venez ici à côté de moi, dit-il.

Honteux de sa faiblesse, il ajouta d'un ton sec :

— Je n'ai pas l'esprit libre à cause de vous.

A tâtons, Philippe gagna la banquette.

La tempête croissait sur une cadence lente, mesurée, comme si elle eût voulu garder ses vraies forces en réserve. Le boutre tanguait et se cabrait plus durement. Mais on ne voyait osciller que la blancheur confuse de la fortune carrée.

Deux cris jumelés retentirent à l'avant. Pourtant aucune indication ne suivit ce signal d'alerte. Mordhom et Philippe se soulevèrent. Ils virent venir à bâbord un clignotement lumineux, faible et lointain, puis une multitude de feux suspendus au-dessus de l'eau. On eût dit qu'approchait une bête marine aux yeux innombrables et brûlants.

— Un paquebot, gronda Mordhom avec une fureur singulière, et il donna un violent coup de barre.

L'énorme masse passa tout près d'eux, tranquille, éclatante, ignorant cette barque qui courait éperdument sous la tempête.

— Les voyageurs éprouvés expliquent aux dames ce qu'est une grosse mer, ricana Mordhom. Et celles qui peuvent retenir leur cœur au bord des lèvres essayent d'avoir peur avec charme. Les singes! J'aime mieux ma place.

— Moi aussi, dit Philippe avec force, en regardant s'évanouir les feux du paquebot.

Et la fuite continua dans les ténèbres. Philippe avait perdu la notion du temps, du péril, de la vie, dans le vent strident et le bruit de pierres sans cesse croulantes qui l'enveloppaient. Rien n'en rompait la rage monotone que parfois un trait plus vif d'écume et un choc plus brutal. Il semblait qu'une nuit éternelle et pleine d'astres maudits avait recouvert le monde.

Pourtant, le matin parut. Il approcha comme à l'ordinaire. Les étoiles s'éteignirent. A la limite du ciel et de l'eau se glissa un filet trouble. Puis, une sorte de reflet d'incendie marqua l'horizon. Et le soleil émergea de la mer. Le ciel était radieux, le jour d'une limpidité merveilleuse.

Philippe eut le sentiment d'une résurrection. Mais la violence des éléments redoubla. Il semblait impossible que, d'un azur aussi doux, s'élançât le souffle terrible qui fit soudain grincer le boutre dans toutes ses jointures. Il semblait impossible que, sous un si pur soleil, la mer se soulevât en lames aussi vertigineuses. Philippe se retourna, cherchant d'instinct un amoncellement de nuages, un signe sombre. Mais c'était partout la même splendeur, le même rayonnement. Et partout aussi, avec un bruit tonnant, les falaises liquides se fracassaient et se dressaient sans cesse.

Le boutre plongeait dans des gouffres, se tenait sur des cimes. Philippe, chaque fois que venait à l'arrière une vague aussi haute que le mât, croyait impossible qu'elle ne s'abattît point de tout son poids sur l'*Ibn-el-Rihèh* et s'étonnait de sentir le bateau lancé comme par une fronde géante, précipité vers un abîme d'où il sortait soudain porté sur une crête. Fasciné, le jeune homme, de nouveau accroché au roof, contemplait ces montagnes mouvantes de lumière et d'eau mêlées, traversées de flèches d'or, cette chevauchée énorme et magnifique, qui brassait dans sa furie le soleil, l'écume, l'azur et l'émeraude.

Dans cette contemplation qui suspendait en lui tout autre sentiment, Philippe abandonna son point d'appui. Une lame passa par-dessus bord, le faucha, le roula et l'eût emporté si ses mains ne s'étaient agrippées désespérément au bastingage.

— Attachez-vous, hurla Mordhom d'une voix inhumaine. C'est le déchaînement.

Philippe obéit. L'aventurier fit signe à En-Daïré. Celui-ci courut vers l'arrière. Ses pieds semblaient adhérents, car malgré les secousses qui déséquilibraient complètement le boutre, il ne trébucha pas une seule fois. Mordhom lui parla à l'oreille. Avec deux filins, le plongeur le lia solidement à la barre.

Il était temps. Les lames balayaient le pont d'un bout à l'autre. Comme des fous, les matelots et le mousse se ruèrent vers les barriques, les caisses et les précipitèrent pêle-mêle dans la cale. Puis ils fixèrent vigoureusement le houri qui, déjà, roulait sur le pont. A ce moment, Igricheff sortit de la cabine. Une trombe d'eau le souleva et il ne dut son salut qu'à son poignet de fer qui étreignit la bôme au passage..

— Un homme à la mer en ce moment est un homme perdu, lui cria Daniel.

Et le bâtard kirghize dut s'attacher à son tour. Seuls étaient libres les marins noirs qui, les jambes écartées et le torse fléchi en avant, épiaient le visage de Mordhom.

— Où sommes-nous? demanda Igricheff en se faisant un porte-voix de ses deux mains.

— Nous devons avoir fait une centaine de milles, cria Mordhom. Je pense à...

Un craquement effroyable l'interrompit, qui fit passer une ondulation dans tout son corps comme si sa propre chair avait été atteinte. Il pesa sur la barre avec une vigueur telle que son épine dorsale jaillit comme une arête de pierre et que les veines se gonflèrent sur son cou comme de brefs serpents. Mais le gouvernail fendu à sa partie supérieure répondit à peine... Le boutre piqua du nez, sembla céder.

Déjà Abdi et En-Daïré étaient sur la banquette et au risque de se faire enlever par les vagues, penchés aux trois quarts en dehors du bateau, la face dans l'écume, leurs muscles tendus à éclater, saisissaient le gouvernail avec du fil d'acier. L'*Ibn-el-Rihèh* obéit de nouveau à la barre.

Malgré toute son inexpérience Philippe avait pâli et le bâtard kirghize murmura :

— Je commence à comprendre...

Haletants, ruisselants, les matelots retournèrent à leur poste près du mât. Et, pour la première fois, ils s'y accrochèrent. Même pour leurs corps rompus à cette danse de cauchemar étincelant, les secousses du bateau et les lames déferlantes devenaient dangereuses. Ce fut à ce moment que, sous un assaut du vent plus terrible encore que les autres, la fortune carrée se déchira à son sommet. Le même cri modela la bouche de Mordhom et des Noirs. Le mousse bondit vers la cale, y disparut, en jaillit avec une alène et du fil épais. Comme les autres, il comprenait que la vie et la mort dépendaient d'une seconde. Que la voile cédât encore et elle ne serait plus qu'une guenille.

— Amenez la voile de tempête. Hissez le foc, hurla Mordhom.

La manœuvre fut entreprise avec une rapidité de rêve, mais, soudain, la vergue de la fortune carrée s'arrêta net dans sa descente, la drisse s'étant prise en haut du mât. Aussitôt, En-Daïré embrassa le bois glissant de ses bras nerveux et grimpa. Ses épaules semblèrent se disjoindre sous l'effort qu'elles fournirent pour tirer la drisse, la dégager, la maintenir libre tandis que descendait la voile. Le mât piquait vers l'abîme liquide presque à l'horizontale, se redressait comme un arc détendu, s'affaissait encore.

Mais Philippe tressaillit — plus fort que sous le choc des lames échevelées qui avaient failli le prendre, qu'au bruit du gouvernail fendu, de la voile déchirée. Autour du mât qui entraînait En-Daïré dans ses soubresauts déments, le vieil Abdi, les deux jumeaux et le mousse s'étaient mis à chanter la chanson éternelle des Somalis qui travaillent en mer. Ils ne cherchaient pas à soutenir leur compagnon, ni à étouffer leur propre angoisse. Ils chantaient comme on respire plus profondément pour plonger. Ils chantaient simplement parce que l'un des leur était à l'ouvrage. Et, quand cet ouvrage fut terminé, ils se turent.

Le mousse répara fiévreusement la déchirure. La

fortune carrée fut hissée de nouveau, mais En-Daïré demeura au sommet du mât. Quelques minutes après, il cria vers Abdi. Celui-ci gagna l'arrière.

— Il voit une terre, dit-il à Mordhom... Une île, petite, et qu'il ne connaît pas. Mais toi ou moi, nous saurons peut-être.

— Couche-toi à l'avant, ordonna Mordhom, et que tu connaisses ou non l'endroit, trouve une passe. La voile de tempête ne peut plus tenir longtemps.

Comme la nuit précédente, Abdi s'étendit le long du beaupré, mais cette fois il avait devant lui toute la mer étincelante et folle. La forme de l'îlot se dessina bientôt au milieu de sa furie. C'était un cône noir dont la base était cinglée d'écume. Le boutre allait droit sur lui avec une vitesse tragique. En-Daïré sentit la manœuvre désespérée. Il se lova autour du mât, les yeux dardés sur cette sombre roche pour y trouver de loin une fissure propice. Mais il ne vit rien. Cependant, l'îlot venait, venait sur l'*Ibn-el-Rihèh*. Déjà ses flancs neigeux défilaient à tribord contre le bastingage. Le moindre écueil et tout croulait, sans rémission, en une seconde.

La forme noire cramponnée au beaupré leva le bras. Au même instant, les frères Ali, avec un cri strident, firent tomber la fortune carrée et Mordhom, arqué comme au seuil de la mort, poussa à fond la barre.

L'ILE NOIRE

P HILIPPE roula sur le pont, Igricheff donna du front contre la bôme si fort qu'il en fut assommé un instant. Les Somalis fermèrent les yeux. L'*Ibn-el-Rihèh* pivota sur lui-même, craqua affreusement, embarqua une charge d'eau qui sembla l'accabler, glissa comme une flèche dans un chenal écumant. Mordhom redressa le gouvernail, maintint droit le boutre. Il fila, porté par le courant, entre deux murailles abruptes et noires, séparées l'une de l'autre par une faille de trente mètres au plus.

Ce couloir liquide était long, sinistre, mais à mesure qu'il s'enfonçait dans l'île, la force du flot diminuait. Et, brusquement, ce fut le calme, un calme divin. L'*Ibn-el-Rihèh* avait débouché dans un vaste bassin sans ride et d'une transparence parfaite.

Le boutre courut encore quelques secondes et s'immobilisa. A son bord, il y eut un grand moment de stupeur, d'incrédulité. Les deux aventuriers furent les premiers à se ressaisir.

— Vous nous en avez bien tirés, dit Igricheff à Mordhom.

En même temps, celui-ci cria à ses matelots :

— Détachez-moi.

Puis :

— Mouillez l'ancre de rechange.

La chaîne grinça aussitôt, mais on eût dit que les frères Ali qui la déroulaient ne comprenaient pas ce qu'ils faisaient, tant il y avait d'égarement sur leurs visages. L'ancre toucha le fond de roche qui se voyait du boutre, traîna, racla, ne s'accrocha point. Alors, avec le même air absent que ses compagnons, et d'un mouvement purement machinal, En-Daïré plongea. On l'aperçut, marchant sous l'eau, flou, déformé par la réfraction, pareil à une étrange bête aquatique. Il portait l'ancre sur son épaule, cherchant un endroit propice. Quand il remonta, il dit après une aspiration profonde et comme un somnambule :

— Elle tient.

Alors seulement, les hommes de l'*Ibn-el-Rihèh* sentirent qu'ils étaient sauvés. Et, d'un coup, se brisa en eux la tension terrible qui, depuis des heures et des heures, les avait tenus crispés de la nuque aux talons. Tous ensemble, ils se mirent à crier, à rire, à proférer des paroles, sans lien.

— Allah seul, Allah le Tout-Puissant, psalmodiaient les Somalis.

— Je n'oublierai jamais, jamais, criait Philippe.

— La fortune, murmurait Igricheff, la fortune carrée !

Et Mordhom exultait, frappant du plat de la main sur le bordage.

— S'il remonte mal dans le vent, il tient la tempête comme aucun bateau, vous avez vu, vous avez vu ?

Mais ils ne l'entendaient pas, comme lui n'entendait personne. Pour fortement trempé qu'il fût, il était ivre, lui aussi, de la joie chaude, animale, de la sécurité. Dans les cellules et le sang de tous ces hommes bruissait la rumeur même de la vie.

Philippe, surtout, rayonnait de bonheur, de tendresse universelle. Il eût voulu remercier chaque matelot, les combler de présents, embrasser le mousse, étreindre Mordhom. Soudain, il se rappela que dans le poste se trouvaient des gens qui n'avaient point part à cette fête. Spontanément, il courut vers la trappe, l'arracha.

— Sortez, sortez, cria-t-il.

Ses gestes suffirent à le faire comprendre. Hussein, Youssouf et Yasmina sautèrent sur le pont. Mais quatre hommes hésitants remuaient encore au fond du réduit obscur.

172

— Ah! les askers! s'écria Philippe avec un rire fraternel. Dehors aussi, dehors! Assez de prison, pauvres diables. N'est-ce pas, Daniel?

— Bien sûr, dit Mordhom.

Peu à peu, l'effervescence tomba. Bien qu'ils sentissent tous encore, au fond de leur poitrine, une sorte de foyer radieux, ils commencèrent à examiner la crique où les avait jetés la tempête. C'était un demi-cercle, vigoureusement dessiné. L'eau y avait environ trois mètres de profondeur. Grâce à sa limpidité, on voyait qu'une poudre pierreuse très fine et d'un gris très clair tapissait la crique. Cette sorte de cendre dure couvrait également la bande de terrain, large et plate, qui ceignait l'eau. Puis jaillissaient des cônes volcaniques. Il y en avait sept, rangés à la file, chacun plus haut que le précédent. Et leurs sept cratères étaient eux-mêmes enfermés par une muraille circulaire qui se soudait aux parois abruptes entre lesquelles s'était glissé l'*Ibn-el-Rihêh*. Les cônes et la muraille étaient d'un noir terne, sourd. Une stérilité éternelle marquait leurs formes à la fois géométriques et déchiquetées.

— Je me demande si quelqu'un a jamais abordé ici, dit pensivement Mordhom.

— Pas de longtemps, en tout cas, remarqua Igricheff. Il n'y a aucune trace sur ce sable gris.

Philippe s'écria, avec une vive exaltation :

— Alors, nous serions les premiers hommes à le fouler. Vite, Daniel, le houri...

— Du calme, du calme, vous ne pensez pas que mes Noirs ont assez travaillé et que j'ai vingt heures de barre dans les bras. On va manger d'abord.

Ils s'installèrent comme la veille, à l'ombre de la grand-voile que les matelots avaient rapidement hissée. Elle pendait, flasque et morte. Il n'y avait pas un souffle dans l'air.

— Et vous croyez, Daniel, que dehors, oui, dehors, je ne trouve pas d'autre mot, la tempête continue? demanda Philippe.

— Certes et de mieux en mieux. Pensez que le chenal

a près de trois cents mètres de long et que des murs de granit et de lave nous abritent, qui vont se rétrécissant vers le haut. Nous sommes dans le fond d'un entonnoir volcanique.

Le mousse et Yasmina travaillaient fiévreusement à la caisse-cuisine et à la barrique-four à pain. Les marins riaient avec les askers.

— Ni Abdi, ni En-Daïré ne savent plus que moi où nous sommes, poursuivit Mordhom. Le plongeur dit que l'île où il est resté un an ressemblait à celle-ci, mais qu'elle était beaucoup plus grande et qu'il y en avait d'autres autour. Mais quelle que soit la place et le nom de la nôtre — si elle en a un — nous lui devons une fière reconnaissance. Avec un temps moins gros, j'ai perdu le *Taman*... Abdi et moi, nous en avons réchappé seuls.

— Les vagues étaient bien d'une dizaine de mètres? demanda Philippe.

Mordhom se mit à rire.

— Pourquoi pas de quarante? dit-il. Cela semble toujours beaucoup plus quand on manque d'habitude. Non, il y avait quatre mètres de creux. C'est déjà pas mal, je vous assure.

Ils se turent, repassant mentalement toutes les phases de cette fuite à travers la mer Rouge démontée. Le mousse apporta le repas : des galettes de doura et du riz furieusement assaisonné.

— Tu auras un thaler de plus par mois, dit Mordhom à l'enfant qui lui baisa les mains avec ferveur.

— Cela lui fera en tout soixante francs de solde, traduisit l'aventurier pour Philippe. Il est bien plus riche que vous.

— Je le crois, répondit le jeune homme sans sourire. Il deviendra matelot. Il vivra et mourra d'accord avec lui-même.

— Je ne suis pas d'humeur, aujourd'hui, à vous suivre dans les méditations, dit gaiement Mordhom. Je suis bien, je suis très bien.

Il dévorait. Ses matelots aussi. Bien qu'il ne leur

174

parlât guère, n'ayant rien à leur dire qu'ils ne connussent aussi bien que lui, c'était d'eux que Mordhom, en cet instant, se sentait le plus proche. Il s'endormit au milieu de leur groupe noir.

Igricheff, Hussein et Philippe mirent la pirogue à l'eau.

— Vous avez de la chance, dit Igricheff en observant la hâte que mit le jeune homme à sauter le premier à terre et le plaisir qu'il eut à contempler l'empreinte que, sur la plage grise et vierge, laissèrent ses espadrilles. Cela vous amuse de jouer au conquérant.

— C'est vrai, dit Philippe. Mais quels beaux jouets! Ce bateau. Ces marins. Cette île. Et vous-même, acheva-t-il en riant.

Il s'élança sur la pente qui menait au plus petit cratère. Mais, à mi-côte, il dut s'arrêter, ne trouvant plus de piste praticable. Des galets noirs s'éboulaient sous ses pieds, menaçant de l'entraîner. Il jeta un coup d'œil derrière lui et vit que Hussein, suivi par Igricheff, contournait le premier des sept volcans éteints. Il les rejoignit tout essoufflé.

— Laissez-vous conduire par mon chaouch, dit Igricheff. Nous ne sommes plus sur de malheureuses planches. Dès qu'il s'agit de monter ou de descendre, il a plus d'intelligence dans ses orteils que nous dans la tête.

Hussein, le fusil comme balancier sur la nuque, un bras autour de la crosse, un autre autour du canon, marchait sans presque regarder le terrain. Les escarpements qui l'environnaient avaient beau être nus et sombres, leur solidité, leur mouvement montueux lui faisaient retrouver sa souplesse dansante, son assurance et un peu de gaieté. Parmi ces pierres noires où jamais piste n'avait été frayée, il devinait les chemins possibles, sentait les détours nécessaires, les escalades qui faisaient gagner du temps. Il put ainsi mener sans encombre son maître et Philippe sur la crête de la muraille qui enfermait dans l'arène du grand volcan mort qu'était l'île, les sept cratères plus petits.

Le vent les assaillit avec une telle fureur qu'ils se crurent un instant de nouveau sur le boutre et durent s'arrêter. Puis leur regard plongea vers la mer. Mordhom avait raison. La tempête y faisait toujours rage. Même de la hauteur où ils étaient, ils apercevaient le creux des lames qui venaient crouler comme des avalanches éblouissantes sur l'île noire.

Celle-ci était un peu plus grande que ne le laissait croire la forme de la crique. Le sommet de la muraille qui, de là-bas, semblait une arête aiguë, se développait en un plateau semé de pierres sombres. Et à l'Est, ce plateau descendait vers la mer par un versant beaucoup moins abrupt que celui par lequel étaient venus Igricheff et Philippe. Il portait, de-ci, de-là, une végétation misérable, mais qui ressortait singulièrement sur le fond funèbre où elle poussait.

— On pourra chasser, maître, dit joyeusement Hussein. C'est l'herbe à dig-digs.

Igricheff se détourna brutalement du chaouch. Il était résolu, tant que, d'une manière quelconque, Hussein n'aurait pas racheté sa faiblesse de Moka, à ne lui adresser la parole que pour des ordres.

Comme le jour baissait, le Yéménite ramena en silence Igricheff et Philippe vers le boutre.

— Si je comprends bien, dit Mordhom quand ils eurent achevé la description de l'île, les falaises de la brèche et la muraille ne font qu'un, et, sur l'autre versant, les mouillages sont moins sûrs qu'ici. Tout est pour le mieux.

Il jeta un regard satisfait sur le sommet du gouvernail tout enveloppé de gros fil de fer, sur la fortune carrée soigneusement recousue.

— Excusez-moi, Daniel, dit Philippe, sur qui s'abattait une fatigue invincible, je ne dînerai pas ce soir... Je me couche.

Il s'allongea sur le roof, eut un instant la vision de l'équipage réuni à l'avant, des sept volcans morts, gardiens noirs du néant et du clair de lune, et sombra dans le sommeil. Bientôt, tout dormit sur le boutre.

La nuit d'argent semblait prisonnière à jamais de la crique sauvage. Des reflets tremblants jouaient sur le bord des cratères.

La première pensée de Mordhom, en se réveillant, fut d'envoyer En-Daïré sur la falaise pour voir le temps qu'il faisait en mer. Mais il appela le plongeur en vain. Les autres matelots, les askers, Youssouf s'étant levés, il fut évident qu'En-Daïré n'était pas à bord. Mordhom ne s'en inquiéta guère.

— Il a devancé mon désir, se dit-il.

Mais le repas du matin fut expédié sans qu'En-Daïré reparût. L'un des frères Ali grimpa sur la falaise.

— La mer est toujours enragée, annonçait-il en revenant.

— As-tu aperçu En-Daïré? demanda Mordhom.

— Non.

A midi, le plongeur n'était pas là. Une sourde inquiétude commença de travailler l'équipage superstitieux, troublant son repos nonchalant.

Hussein et Youssouf partirent battre l'île. Aussi légers, aussi souples l'un que l'autre, leurs fusils posés à plat sur la nuque, ils s'élevèrent très vite jusqu'au sommet de la muraille noire et disparurent. Quatre heures torrides s'écoulèrent. Les matelots chuchotaient que les sept génies de l'île, dont les gueules géantes s'ouvraient dans le sombre cirque, avaient également emporté les deux guerriers.

— Si la nuit tombe avant qu'ils ne reviennent, dit Mordhom, mes Somalis me demanderont de mettre à la voile, quelque temps qu'il fasse.

— Mais tout de même, répliqua Philippe, Hussein et Youssouf ont, eux du moins, le pied assez sûr pour ne pas tomber dans une crevasse. Et il n'y a pas de fantômes funestes sur cette île.

— Est-ce qu'on sait? murmura le Breton, mais si bas que Philippe ne put l'entendre.

Les minutes se firent longues, insupportables. Chacun à bord cherchait une occupation, ne la trouvait pas, revenait nerveusement s'asseoir ou s'étendre. Les cris des oiseaux de mer semblaient porter de sinistres augures. Le soleil, qui, déjà, disparaissait derrière les falaises occidentales, incendiait la haute muraille noire d'un feu de forge maudit.

— Allah seul, Lui seul! gémirent les Somalis.

Philippe ne put se défendre contre le malaise qui, quoi qu'il en eût, s'insinuait en lui. Mais aussitôt il eut honte. Des silhouettes venaient d'apparaître sur la crête baignée de crépuscule. Elles étaient étrangement rapprochées et descendaient lentement.

— L'un d'eux est blessé, dit Igricheff.

Mordhom, qui avait pris sa jumelle, ajouta :

— Le plongeur.

Dans le champ des verres grossissants, Philippe vit à son tour que les deux guerriers soutenaient En-Daïré aux aisselles. Quand le groupe se fut rapproché de la plage, Mordhom sauta dans le houri et pagaya furieusement. Bientôt, on hissa En-Daïré à bord. Il grelottait. Sa jambe droite était toute gonflée et molle.

— Il est tombé? demanda Philippe.

Mordhom répondit avec un souci visible.

— Non, c'est pire. Il a voulu explorer les criques de l'autre côté. Instinct de pêcheur de perles... Il a été blessé par un poisson-torpille. Un poisson qui a une sorte de décharge électrique et venimeuse. Il donne la fièvre, empoisonne la chair. J'aime encore mieux les poissons-scies qui peuvent pourtant couper un bras avec facilité... En-Daïré s'en tirera, je pense. Il a le sang pur. Mais il en a pour longtemps avant de pouvoir travailler. Un homme de moins dans l'équipage et quel homme! On ne partira que par temps sûr.

A l'aube, Abdi monta sur la falaise. D'après son rapport, Mordhom jugea que la violence de la tempête avait diminué, mais pas assez toutefois pour l'affronter avec trois matelots seulement.

— Nous appareillerons demain, sans doute, dit-il à Philippe et à Igricheff. Aujourd'hui, comme il n'y a rien à faire à bord, nous pourrons chasser. L'équipage viendra aussi, ça le distraira. Mes Somalis tirent mal, mais nous ne sommes pas à une cartouche près. Et avec Youssouf nous sommes sûrs de manger ce soir de la viande fraîche.

— Je parie plutôt sur Hussein, dit Igricheff.

Ils partirent, emmenant Yasmina et laissant le boutre à la garde d'En-Daïré, des askers et du mousse.

Lorsqu'ils furent arrivés au faîte de la muraille volcanique, le bâtard kirghize annonça très haut :

— Si le Dankali tue un dig-dig avant Hussein, je lui donne la Bédouine. Tu entends, Youssouf, tu entends, chaouch?

Le guerrier noir sourit de toutes ses dents de roi mage et dit :

— Alors, elle est à moi.

— Je te donnerais deux balles pour une des miennes que je garderais encore Yasmina, répliqua Hussein.

Mais ce ne furent pas les minuscules gazelles qui eurent à départager leur adresse.

La troupe des chasseurs avait à peine atteint la brousse misérable du versant occidental que, dans la direction de la crique, des coups de feu retentirent.

<h1 style="text-align:center">7</h1>

LE ZAROUG DE L'AVEUGLE

APRÈS le départ des chasseurs, En-Daïré ne resta pas longtemps sur le pont. Bien que depuis la veille sa fièvre eût légèrement décru, elle était encore assez violente pour lui rendre insupportable le feu du soleil, de ce même soleil qu'à l'ordinaire il aimait tant. Toutefois, avant de demander aux askers de le descendre dans le poste, il hésita. Ces hommes ignoraient tout des choses de la mer. Lui enfermé, il n'y aurait plus que les yeux du mousse pour veiller vraiment.

Mais que pouvait-il arriver dans cette crique tranquille et limpide comme un lac?

Il recommanda à l'enfant de le prévenir à la moindre alerte, puis les Yéménites le portèrent dans l'ombre du réduit de l'équipage.

Le mousse alluma les feux et commença de préparer son repas et celui des askers. Il avait pilé les grains de dourah, et s'apprêtait à mettre les galettes à cuire dans la barrique, en pensant avec bonheur à la viande de gazelle qu'il ferait rôtir le soir, lorsqu'un étrange murmure l'arrêta dans ses mouvements agiles. Il resta accroupi devant le four à pain, mais l'oreille et le regard tendus vers le trou sombre que faisait la porte du défilé menant de la crique à la mer.

Ce n'était pas le vent qui faisait ce bruit d'eau froissée...

Le mousse écouta plus attentivement encore. Certes, ce n'était pas le vent... Seule l'étrave d'un bateau pouvait arracher à la mer cette longue et douce plainte.

— En-Daïré, En-Daïré! appela l'enfant. Un boutre vient.

Le plongeur sursauta, tiré de son sommeil fiévreux, étouffa un gémissement de douleur, car il avait heurté sa jambe tuméfiée à un coin de caisse et cria :

— Remontez-moi! Vite! Vite!

Il ne fut pas obéi. Au même instant, comme une flèche au bout de sa trajectoire, une proue aiguë glissa lentement hors du corridor liquide, puis, tout un bateau étroit, à mât incliné vers l'avant et taillé avec une finesse extrême. Sa voilure était amenée, les askers et le mousse purent juger d'un coup d'œil qu'il portait une vingtaine d'hommes farouches cramponnés aux haubans. Par réflexe, les Yéménites et l'enfant modulèrent le salut des marins en mer Rouge. Rien ne répondit sur le voilier mystérieux.

En-Daïré essaya de gravir sans aide la courte échelle qui menait au pont, mais retomba, tordu de souffrance, trempé de sueur. Il entendit le bateau, qu'il ne pouvait voir, s'approcher de l'*Ibn-el-Rihèh*.

— C'est un zaroug! cria le mousse.

— Tirez! hurla En-Daïré aux askers.

Les hommes du zaroug furent plus rapides. Une décharge balaya le pont de l'*Ibn-el-Rihèh*. Les Yéménites, frappés chacun de plusieurs balles, s'affaissèrent. Seul échappa le mousse qui s'était jeté à plat ventre derrière le bordage. Puis, d'un bond, il fut à l'arrière et se laissa glisser dans l'eau.

Le zaroug accosta l'*Ibn-el-Rihèh*. Des gaffes joignirent les deux bateaux. Dix hommes sautèrent sur le boutre de Mordhom. Le pillage se fit en silence. De bras en bras, les sacs de riz, les caisses de munitions, les fusils passèrent à bord du zaroug. Enfin, celui des pirates qui dirigeait ses compagnons descendit dans le poste d'équipage. Ses yeux rencontrèrent le regard fébrile d'En-Daïré. Il tira son poignard.

— Tu me tueras, dit le plongeur, mais alors tu seras tué par mon maître qui va revenir. C'est Françaoui Kébir et il a trente hommes avec lui.

— Françaoui Kébir lui-même ne navigue pas sans gouvernail, répondit le pirate en frappant.

Ainsi mourut En-Daïré, le plongeur noir, tandis que déjà, manœuvré à l'aide de perches par vingt hommes bronzés et sauvages, le zaroug se dirigeait vers le chenal.

Au bruit des coups de feu, Mordhom poussa un hurlement, comme si un morceau de chair venait de lui être arraché.

— Mon bateau, mon bateau! cria-t-il d'une voix démente en s'élançant vers le sommet du plateau.

Tous les autres le suivirent, mais il les distança vite, sauf Youssouf et Hussein qui se maintinrent facilement à ses côtés. La pente était douce. Ils la gravirent et se trouvèrent sur la muraille qui dominait la crique. C'était le moment où le zaroug se dégageait de l'*Ibn-el-Rihèh*. Le premier mouvement de Mordhom fut de se ruer en bas pour appareiller et poursuivre le voilier ennemi. Mais un cri d'enfant l'arrêta et une boule noire haletante roula à ses pieds.

— Maître, cria le mousse, j'ai bien veillé, mais Allah n'a pas voulu nous protéger. Ils ont tout emporté. Ils ont enlevé le gouvernail.

— Le gouvernail, répéta Mordhom à voix basse, comme frappé d'un éblouissement fatal. Mais il n'y a plus rien à faire, alors...

Il promena son regard désespéré sur la muraille volcanique.

— Attends ici, et fais attendre les autres, cria-t-il soudain, et il se remit à courir comme un possédé non pas vers le boutre, mais le long de la corniche qui menait aux falaises.

Le chaouch et le Dankali se lancèrent derrière lui.

— Le chenal est long, murmurait fébrilement Mordhom entre ses dents coincées. A la perche, on ne va pas vite. Nous arriverons avant eux.

L'arête sur laquelle ils bondissaient devenait plus étroite, plus aiguë, semblable à un étrange chemin de ronde déchiqueté. Il fallait toute l'élasticité des trois hommes pour ne pas rouler au fond du précipice où, par instants, apparaissait l'eau sombre du chenal. La corniche s'arrêta net. Sous Mordhom il n'y avait plus qu'une paroi rugueuse, noire, inaccessible, et la mer. Il jeta sur les lames un regard anxieux. Aucune voile ne s'y montrait. Il eut un rauque soupir et gronda :

— Tout n'est pas fini, encore. Écoutez-moi, comme vous écouteriez votre vie, dit-il aux deux guerriers. Voilà la sortie du chenal. Le zaroug va s'y montrer d'un instant à l'autre. Il ne faut pas qu'il la dépasse assez pour profiter du vent. Pour cela, il n'y a qu'un moyen : pas d'homme à la barre. Vous m'avez compris ?

— Ils ne passeront pas, dirent en même temps Hussein et Youssouf en portant lentement, amoureusement leur fusil à l'épaule.

— Ne tirez pas ensemble, conclut Mordhom.

Ce fut le chaouch qui fit feu le premier.

Il s'était avancé sur un promontoire de pierre si étroit et si vertigineusement situé que même le Dankali, dont le pays ne portait point des pics comparables à ceux des djebels yéménites, ne s'aventura pas à l'y suivre. Ainsi Hussein vit-il, avant ses deux compagnons, surgir le zaroug entre les deux murailles du chenal. Jamais il n'avait connu une cible aussi difficile à atteindre, car il lui fallait tirer presque à la verticale, sans appui et penché sur un gouffre. Il se coucha le long de l'aiguille de pierre d'un mouvement onduleux, insensible, l'œil rivé, à travers la ligne de mire, à celui des pirates qui gouvernait. Le zaroug abordait la ligne d'écume qui marquait la sortie de l'île quand Hussein tira. A bord du bateau, il y eut une clameur farouche. Les hommes qui allaient dérouler la voile paillée s'arrêtèrent net. Le barreur venait de rouler au fond du zaroug que le courant commençait déjà à déporter vers la muraille noire. Un autre pirate saisit la barre.

Youssouf avait eu tout le loisir d'ajuster sa place. L'homme tomba.

Le chaouch et le Dankali se regardèrent. Pendant cette fraction de seconde ils oublièrent que leur vie était en jeu pour s'estimer mutuellement à leur juste mesure. Puis Hussein, qui avait rechargé son arme, épaula. Un troisième barreur fut foudroyé.

— Bien, bien, mes lions! exulta Mordhom. Ils n'oseront pas mettre à la voile. Ils seraient fracassés contre le roc.

Une salve lui répondit. Elle n'atteignit personne. Pourtant, croyant profiter de son effet, les pirates s'arc-boutèrent sur les perches pour jeter d'un seul élan le zaroug dans les eaux libres. Mais Youssouf veillait et fit une nouvelle victime. Hussein abattit à son tour le remplaçant.

Mais à peine eut-il vu tomber l'homme que, sans un cri, il lâcha son fusil qui glissa dans l'eau écumeuse et, de ses bras crispés, entoura l'aiguille sur laquelle il était étendu. Plus exposé, se détachant sur le ciel, il avait été atteint à la poitrine par trois balles du zaroug. Sa dernière convulsion le noua au rocher.

Ainsi périt Hussein, chaouch de l'Imam yéménite.

— Quand tu auras tiré, tu prendras mon fusil et je rechargerai le tien, dit Mordhom à Youssouf.

Mais le Dankali n'eut plus à montrer sa terrible adresse. Le zaroug virait sur lui-même, disparaissait entre les sombres parois.

— J'aurais mis devant le barreur deux matelots, pensa machinalement Mordhom et je serais passé.

Puis il ordonna :

— Reste ici, Youssouf. Tu as deux coups à tout hasard. Je vais voir ce qui va se passer dans la crique.

En courant, Mordhom calculait :

« Ils étaient vingt environ. Hussein en a tué trois. Youssouf deux. Reste une quinzaine. De notre côté, Igricheff, Philippe, Abdi, les Ali et moi : six. Mais eux ont des munitions sans nombre... les miennes (il serra les dents). Mais leur bateau est une cible magnifique et nous, nous sommes mobiles... On verra... On verra...»

Quand il rejoignit ses compagnons à l'endroit où il avait laissé le mousse, le zaroug, porté par le courant, parut dans la crique.

— En entendant tirer comme au stand, j'ai compris que Youssouf et Hussein faisaient rentrer le bateau, dit Igricheff à Mordhom.

— Hussein est mort.

— Que faisons-nous? demanda le bâtard kirghize, sans qu'un muscle bougeât sur son visage.

— Votre avis?

— Nous embusquer, le plus près possible de l'eau, les tirer comme des lapins, les forcer à venir à terre et les charger.

— Bien, je vous passe le commandement.

— Alors, en bas.

Pendant leur descente furieuse, les volcans leur dissimulèrent la crique. Quand ils purent l'apercevoir de nouveau, Mordhom laissa échapper un cri de surprise.

— Ils sont déjà à terre.

— Et ils fouillent le sol, dit Philippe.

En effet, courbés sur la plage, avec des perches, des gaffes et des rames, les pirates creusaient fiévreusement le sable gris.

— Ah! ça!... murmura Mordhom, je ne me trompe pas, Igricheff, ils font une tranchée! Mais qui a pu leur en donner l'idée? Il y a un Européen avec eux. C'est impossible autrement. Ils ne savent pas, tout seuls. Une tranchée!... Mais votre plan, alors, Igricheff? Parlez.

Le bâtard kirghize, les yeux à peu près invisibles, la bouche serrée, réfléchissait intensément.

— Quoi qu'il arrive, ordonna-t-il soudain, ne bougez pas.

Et il se précipita vers la plage.

Philippe eut un élan pour le suivre, mais Mordhom lui saisit les bras et dit sévèrement :

— Il est le chef.

Le bâtard kirghize se glissa jusqu'aux derniers abris que lui pouvaient donner les roches noires. Puis il se dissimula, couché entre deux pierres, et, tendant toute l'acuité de sa vue, tâcha de discerner les visages des pirates au travail. Mais à cette distance, il n'en put distinguer aucun nettement. Le seul dont il fût capable d'apercevoir les traits était celui du guetteur que les ennemis avaient posté à la limite du sable et des rocs et qui se trouvait à une centaine de mètres de lui. Mais cette figure ne lui apprenait rien.

— Si j'avance vers eux, même désarmé, ils tireront, pensa Igricheff. Ils sont trop enragés par la perte de leurs hommes. Alors...

Laissant son fusil dans sa cachette, il plaça son browning entre ses dents et se mit à ramper vers la sentinelle. Le bruit que faisaient les pirates en creusant le sol favorisait le dessein d'Igricheff. Il put arriver derrière le guetteur sans que ce dernier l'entendît. D'un coup de crosse à la tempe, il l'assomma. Un hurlement de rage et de menace implacables s'éleva parmi les corsaires. Mais déjà Igricheff allait à eux, ou plutôt la sentinelle inerte que le bâtard kirghize portait devant lui comme un bouclier.

— Votre compagnon n'est pas mort, cria Igricheff de toute sa voix perçante et je ne veux pas le tuer. Le prendrez-vous pour cible?

Il y eut chez l'ennemi un instant de désarroi, de silence.

Le bâtard kirghize en profita pour se découvrir soudain et appela :

— Aziz, Aziz! Je suis sûr que si tu es là, tu reconnaîtras le chef moscovite du défilé de Bet-el-Faki.

Du groupe stupéfait des pirates, un homme trapu se détacha soudain, courut à Igricheff.

— C'est bien toi, par le Prophète, dit Aziz, en embrassant l'épaule du bâtard kirghize.

— Je pensais bien que tu étais sur le zaroug, puisque, seul des chefs zaranigs, tu as appris de moi à creuser la terre pour te défendre.

— Et j'aurais dû savoir que tu étais avec Françaoui Kébir, car il n'y a que ton chaouch pour tirer si bien du ciel.

— Il est mort.

— Allah le recevra en guerrier, car il a mis des balles dans bien des cœurs courageux.

— Maintenant, dit Igricheff, je vais appeler mes amis.

— Attends, attends, chef moscovite. Je ne suis pas le nakouda ici.

— Où est-il?

— Sur le zaroug.

— Pourquoi ne mène-t-il pas ses hommes au combat?

— Tu verras. Viens.

Une pirogue mena Igricheff à bord du bateau pirate. Debout contre le mât se tenait un vieillard sec, droit et robuste, dont la courte barbe blanche se détachait sur la peau bronzée et nue. Il ne leva pas les yeux vers le bâtard kirghize, mais pencha un peu la tête.

— Qui vient sur mon zaroug, d'un pas d'étranger? demanda-t-il d'une voix âpre.

Igricheff comprit. Le maître du bateau était aveugle.

— Grand nakouda, dit Aziz, je t'ai parlé du chef moscovite qui a mieux défendu que moi-même la gorge de Bet-el-Faki. C'est lui qui se tient auprès de toi. Il est l'ami de Françaoui Kébir et te demande la paix pour lui.

Le vieillard demeura longtemps silencieux.

— Reste à mon bord, dit-il enfin. Bois et mange comme mon hôte. Je te répondrai d'ici peu.

Pour laisser l'aveugle méditer en paix, Aziz emmena Igricheff tout à l'arrière du zaroug près de la barre sur laquelle le sang des cinq hommes tués avait formé une épaisse croûte brune.

— C'est le plus vieux chef de la mer chez nous, dit Aziz. Depuis vingt ans, il ne connaît plus la lumière. Mais il navigue sans cesse et toujours à la proue. Un mousse lui dit les endroits où passe le zaroug. Il a tous les écueils, toutes les côtes dans la mémoire. Personne de nous n'était venu ici. Il s'est souvenu que son père, avec un convoi d'esclaves, avait mouillé, pour cause de tempête, dans cette île noire. Il était un enfant alors, pourtant il nous a conduits sans défaut jusqu'ici. Quant à moi, chef moscovite, après t'avoir quitté, je n'ai pu gagner Bet-el-Faki et avec deux hommes seulement je suis arrivé, à travers les chiens yéménites, à la mer, où le zaroug du vieux nakouda m'a pris.

— Aziz et mon hôte, venez, appela l'aveugle.

Puis :

— Chef étranger, dit-il, prête bien l'oreille. Il est dur de rendre un juste butin et de pardonner la mort de cinq guerriers. Mais j'ai entendu dire que Moham-med le Terrible, avant de rejoindre le paradis d'Allah, a ordonné de te considérer comme son frère. Alors, j'ai décidé, car nous sommes proscrits, errants, sans vivres ni munitions, de garder le tiers des cartouches, la moitié des provisions et de rendre à ton ami tout le reste. Et que la paix soit avec vous...

Mordhom accepta les conditions de l'aveugle. Igricheff lui dit alors :

— Deux fois vous m'avez sauvé. J'ai payé deux fois. Par le fusil de mon chaouch, par la paix avec les Zaranigs. Nous sommes quittes et je suis libre.

Mordhom hocha la tête pensivement et répondit :

— Vous acceptez tout de même d'être mon hôte?

— Certes. Car ceux-là (il montrait le zaroug) ne sont plus bons qu'à pirater en petit et à se faire pendre.

Deux jours après, l'*Ibn-el-Rihèh* appareilla avec un vent favorable. Sur la cendre de l'île noire, à nouveau déserte, il y avait un petit monticule. Là dormait En-Daïré.

Au moment où le boutre passa sous l'aiguille qui portait encore le chaouch, raidi dans son embrassement suprême, le bâtard kirghize appela Youssouf.

— Je te donne Yasmina, lui dit-il. Hussein n'aurait pas choisi pour elle un autre maître que toi.

TROISIÈME ÉPISODE

LA GRANDE PISTE

1

LES TROIS COMPAGNONS

TROIS hommes en file indienne gravissaient lentement le sentier à pic et mal frayé qui conduisait de la vallée de Dirrédaoua au plateau du Harrar. Chacun d'eux tenait un cheval par la bride, ce qui rendait leur avance plus pénible encore. Bien qu'elles ne fussent pas ferrées, les bêtes glissaient souvent sur les roches luisantes, sur les pierres mouillées qui cernaient la mauvaise piste de leur chaos.

Il venait de pleuvoir. Quelques nuages rapides couraient encore sur le ciel et semblaient entraîner dans leur fuite des pans d'azur profond. Mais, déjà le soleil tropical glissait entre eux ses brûlants javelots.

Lorsqu'il sentait leur feu sur ses épaules ou sur son visage, le plus jeune des trois voyageurs, qui se tenait le dernier dans la file, levait la tête vers le sommet de la terrible montée comme pour savoir si ses compagnons et lui y parviendraient avant la pleine ardeur du jour. Puis, il ramenait son regard vers le sol, attentif aux aspérités et aux failles profondes dont était coupé le sentier. Dans un de ces instants où toute son activité intérieure était absorbée par les difficultés de la marche, il vint donner de l'épaule contre la croupe du cheval qui le précédait. Un écart instinctif lui fit éviter la ruade de l'animal énervé par cette dangereuse ascension. En même temps, le jeune homme vit que ses deux compagnons tiraient leurs montures sur une petite plate-forme rocheuse pour laisser la piste libre. Il fit de même.

Un bruit qui rappelait celui des torrents grossissait au-dessus d'eux. Bientôt défila un troupeau de grands buffles domestiques. Ils avaient une bosse épaisse à l'encolure et des vastes cornes qui s'évasaient en forme de lyre. Leur structure, leur puissance conservaient seules un caractère sauvage. Car la servitude somnolait au fond de leurs yeux doux. Ils descendaient pesants et tranquilles, soumis à un vieillard et à une fillette à la peau noire qui les rassemblaient et les guidaient par des cris gutturaux. Les trois hommes, tenant fermement leurs chevaux, regardèrent passer entre les rocs les buffles abyssins.

Celui qui, jusque-là, avait marché en tête, dit au plus jeune :

— Tenez, Philippe, d'ici on aperçoit nettement la place où j'avais ma scierie.

Mordhom montra, dans la végétation épineuse et touffue qui bordait le lit à sec de la rivière de Dirrédaoua, une sorte de clairière noircie qui béait sur le versant gauche. L'aventurier breton grommela pour lui-même une phrase qu'il avait déjà cent fois ruminée.

— Mon établissement brûlé, vingt-sept bons Somalis tués par une bande d'Issas, tandis que je manquais la fortune en mer Rouge. Quand la chance mauvaise s'y met...

Philippe contemplait l'endroit calciné avec un sentiment tout différent. C'était là que, après avoir chassé aux environs d'Erregota, il avait connu Mordhom, que leur expédition de contrebande d'armes avait été décidée, que sa vie avait changé de cours. En leur absence, l'incendie et le meurtre avaient marqué ce lieu de leur sceau.

— Ne vous tourmentez pas, mon vieux Daniel, dit-il gaiement. La bonne passe viendra. C'est son tour.

— Qu'elle vienne ou non, pour l'instant, je m'en moque. On va se reposer dans ma tanière.

Mordhom attendit patiemment que le dernier buffle eût libéré la piste et, sans un regard pour cette frise barbare et pastorale que fermait le vieil homme noir appuyé sur un bâton aussi haut que lui, l'aventurier breton entraîna son cheval à l'assaut de la dernière moitié de la montagne. Il ne s'arrêta que sur la crête, au milieu d'un col étroit, serré entre deux pics couverts d'herbes et de lichen. De là, une faible pente menait vers le Harrar que l'on découvrait comme à vol d'oiseau.

C'était un monde clos qui n'avait aucun lien avec celui que venaient d'abandonner les trois voyageurs. Gardé de tous côtés par des vallonnements et des cimes, le grand plateau du Harrar éthiopien se déroulait avec une douceur et une variété infinies. Des lacs tranquilles, semés à vastes intervalles, brillaient dans la terre rouge et verte.

Le soleil faisait du chaume qui couvrait les huttes des villages dorés. Au fond, vers le sud, s'élevait une table polie et gigantesque de trois mille mètres de haut sur les parois de laquelle tremblait la courbe d'un arc-en-ciel à peine formé.

— Daniel, c'est bien la ville de Harrar? demanda Philippe lorsqu'il eut joui pleinement du spectacle révélé tout à coup, en indiquant au milieu du plateau une sorte de blanche fourmilière ceinte d'un fil sombre.

— Oui.

— Votre propriété est aux environs?

— Beaucoup plus loin, derrière les collines, au sud-ouest. Je suis aux confins du pays galla et du pays somali de Djigdjiga... Vous verrez...

— Je n'y comprends plus rien, murmura Philippe. Et c'est toujours l'Abyssinie?

— Toujours.

— Issas, Danakils, Somalis, Gallas, Harrari... quel chaos!...

— Je vous débrouillerai en déjeunant. Midi approche.

Les trois hommes montèrent à cheval. Ils furent bientôt en vue d'un grand lac au pourtour envahi de roseaux et littéralement couvert de canards et d'oies sauvages. Machinalement, Philippe saisit son fusil de chasse.

— Pas encore, dit Mordhom. Si vous tenez à les tirer, vous le ferez presque à bout portant. Les volatiles de Ramaya ne sont pas méfiants.

A mesure qu'ils approchaient de l'eau, le froissement des plumes, les cris des oiseaux devenaient plus denses, se fondaient en un vibrant et soyeux murmure. Il y en avait des milliers que le bruit des sabots tout proches n'effarouchait pas. Écœuré, Lozère remit son fusil en bandoulière.

— A la bonne heure, s'écria Mordhom, vous vous décivilisez!

Ils contournèrent la rive bourbeuse du lac, arrivèrent à un petit bois d'eucalyptus et de bambous. En lisière des arbres et de la route, ils aperçurent une maison construite à l'européenne, qu'un Grec avait louée pour en faire un hôtel. Ils s'installèrent sur la terrasse qui dominait le lac et un repas sommaire leur fut apporté par un serviteur dont le visage d'ébène jaillissait du blanc chamma qui l'enveloppait.

— Celui-là est un Éthiopien, un vrai, dit Mordhom, ayant un peu calmé sa faim.

Philippe gémit avec un désespoir à la fois comique et sincère :

— Mais pourquoi? En quoi? Ils sont tous aussi noirs les uns que les autres. Tous sont des nègres!

— Pas du tout. De nègres véritables, il n'y a que les esclaves ou les descendants d'esclaves qui viennent des provinces frontières du Soudan. Les autres, sauf pour la couleur — qui, d'ailleurs, est moins foncée, moins régulière —, n'ont rien de commun avec le type négroïde. Regardez le serveur, il a la figure allongée, le nez aquilin, l'ovale fin. Mais il n'a pas la délicatesse d'attaches des Somalis, leurs épaules minces, leur cou, leur nuque flexible, un peu féminins. Et les Somalis, à leur tour, ne possèdent pas les traits aigus, tranchants, cruels des Danakils ni la bestialité féroce des Issas, et pas davantage le visage rond, la douceur des Gallas de ce pays-ci.

— Je ne pourrais jamais les distinguer, soupira Philippe.

— Mais si, mais si, je vous assure! Avec le temps, cela vient tout seul.

— Pour les peaux jaunes, c'est encore plus difficile, dit Igricheff.

— Ce plateau, reprit Mordhom, a été conquis par les Abyssins à la fin du siècle dernier sur des envahisseurs arabes qui forment la plus grande partie des habitants de la ville, les Harrari. La population des champs est galla. Mais ni les uns ni les autres ne sont dangereux. Ils acceptent la domination éthiopienne avec docilité. Tout autour sont les nomades : Somalis, Issas, Danakils. Tous guerriers, tous en luttes exterminatrices les uns contre les autres. Ils payent tribut à l'Abyssin, mieux armé, plus nombreux, mais c'est tout. Pour le reste, ils ne connaissent de maîtres que l'espace, l'eau et le soleil. Je les aime, surtout les Somalis, les seuls qui soient sûrs. Je suis bien avec les Danakils, plus sauvages encore que les autres. Pour les Issas, cela dépend des chefs. Chez moi, commence le domaine somali. Puis, en allant vers la mer, à peu près en ligne droite, on traverse le pays issa. Enfin, sur les déserts et les montagnes de la côte, règnent les Danakils. Voilà pour cette partie de l'Abyssinie. Quant aux autres, je vous en parlerai si le hasard nous mène ailleurs. Il y a vingt tribus pour le moins.

On servait le café. Il était subtil et fort.

— Le meilleur café d'Éthiopie, dit Mordhom, celui du Harrar.

Igricheff répliqua :

— Il ne vaut pas celui des djebels yéménites. Pas plus que votre cheval noir ne vaut Chaïtane.

— Plaignez-vous! s'écria Philippe. C'est le plus beau des trois.

— Je l'ai acheté à un explorateur italien qui venait du Godjam et qui a traversé sur lui le Nil bleu au moment de la crue, dit Mordhom.

— Est-ce que vous avez connu Chaïtane? murmura le bâtard kirghize qui, depuis le combat de l'île noire, n'avait jamais pensé à Hussein.

Ils se mirent en selle. La route, assez bonne, descendait doucement vers le fond de la cuvette où se trouvait la ville de Harrar. Les trois hommes galopèrent en silence, traversant ou longeant des petits villages aux toits coniques, des champs de maïs, de dourah, des terrasses verdoyantes de caféiers, de bananiers, bordées d'euphorbes pareilles à d'énormes langues dressées, vertes, grasses et semées d'épines.

Et, pour différents qu'ils fussent, les trois cavaliers, galopant vers Harrar, poursuivaient la même rêverie. Ils songeaient au voyage qui, des côtes asiatiques de la mer Rouge, les avait menés à la rive africaine, au port de Taïf tout en flammes, à l'aventure de Moka, à la tempête furieuse sous la fortune carrée, aux sept volcans de la crique, au retour tranquille, à la cachette où ils avaient enterré la cargaison d'armes et de cartouches dans l'îlot du Diable, au fond du Gubbet-Kharab. Ils se rappelaient enfin Djibouti, et le train qui avait couru dans le désert jusqu'à la ville abyssine de Dirrédaoua.

Maintenant, ils allaient vers un loisir paisible. Mais combien durerait-il? Et quelle forme prendrait l'aventure à laquelle deux d'entre eux étaient fatalement voués et que le troisième acceptait d'avance comme pris dans un violent sortilège?

La terre devenait rouge, limoneuse. Le soleil aspirait rapidement l'humidité laissée par la pluie, les sabots des chevaux commençaient à soulever une poussière ocrée. Les hameaux se faisaient plus nombreux, tous composés de huttes rondes, couvertes d'un toit aigu en chaume, et d'enclos pour le bétail protégés par des

196

branchages épineux. Des troupeaux coupaient la route: zébus, chèvres et moutons à tête noire. Souvent, les cavaliers croisaient un guerrier abyssin — juché sur sa selle dure et haute — qui trottait sur un mulet marchant l'amble, harnaché de larges bandes de cuir. L'homme portait une cape sombre qui couvrait à demi sa longue culotte et sa chemise de toile blanche. Un grand sabre courbe, dans un fourreau de cuir, battait ses jambes serrées par l'étoffe et ses pieds nus qui, tenant par le gros orteil un étrier minuscule, tambourinaient sans arrêt les flancs de la bête. Derrière lui venaient des domestiques portant le fusil, le parasol, le chasse-mouches de leur maître.

Les trois cavaliers arrivèrent ainsi aux murailles épaisses et sombres de Harrar. Déjà, Igricheff qui, le mieux monté, marchait en tête, dirigeait son cheval vers la porte où veillaient des soldats noirs déguenillés et bardés de cartouchières, lorsque Mordhom lui cria :

— Contournez les murs, nous irons plus vite.

Et comme Philippe faisait un geste de regret, il ajouta :

— Rien d'intéressant. Une ville arabe, comme tant d'autres... Maisons en pisé, ruelles sordides, cours qui se joignent, pavé glissant et branlant. Nous avons mieux à voir.

La piste qui ceignait la cité étant assez large, ils allèrent de front. Des femmes, massées aux marchés en plein vent qui se tenaient aux portes de la ville, les suivaient d'un regard naïf et curieux. Elles étaient sombres de peau, très fines de nuque, de poignets et de chevilles, et vêtues de couleurs éclatantes. Les plus jeunes avaient des seins délicats, un port d'une grâce sauvage. Les vieilles, torse nu, laissaient pendre leurs mamelles flétries et criaient avec âpreté. Toutes sentaient le beurre âcre dont étaient enduites leurs épaisses chevelures brillantes.

Puis ce fut le silence et l'ombre.

Mordhom et ses compagnons s'étaient engagés dans un sentier rouge qui serpentait entre deux haies d'euphorbes gigantesques. Leurs pointes se joignaient et cela faisait une longue voûte verte et charnue qui cachait le soleil. Un ruisseau l'interrompit, qui coulait, mince filet d'eau, dans un lit profond, couleur de grenade éclatée. Les voyageurs aperçurent des collines, des villages nouveaux, des plantations, des champs cernés d'espaces déserts. Sur eux flottaient une buée lumineuse, un calme infini, et d'énormes vautours tournoyaient.

La piste était de plus en plus mauvaise. Les chevaux se mirent à un pas allongé, très dur pour les reins. Mais Philippe ne sentait pas plus la fatigue qu'Igricheff et Mordhom. Tout l'enchantait : le soleil qui frappait durement la brousse à travers laquelle ils cheminaient maintenant, les petites boules grises que faisaient sur les rochers des marmottes endormies béatement, les torrents à sec, les collines coiffées de *toucouls* (Mordhom lui avait appris le nom abyssin des huttes), les paysans gallas, aux belles épaules, les femmes aux bras et au dos nus. Parfois, les buissons épineux lui griffaient les jambes. Mais cela même lui plaisait.

Comme ils passaient devant une énorme pierre carrée et toute plate, posée sous un figuier sauvage, Mordhom dit :

— C'est la pierre du lion. Un grand chef a été enterré dessous, il y a très longtemps. On dit que, depuis, une fois par mois, par pleine lune, un lion géant vient dormir sur cette pierre.

— Un lion? demanda Igricheff, en ouvrant un peu les yeux.

— Nous approchons de leur pays. Voici les rives de l'Érer.

Comme le long de chaque rivière, qu'elle fût à sec ou non, la végétation devint plus haute, plus épaisse. C'étaient toujours les mêmes arbres épineux, mimosas, tamarins, jujubiers, les mêmes buissons pleins de pointes, mais nourris d'une sève plus vigoureuse qui développait leurs troncs, leurs ramures, leur aiguille, rendait brillante leur couleur d'un vert foncé. Le chemin s'infiltrait entre ces massifs déchirants. A chaque pas se levaient des faisans, des ramiers sauvages. Entre les broussailles apparaissaient les silhouettes graciles de dig-digs, de gazelles. Des chacals, assis sur leur arrière-train, pointaient leurs museaux et leurs oreilles vers les voyageurs. Ces animaux étaient si peu habitués à voir les hommes qu'ils ne bougeaient pas à leur approche. Plus d'une fois, Philippe porta la main à son fusil et la laissa tomber. Il n'avait pas envie de tuer, il n'avait envie de rien que d'aller indéfiniment dans la paix vigilante de la brousse avec ses deux étonnants compagnons.

Il y avait un peu d'eau dans le large lit de l'Érer. Elle courait selon une pente assez vive et sa nuance rosée, son mouvement, son murmure donnaient, dans ce pays desséché, une impression de vie intense. Les chevaux burent avec avidité. Les hommes firent de même, le visage baigné par le courant léger. Mordhom embrassa le paysage d'un geste et dit :

— C'est la brousse du lion. Je n'ai jamais eu le temps de me mettre à l'affût, mais les gens du pays assurent que l'abreuvoir est à quelques kilomètres plus bas. Vous pourrez revenir, Igricheff et Philippe, si le cœur vous en dit. Nous ne sommes plus très loin.

Trois heures après, les cavaliers étaient encore en route. Ils avaient gravi plusieurs escarpements très rudes, fendu de nouvelles broussailles, traversé des espaces nus et plats, hérissés de grandes termitières. Maintenant, ils ne voyaient plus rien. La nuit était venue, opaque, sans lune. Mais le terrain était facile. Le chemin avait beau se perdre dans des champs de maïs et de dourah, les faibles feux des villages, disséminés sur le plateau de Dakhata, le jalonnaient suffisamment. D'ailleurs, les chevaux qui, plus d'une fois, avaient fait la route, pressaient d'eux-mêmes le pas dans la bonne direction.

— Halte! cria soudain Mordhom.

Ils sautèrent de selle, se trouvèrent devant un mur

confus d'euphorbes. Une porte s'ouvrit. Derrière, portant des lampes-tempêtes, apparurent une dizaine d'hommes et de femmes au corps mince, à la peau noire. Avec des cris de joie, ils se précipitèrent vers Mordhom, lui embrassant les mains, les épaules. Dans un grand espace libre, se voyaient des bâtisses, des toucouls, puis, vaguement, des feuillages.

— Soyez les bienvenus chez moi, dit l'aventurier breton à Igricheff et à Philippe.

2

L'OASIS DE L'AVENTURE

Dès qu'il eut mis pied à terre, Philippe se sentit d'un seul coup courbatu, rompu, annihilé. Il fit quelques pas mal assurés dans le domaine plein de reflets et de visages inconnus qui s'offrait à lui.

— Me coucher, Daniel, dit-il, c'est tout ce que je veux. Dormir, dormir.

Douze heures de soleil, de marche et de selle l'étourdissaient comme un coup de matraque, maintenant que l'abandonnait l'excitation nerveuse du voyage et de la découverte incessante. Il ne se rendit pas compte que Mordhom le menait à travers un jardin, qu'il franchissait un petit pont, qu'il entrait dans un pavillon. Il s'abattit d'une pièce sur le lit de camp et plongea, tout vêtu, dans le sommeil bienheureux de la fatigue et de la jeunesse.

Une sensation de fraîcheur très vive le réveilla.

L'aube naissait. Il voulut se mettre sous les couvertures lorsqu'une ombre se glissa près de lui.

— Debout, mon vieux, debout, lui dit Mordhom d'une voix passionnée. Je veux montrer mon trésor à vous le premier; à vous seul, tandis que l'autre (c'était ainsi qu'il désignait le plus souvent Igricheff) se repose encore. Et c'est la plus belle heure. Venez.

Sans bien comprendre, Lozère se trempa le visage dans une cuvette d'eau froide et suivit Mordhom. La conscience des choses lui revenant peu à peu et le jour grandissant très vite, il vit qu'ils passaient entre une demi-douzaine de toucouls qui faisaient partie de la propriété de Mordhom, et qu'ils atteignaient une haie d'euphorbes moins haute que celle par où ils avaient, la veille, pénétré.

Une brèche s'y ouvrait, juste assez large pour laisser passer un corps. Puis ce fut la campagne vide, hérissée d'une végétation maigre, sèche et coupante. Elle s'élevait rudement vers un entassement chaotique de blocs qui arrêtait la vue. Mordhom y mena Philippe sans dire un mot, sans se retourner. Intrigué, le jeune homme suivait dans la pénombre son ami qui semblait emporté par une ardeur dévorante et secrète. Toujours muet, Mordhom grimpa de roche en roche par une sorte d'escalier naturel dont, visiblement, ses muscles connaissaient chaque degré. Quand il fut arrivé au sommet du chaos pierreux, il tendit la main à Philippe qui était sur ses talons, le hissa et s'effaça tout à coup.

Une sorte de cri, fait de stupeur, de reconnaissance et d'émerveillement, souleva la poitrine du jeune homme. Sous ses pieds, filant à pic, lisse et fauve, se dérobait vertigineusement une immense muraille de granit. En face de lui, une autre se développait aussi puissante, sans échancrure visible, héroïque. Des blocs énormes y sculptaient des boucliers et des masques démesurés. Les forêts suspendues sur l'abîme lui faisaient une sombre chevelure. Entre ces gigantesques parois reposait le paradis terrestre. Comment Philippe eût-il pu désigner autrement cette gorge enchantée vers laquelle il se penchait de plus en plus et si dangereusement que Mordhom dut le retenir? A mille mètres sous lui, peut-être davantage, inaccessible en apparence, une vallée s'éveillait à la lumière. Elle était infléchie, comme un corps de femme endormie. Une herbe drue et douce la tapissait complètement. Un filet d'eau miroitait parmi cette verdure. Des bouquets d'arbres vivants, qui ne ressemblaient en rien à la végétation trompeuse de la brousse, frissonnaient avec mollesse. Des massifs grandioses versaient à ce royaume, dont ils étaient les gardiens éternels, une paix indicible. Aucune habitation, aucune trace humaine n'en souillaient la grâce et le secret. Un silence moelleux, la fraîcheur et la pureté divines du matin, les premiers rayons du jour semblaient être les seuls habitants de la gorge miraculeuse. Philippe eut le sentiment qu'il reconnaissait en elle le vestige suprême, échappé au temps il ne savait par quel sortilège, des âges d'innocence, de fable et de liberté où la terre donnait sa bénédiction aux premiers hommes.

— Personne ne peut vivre là, murmura l'aventurier de la mer Rouge avec un frémissement religieux. Personne. Les fièvres mangent l'homme dans la vallée de Dakhata. Alors, elle est neuve, elle est vierge. Le jour, les enfants noirs des villages cachés de l'autre côté y mènent paître de rares troupeaux. Les clochettes sonnent dans l'herbe. Des voix puériles chantent. Lorsque le soleil est couché, tout, depuis longtemps, a regagné la montagne. Alors flotte sur la vallée obscure une odeur d'eau et de nuit. Des tribus de grands singes roux bondissent de roc en roc avec des plaintes stridentes. Des ombres épaisses, massives, prudentes, s'approchent de la rivière. Les phacochères vont boire. On entend le souffle des félins. On surprend la vie sans contrôle des plantes, des bêtes, de la terre. Et l'on revient à la condition primitive dans l'ombre et la rumeur sacrée de l'argile du monde.

— Comme vous parlez, Daniel, comme vous parlez...

Vous, le contrebandier, le coureur de brousse... Et si vous pouviez voir votre visage, vos yeux surtout...

— Je retrouve mes dieux. Je n'en ai pas d'autres que la mer, le désert et que cette vallée. Mais dans l'action, je perds contact. Alors, vous comprenez, lorsque, détendu, je les vois de nouveau... et avec vous...

Philippe demanda :

— Nous descendons?

— Pas aujourd'hui, je vous en prie. Il ne faut pas de hâte. Il ne faut pas d'avidité. Regardez bien, prenez votre temps, imprégnez-vous. Et partons.

Ils s'oublièrent de nouveau dans la contemplation de la vallée merveilleuse qui se dépouillait avec lenteur de ses ombres matinales. Un tintement léger, apporté par la brise, leur fit lever la tête. En face d'eux, sur un sentier invisible, de grands bœufs glissaient comme portés par la brume. Derrière, se distinguaient de petites formes humaines. D'un accord tacite, Philippe et Daniel prirent le chemin du retour. Leur silence dura jusqu'aux abords de la propriété.

Quand ils furent en vue du rempart d'euphorbes, Mordhom dit :

— Je vous mènerai en bas un de ces jours. Nous passerons la nuit avec de la quinine. Alors, vous saurez tout.

— On chassera?

— Non.

La réponse avait été si brève que Philippe regarda son ami avec surprise. Mordhom s'en rendit compte et reprit doucement :

— Pas cette fois-là, du moins. Nous écouterons. Puis, je vous donnerai Youssouf, il sera là aujourd'hui avec Yasmina et les bagages. Vous pourrez tuer du beau gibier. Des phacochères, des léopards...

Ils avaient franchi l'enceinte végétale et à travers des files régulières de caféiers se dirigeaient vers le groupe de bâtiments qui occupaient le centre du domaine. Philippe s'écria ;

— Vous êtes vraiment un curieux homme. Vous habitez le bout du monde, vous êtes entouré de guerriers nus quand ce n'est pas de pirates noirs. Vous avez bourlingué dans les îles les plus sauvages, battu les plus âpres déserts et chaque fois que je vous parle de chasser, vous faites le dégoûté. C'est un principe? une morale? une superstition?

— Rien de tout cela. Pas même un sentiment. Ça ne m'amuse pas, voilà tout. Je ne suis pas un homme de luxe. Je déteste le luxe, peut-être parce qu'il m'a toujours manqué, peut-être parce qu'il fausse l'existence, la truque et change les hommes en singes auprès desquels ceux de Dakhata sont des seigneurs. Les gens qui, comme vous, s'en tirent indemnes, sont rares. Et vous êtes si jeune. Or, la chasse telle que vous l'entendez, c'est du luxe. Je tue les bêtes, les gens aussi, pour me défendre ou pour manger. Les chasseurs noirs font de même. Et quand ils vont à l'affût du fauve, c'est pour vendre des peaux de lion ou de léopard. Pas pour avoir un beau tableau.

Le domaine de Mordhom comprenait une vingtaine d'hectares. La moitié était en friche et la brousse couvrait le sol. Dans l'autre, un ruisseau coulait que l'aventurier avait de ses mains détourné de la colline par un barrage primitif. Il irriguait la terre rouge où poussaient des caféiers, des bananiers, des arbres à fruits tropicaux. Près de cette plantation et de ce verger, il y avait des carrés de légumes, des champs de dourah, de maïs. Cachés entre les arbres se voyaient des toucouls.

Les murs bas étaient faits de lattes recouvertes de terre argileuse mélangée à de la paille de millet hachée très fin. Une natte leur servait de porte et c'était l'unique ouverture à travers laquelle on voyait une plate-forme en terre battue cachée par une peau de bœuf séchée au soleil, et quelques poteries. Là, logeaient les cuisiniers, les jardiniers, les palefreniers, les porteurs, les messagers, chacun ayant sa hutte. Un autre toucoul servait de cuisine et de boulangerie.

D'autres abritaient les bêtes, chevaux, mulets de selle ou de bât, moutons, bœufs aux belles cornes.

Un long espace bordé d'arbres et la tranchée d'irrigation, sur laquelle étaient jetées deux planches, séparaient de ces chaumières trois maisons de pierre enduites de chaux et couvertes de feuilles de tôle ondulée qui reposaient sur des matelas d'herbes sèches destinés à atténuer la chaleur. Deux de ces maisons étaient toutes petites et se réduisaient à une chambre garnie d'un lit de camp et d'une table de toilette. La troisième, celle où logeait Mordhom, avait une terrasse légèrement surélevée et deux pièces.

Une table en bambou, un buffet à claire-voie, quelques sièges, visiblement construits par les moyens du bord, garnissaient la salle à manger. Parvenu là, Mordhom s'arrêta.

— Vous voyez, il n'y a rien de vain entre mes euphorbes, dit-il. Je me suffis à moi-même pour la nourriture, le café, les fruits. Je prends à la nature ce qu'il me faut, pas plus. Et ce serait très bien si...

Il tira la natte qui couvrait l'entrée de l'autre chambre et ajouta :

— Si cette pièce ne fichait pas tout par terre.

Murs de chaux vive, lit formé de quatre pieds sommairement équarris et liés par des bandes de cuir tressé, toilette rudimentaire, voilà ce qui apparaissait d'abord. Mais des tableaux maladroitement encadrés encadraient les fenêtres, mais des bibliothèques primitives, chargées de livres, occupaient les coins, mais un clavecin se dressait au chevet de l'angareb.

— Admirez, dit Mordhom avec une ironie si forcée qu'elle fit mal à Philippe, admirez, mon vieux : je peins, je lis, je fais de la musique.

— Mais quel crime à cela? demanda vivement Philippe.

— D'abord, c'est très doux, c'est bienfaisant. Puis, peu à peu, goutte à goutte, le poison agit. Je commence à sentir, à penser plus loin, plus profond qu'il ne faut. Je vois la vanité de ma vie, la poussière qu'elle laisse. Les bras m'en tombent. Or, je ne peux pas rester les bras ballants. Les nouer autour d'une femme? Où la trouver? La chercher en Europe? J'aime mieux affronter une bande de requins en mer Rouge. Et puis, un sentiment fort est une entrave. Je n'en supporte pas. Mais la liberté totale, c'est odieux, c'est insupportable lorsqu'on n'est pas une brute ou un saint. Ah! j'ai eu le temps de réfléchir depuis dix ans de solitude. Et c'est la première fois que je parle de ce noyau même de l'existence que je n'arrive pas à former. Cela fait du bien. Je vous aime beaucoup, Philippe...

Le jeune homme écoutait gravement. Il commençait à comprendre quelle mélancolie amère, quelle inapaisable détresse domptée formaient la trame secrète de cet aventurier qu'il avait pris jusque-là pour un coureur de mer et de brousse, simple, insouciant et magnifique.

— J'ai cru, en arrivant ici, poursuivit Mordhom, que j'étais sauvé de la fatigue de moi-même. Le soleil, la sauvagerie, les peaux noires, cet air chaud, farouche, m'ont saoulé pour deux années ou trois. Et je n'avais rien, pas un sou et des souvenirs écœurants à balayer. J'ai appris à tout faire de mes mains, jusqu'à prendre la vie aux hommes. Cela occupe. J'ai formé mes matelots, j'ai construit mon premier boutre, j'ai arrangé cette retraite, dressé mes serviteurs. J'ai appris l'arabe, le dankali, le somali, j'ai connu les princes abyssins, les chefs nomades, les émirs du Hedjaz, de l'Assir, les pirates du Yémen. Mais quand ces travaux ont été achevés, que j'ai eu de quoi vivre, que le soleil, les épines, la fièvre me furent entrés dans la peau, j'ai pu me reposer. Certes, ce fut bon. Aucun amour au monde ne peut donner la joie que j'eus à descendre dans la vallée. Mais un amour humain dure, dit-on, parfois toute la vie et la remplit. Un bonheur tel que j'en ai encore eu ce matin, on ne le renouvelle pas indéfiniment. Il s'épuise vite. Alors, la bête insatiable qui m'avait chassé d'Europe s'est mise de nouveau à s'agiter dans ma poitrine. Je suis reparti en expédition pour m'enrichir cette fois. Mais le même cœur n'y était plus. Je fuyais devant quelque chose. Je n'allais plus de mon plein élan. Heureusement, il y a le danger. Quand hurle l'instinct de la vie, les autres voix se taisent. Puis viennent les belles détentes animales de la sécurité. Vous vous souvenez de la crique après la tempête? Alors je peux revenir ici, demeurer un peu en équilibre. Je me sens plein, je porte quelque chose de chaud, de vivant. Mais bientôt je sens un vide affreux qu'il faut remplir à tout prix. Et je ne veux pas d'alcool, je ne veux pas de stupéfiants. Ma nature s'y refuse comme elle se refuse au suicide. Je ne peux ni m'abrutir ni me tuer. En cela, je ressemble aux animaux, aux sauvages. Mais en cela seulement. Quand je pense que j'ai fait venir ce clavecin de Bretagne, que des chameaux l'ont porté de Dirrédaoua ici par la piste des caravanes! Quand on est capable de cela, malgré Abdi, En-Daïré, malgré Youssouf, il n'y a pas de remède.

Mordhom s'était approché du vieil instrument. Sans contrôler ses gestes, il souleva le couvercle, s'assit sur la caisse qui servait de tabouret. Des mesures lentes, dolentes, tremblantes montèrent des touches jaunies par le temps. C'était une vieille mélopée d'Armorique. Philippe ne devait plus oublier cette minute. Sa mémoire conservait de Mordhom bien des images saisissantes. Il l'avait vu à la barre de l'*Ibn-el-Rihèh*, dans la tempête et courant comme un démon dans l'île noire vers son boutre attaqué et enterrant ses caisses d'armes au fond du Gubbet-Kharab et transporté d'extase devant la vallée de Dakhara. Mais aucune de ces visions ne se pouvait comparer à celle de l'homme qui jouait du clavecin. La figure osseuse et hâlée, marquée par le soleil, la mer et le vent des tropiques, semblait enveloppée d'une nuée triste et fugitive. Courses, caravanes, privations, combats et solitude, tous les signes de la grande aventure avaient gravé chacun des traits de Mordhom, chaque molécule de sa peau tannée. Ses mains portaient les traces de tous les travaux. Elles avaient assemblé des bateaux, dressé des maisons, fouillé le sol volcanique. Elles avaient pagayé, elles avaient tué. Et ce même visage n'exprimait plus qu'un souci, qu'un besoin : écouter la plaintive chanson d'un autre ciel, d'un autre temps, d'un autre monde que les mêmes doigts tiraient d'un grêle clavier.

Soudain, Philippe saisit le bras de Mordhom. Comme tiré d'une vie souterraine, l'aventurier breton se retourna, cligna des paupières. Igricheff se tenait sur le seuil.

Une seconde, la figure de Mordhom fut traversée par une sorte d'éclair où se fondaient une haine, une admiration et une envie éperdues. Puis il reprit son calme habituel.

— Je venais vous avertir, dit le bâtard kirghize, de ne pas vous préoccuper de moi pour les repas. J'ai acheté une bonne provision d'opium à Djibouti. Je l'ai commencée depuis ce matin et la fumerai jusqu'au troisième dross. Cela nourrit, passe le temps et prépare bien.

Il posa ses yeux aux prunelles un peu dilatées sur le clavecin ouvert et dit avec une indulgence amicale que lui donnait la drogue :

— Chacun prend les plaisirs qui lui conviennent.

Lorsqu'il eut descendu les marches de la terrasse, Mordhom eut un pitoyable sourire.

— Ce Chinois vous remet tout de suite en selle, murmura-t-il.

Puis, de la même voix étouffée et rompue :

— Je vous ai tout dit, Philippe, et même plus (il frôla le clavier). Et cela m'a servi à quoi...?

Le jeune homme voulut parler. Mordhom l'arrêta avec une sorte d'effroi :

— Non, non. Plus un mot. C'est fini.

Il fit claquer brutalement le couvercle du clavecin et, sans se retourner, il ajouta :

— Si vous faites la moindre allusion à toute cette

hystérie, je vous ferai casser la tête par Youssouf.
Dans un accident, vous comprenez, à la chasse... vous
qui aimez tant ce sport.

Pour toute réponse, le jeune homme posa ses deux
mains sur les épaules nues et crispées de l'aventurier.

Elles se détendirent peu à peu.

Au bout de quelques instants, Mordhom se leva,
regarda Philippe avec des yeux dont la matière semblait rajeunie, renouvelée.

— Je ne vous ai pas encore montré votre boy particulier, dit-il. C'est un personnage très important
dans la vie, ici. Allons voir s'il vous plaira.

La voix de Mordhom avait son assurance ordinaire,
mais ses lèvres tremblaient encore un peu.

3

L'OASIS DE L'AVENTURE (*suite*)

Lorsqu'ils furent sur la terrasse, Mordhom se
fit un porte-voix de ses mains et cria dans la direction
des toucouls :

— Omar-ô... Ouria... Omar-ô...

Une très mince silhouette noire se détacha du fond
formé par les arbres fruitiers et les paillotes, franchit d'un saut aisé le lit artificiel du ruisseau, bondit
vers les deux Blancs et presque en même temps fléchit
devant eux son torse nu avec une souplesse de liane.
Tous ces mouvements avaient été exécutés en quelques secondes. Ainsi, la première impression que reçut

Philippe de son serviteur particulier fut celle d'une légèreté corporelle qui tenait de la danse. Quant aux traits du jeune Somali, ils n'étaient ni réguliers, ni beaux, mais il avait une petite figure creuse, vivante et fine, il remuait sans cesse les lèvres comme le fait un animal joyeux, ses yeux brillaient d'animation et de gentillesse et ses dents étincelaient.

— Voici ton chef, maintenant, lui dit Mordhom en indiquant Philippe.

Le visage d'Omar s'épanouit tandis qu'il présentait à Philippe sa paume plus claire que le reste de sa peau.

— Tu es un bon chef, je le vois, s'écria Omar.

Et il pirouetta deux fois sur lui-même.

— Mais il parle français? demanda Philippe.

— Assez pour vous comprendre et pour que vous le compreniez dans les choses élémentaires, dit Mordhom. Il a été marmiton à Djibouti. Avant, il plongeait des paquebots pour chercher des sous dans la mer. Depuis, il a fait paître les troupeaux de son père du côté de Djigdjiga et d'Arguéïssa. Il a été en fraude à Madagascar. Il s'est embarqué de même pour l'Indochine, mais on l'a pincé à Singapour. Il a fait un mois de prison et il est revenu content. Jamais il n'avait aussi bien mangé. C'est un diable qui n'a pas vingt ans, avec des mains d'or et une cervelle agile. Je vous le garantis honnête et fidèle comme aucun, pourvu qu'il s'attache à vous.

Ayant regardé Philippe qui souriait avec une tendresse chaude et confiante à son boy comme à un ami et à un jouet, Mordhom ajouta pour lui-même :

— Et ce ne sera pas long.

Une vie d'un charme profond et léger commença pour Philippe. Le domaine de Mordhom était l'un des endroits les plus doux du monde. Le climat des tropiques, tempéré par une altitude d'environ deux mille mètres, y faisait régner, à l'ombre des caféiers et des bananiers, une chaleur tranquille et voluptueuse. Aux heures les plus lourdes, on ouvrait le barrage et le bruit frais du ruisseau animait le vaste jardin. Des merles métalliques, des perruches brillantes, des aigrettes y voltigeaient sans cesse. Au-dessus, les grands vautours planaient silencieusement.

Les serviteurs couraient d'une bâtisse à l'autre. Leur sombre peau, tendue sur les muscles longs et lisses, s'accordait bien avec le ciel d'un bleu profond, la lumière vigoureuse, la rouge terre. Souvent, on entendait chanter les Gallas des villages voisins.

Si près de l'équateur, le soleil réglait la vie de tous ces hommes sur un rythme inflexible et simple. Il surgissait chaque jour de l'année à 6 heures du matin, s'affaissait à 6 heures du soir et l'obscurité fondait sur le plateau de Dakhata.

Philippe, à l'exemple de Mordhom, se soumit à cette cadence naturelle.

Il s'éveillait avec le jour. L'air était frais, puissant. Du plus proche village (à qui l'aventurier breton avait accordé cette faveur) les femmes gallas venaient chercher de l'eau dans le ruisseau détourné. Elles passaient, leurs calebasses sur la tête, fines et fermes, le visage très paisible, très doux. Quand leur démarche cadencée les avait portées au-delà des euphorbes, Mordhom emmenait Lozère dans de petites courses à travers le plateau. Youssouf et Omar les suivaient, portant des fusils inutiles. Ils allaient à travers les mimosas sauvages, à travers les landes rocailleuses. Dans ce pays tourmenté, la perspective changeait sans cesse et ils découvraient toujours, à perte de vue, des groupements nouveaux de collines désertiques ou de monts herbus, de champs, de petits cours d'eau rose, qui glissaient entre les rochers ardents.

Vers 10 heures, ils rentraient déjeuner dans la maison de Mordhom. Igricheff les rejoignait quelquefois, plus humain, détendu par l'opium. Ils parlaient peu, mangeaient des viandes succulentes, des fruits du verger.

Après la sieste venait une nouvelle course, à cheval cette fois. Ils s'enfonçaient plus loin dans une campagne dont la couleur virait à mesure qu'approchait le soir. Le dîner était servi au crépuscule dans le jardin. Parfois, ils voyaient passer, à ce moment, un grand Galla, aux cheveux très longs et flottants, au regard impérieux. C'était le sorcier du plateau qui venait, pour chasser la mauvaise fièvre de quelque serviteur, lui marquer le talon au fer rouge. Puis descendait la ténébreuse et magnifique nuit, toute lourde d'étoiles et qui portait le sceau de la Croix du Sud.

Alors, chacun se retirait dans sa maison et Philippe se faisait raconter par Omar des histoires étonnantes, apprenait de lui quelques mots d'arabe, lui enseignait un peu de français, se réjouissait de le mieux comprendre, de le mieux connaître, de pénétrer dans un de ces cœurs ingénus qui lui avaient paru jusque-là secrets et inaccessibles.

Et de jour en jour se poursuivait la même trame de vie et, de jour en jour, Philippe découvrait davantage les raisons qui faisaient chérir cet asile par Mordhom. Il lui servait de contrepoids à tout ce que son existence d'aventures avait de violent, de heurté, de tragique. Il lui assurait un équilibre dont sa finesse naturelle et sa culture éprouvaient une nécessité absolue. Arraché par son tempérament et dix années farouches aux formes extérieures de la civilisation, mais en même temps fixé à elles par des liens impossibles à rompre, autrement forts que les liens matériels, Mordhom avait trouvé sur le plateau de Dakhata les éléments qui pouvaient presque satisfaire les deux exigences qui l'écartelaient.

Il y avait la liberté, la nudité, la flamme du soleil, la rumeur des eaux et des arbres, le contact d'êtres primitifs et beaux. Le jour, il voyait dormir les marmottes sur les pierres brûlantes, tournoyer les rapaces contre le ciel dur. La nuit, il entendait pleurer les hyènes dans la campagne déserte. Mais tout cela ne le forçait pas à l'action, à la lutte, dont l'aiguillon poursuit sans trêve, contre la nature et contre les hommes, l'aventurier sur la route de l'aventure. Les euphorbes de Dakhata se trouvaient à cette admirable limite où Mordhom pouvait jouir de la sauvagerie sans avoir à lutter contre elle. De là naissait pour lui une sérénité pleine et vibrante, propice à la méditation où son démon trouvait un semblant de paix.

Mais pour combien de temps?

Chaque soir, en s'endormant, Philippe se posait cette question avec une anxiété amicale et une obscure espérance. Et, comme il arrive toujours pour les âmes en porte-à-faux, le charme fut rompu sans que Mordhom lui-même eût rien pressenti.

Ce jour-là, les deux amis avaient été priés à déjeuner par le Balambaras de la région, un gigantesque, énorme et débonnaire seigneur abyssin. La route jusqu'à son fief était longue. Elle aboutissait à un village assez important juché sur un piton escarpé. Au sommet se trouvait la demeure du Balambaras, un toucoul vaste et haut, entouré d'une colonnade de pierre qui fermait une terrasse.

De cette éminence Philippe aperçut, au bas de la pente opposée au sentier qu'ils avaient gravi, des hommes et des femmes rangés en cercle et armés de fléaux. Sur eux flottait une poussière pourpre. Tout autour s'élevaient des monticules rouges. Quelques soldats abyssins surveillaient leur ouvrage. Les batteurs de grain étaient divisés en trois équipes qui frappaient tour à tour sur des brassées d'épis, à une seconde d'intervalle, et chantaient une mélopée plus désolée que jamais Philippe n'en avait entendu ni en mer Rouge, ni dans les hameaux gallas. Encadré par le plateau sauvage, perdu au milieu des cônes et des tables volcaniques, gardé par des hommes en armes, ce travail de corps noirs acharnés sur une farine écarlate et qu'accompagnait la déchirante plainte à trois temps avait une grandeur et une tristesse barbares.

— Qu'est-ce que c'est? demanda Philippe à Mordhom.

— Les esclaves du Balambaras et d'autres chefs abyssins à lui prêtés pour battre sa récolte de dourah.

— Des esclaves?

— Vous êtes passé trop vite dans le Harrar pour les reconnaître. Je vous en ferai voir de plus près.

Le repas fut servi. Sa nouveauté fit oublier à Philippe les paroles de Mordhom. Il eut le palais emporté par le *wat*, fricassée de poulet arrosé de sauce de berberi (piment rouge auprès duquel paraissent fades les plus violents currys indiens), but du *tetch*, hydromel abyssin qui lui monta terriblement à la tête, et fut heureux de rentrer pour dormir après une course au soleil que l'alcool absorbé rendait intolérable.

Sa sieste achevée, Philippe, le front un peu lourd, sortit dans le jardin. Comme il s'approchait du ruisseau, il vit, accroupie près des planches qui servaient de pont, une vieille femme. Elle ne ressemblait en rien aux paysannes gallas. Une autre, jeune celle-là et gonflée comme une outre, vint la rejoindre et s'assit également sur ses talons, en silence. Puis un grand diable aux narines écartées, aux muscles splendides, s'arrêta auprès d'elles; puis d'autres hommes et d'autres femmes.

Ils étaient de tout âge, de toute corpulence. Pourtant, ils avaient tous entre eux une terrible similitude. Leurs muscles étaient lourds, leur nez camus, leurs lèvres épaisses, leur crâne rond. Leurs cheveux, qui mangeaient leur front bas, ressemblaient à de la laine grossière.

Mordhom se montra sur la terrasse et dit :

— J'ai demandé au Balambaras de m'envoyer quelques-uns de ses esclaves.

— Des esclaves, répéta Philippe, qui perçut alors chez eux une autre parenté plus profonde.

Elle était dans le regard. Jamais Philippe n'avait pensé que des yeux pussent révéler tant de patience et tant de soumission. Ces yeux attendaient des hommes libres tout le mal ou tout le bien, indifféremment. La servitude marquait ces regards, comme jadis le feu marquait les forçats. Philippe sentit qu'elle remontait très haut dans le temps. De siècle en siècle, les ancêtres de ces misérables avaient dû être razziés, enlevés, vendus. Une seule génération ne pouvait produire un tel asservissement.

Il interrogea Mordhom, mais celui-ci se borna à répondre :

— Ils parleront eux-mêmes. Laissez-moi les mettre en train.

Il descendit vers le groupe bestial, lui adressa quelques paroles. L'expression de bonheur sauvage qui les accueillit fut telle qu'elle fit tressaillir Philippe. La peur était moins terrible sur ces figures que la joie. Mordhom se dirigea vers les toucouls. Les esclaves l'accompagnèrent en hurlant.

Un zébu magnifique était attaché près de la hutte du cuisinier, qui se tenait sur le seuil avec un couteau. Sur un geste de Mordhom, il le tendit au grand esclave.

Celui-ci, d'un bond, fut auprès de l'animal qui mugit faiblement et se mit à trembler. Le couteau brilla près de la carotide. Philippe ferma les yeux et ne put les rouvrir que lorsque se fut éteinte la longue plainte affreuse et qu'il entendit tomber une masse pesante sur le sol. Ce fut pour voir les esclaves se ruer à la curée.

La peau du bœuf fut enlevée en quelques instants par des ongles aussi lacérants que des griffes. La viande saignante, fumante, arrachée, passa de main en main. Les lèvres massives et la proie chaude ne faisaient plus qu'une chair, les mâchoires claquaient, les yeux chaviraient d'extase. Quand il ne resta plus rien à manger, les esclaves prirent les intestins, les pressèrent pour en faire sortir les excréments et les portèrent avec délice à leur bouche.

La nuit tomba. Les charognards arrivèrent en vol pressé. Une douceur étoilée flotta sur les arbres confus du jardin de Dakhata. Sous leurs branches, des dents puissantes faisaient craquer des os.

Quand il ne resta plus un lambeau de chair, plus un morceau d'entrailles, la troupe repue reflua vers la terrasse où se tenaient Mordhom, Philippe et Igricheff.

Maintenant, les esclaves riaient, se poussaient les

uns les autres, sautillaient et tournaient vers les Blancs des faces hilares, dilatées par la gratitude. Le misérable troupeau était saoul de nourriture.

Mordhom donna un ordre à Omar. Celui-ci disparut. Derrière la haie d'euphorbes, une flamme jaillit. Ce fut pour les esclaves comme un appel magique. Pêle-mêle, hurlant, ils se précipitèrent vers l'étroite porte.

Tous les serviteurs de Mordhom étaient déjà dehors. L'aventurier breton avait bien choisi l'endroit de la fête. Au bord du sentier qui venait de Harrar se dressait un immense figuier sauvage, mort depuis longtemps, mais tellement antique, aux ramures si noueuses, qu'il semblait indestructible. Par sa forme torturée comme à dessein, par son tronc assez large pour que pût y être sculptée quelque grande idole, il était l'arbre prédestiné pour des rites païens. C'était là que Mordhom avait fait dresser d'un amoncellement de caisses, de branches et de lattes arrosées de pétrole, un vaste bûcher. Il connaissait le signe nécessaire pour délivrer la force que la chair et le sang du bœuf égorgé avaient accumulée dans les muscles et les nerfs des esclaves : le Feu.

Il s'embrasa, et du même coup éclata le délire orgiaque. Il venait du plus lointain des âges, du plus profond de la forêt et de la brousse vierge, quand, au milieu des ténèbres qui écrasent les tribus sans abri, s'allume le signe divin du foyer.

Une sorte de mélopée sans syllabes commença de sourdre des bouches lourdes qui alla, s'aiguisant sans cesse, vriller le dôme de la nuit. Immobiles un instant comme des chiens hurlant à la lune, les esclaves s'animèrent rapidement. Les femmes saisirent les bidons vides, scandèrent de leur martèlement et de leur voix la plus nue la plus simple des danses. Les hommes se formèrent en cercle, le grand diable se plaça au milieu et tous bondirent. Il n'y avait là ni pas ni cadence. Simplement des clameurs, des gémissements et des sauts. De minute en minute croissait l'extase et les bonds du cercle possédé devenaient plus frénétiques avec le grand démon qui dépassait toujours les autres.

216

Philippe et ses compagnons s'étaient placés de l'autre côté du bûcher. Derrière eux se tenaient les Gallas du village voisin qui regardaient cette ronde furieuse. Devant, dansaient les flammes et, plus haut qu'elles, bondissaient des corps noirs aux muscles noués, à la matière plus épaisse, plus mystérieuse que celle de la nuit, et plus haut encore, comme parmi les étoiles, l'immense figuier sauvage tordait le faisceau de ses branches magiques.

Soudain, un hululement passa à travers tout cela, comme une sinistre rafale. Le bâtard kirghize, les yeux clos, la gorge serrée, laissait fuser son cri de guerre. Il souleva les danseurs mieux qu'une lanière de feu. Et les femmes poussèrent un you-you déchirant.

— Assez! cria brutalement Mordhom.

Il se précipita sur le bûcher, le dispersa de ses mains nues.

En même temps s'arrêta la noire bacchanale et tout élan mourut dans les corps brusquement tassés, sur les faces devenues craintives. Il n'y avait plus, sous le vieil arbre, au lieu de sinistres esprits déchaînés, que de très humbles esclaves.

— Qu'y a-t-il? s'écria Philippe.

— Il y a... il y a... reprit Mordhom en respirant péniblement, que je ne veux plus les voir...

— Mais vous deviez les faire raconter...

— Il s'agit bien de cela. Je m'en vais demain à l'aube.

— Où?

— Je vous dirai cela quand je reviendrai vous chercher.

Igricheff et Philippe chassaient ensemble. La vallée miraculeuse retentit de leurs coups de feu.

Ils abattirent des phacochères, deux léopards, tous les oiseaux qu'ils surprirent. Parfois, Philippe songeait au premier matin qu'il avait vu se lever sur le paradis terrestre. Mais il ne retrouvait rien en lui de cet instant. Et il suivait le bâtard kirghize.

Deux semaines passèrent ainsi. Puis, un courrier de Mordhom vint leur dire que son maître les mandait tous deux, avec Youssouf et Omar, à Dirrédaoua.

4

LE CONSEIL SOUS LA TENTE

IGRICHEFF et Philippe arrivèrent au bas de la côte qu'ils avaient escaladée avec Mordhom, une vingtaine de jours auparavant. Ils avaient marché très vite et, comme, depuis Dakhata, les routes et les pistes ne faisaient que descendre, ce fut avant la chute du soleil qu'ils atteignirent le lit à sec de la rivière de Dirrédaoua.

Malgré la rapidité de leur allure et bien que les deux Noirs ne fussent pas montés, Youssouf et Omar les précédaient de quelques pas. Certes, ils n'avaient pu suivre les chevaux au galop, mais les tronçons du chemin permettant ce train étaient rares. Et, toujours, dans les passages qui contraignaient les bêtes au pas ou qui forçaient cavaliers et Yasmina, qu'Igricheff avait en croupe, à descendre, ceux-ci voyaient apparaître, leur peau lisse brillant de sueur, leur poitrine et leurs jambes nues contractées par l'effort, mais infatigables et riant de toutes leurs dents sauvages, le grand guerrier des tribus du Mabla et l'agile adolescent somali.

Mais, à présent qu'ils étaient de nouveau en selle et qu'ils avaient devant eux la piste large et sableuse dont les méandres bordés de haute brousse allaient jusqu'aux portes de la ville où les attendait Mordhom, Philippe et Igricheff s'apprêtaient à distancer les coureurs noirs. Mais, soudain, Youssouf porta la main à sa bouche et, légèrement infléchi vers la droite, scruta l'impénétrable rideau d'arbres et de buissons épineux. Alors seulement Igricheff, le premier, et Philippe, quelques secondes plus tard, perçurent un froissement suspect.

La même pensée visita les deux cavaliers. C'était dans ces parages qu'un parti d'Issas avait surpris, égorgé et mutilé les travailleurs de Mordhom. Et le crépuscule venait, propice, comme l'aube, à l'embuscade. Ils saisirent leurs fusils. Plus prompt qu'eux, Youssouf épaulait déjà.

A l'instant où il allait presser sur la gâchette, une phrase gutturale, criée dans sa propre langue, l'arrêta. Du fourré qui donnait sur le bord même de la rivière desséchée, écartant d'un coup d'épaule et de reins les branches hérissées d'épines, Mordhom surgit. Il était nu jusqu'à la ceinture, mais sa peau cuite et tannée semblait insensible aux aiguilles qui, par endroits, y adhéraient encore.

Il sourit brièvement.

— Je ne loge plus en ville depuis deux jours, dit-il. J'ai un hôte qui ne tient pas à se montrer.

— Où êtes-vous donc? demanda Philippe.

— A la scierie.

— Mais elle est brûlée.

— On s'arrange... Suivez le lit de la rivière jusqu'à la première sente un peu visible sur votre droite. Je vous rejoindrai. Il ne faut pas qu'on me voie trop non plus. Et la piste est passante.

Il disparut dans les taillis acérés. Ses pieds nus firent légèrement craquer les branches. On eût dit la fuite d'une bête élastique.

Les chevaux s'écorchaient depuis une demi-heure le poitrail et les flancs aux aiguilles des mimosas sauvages lorsqu'une barrière épineuse les arrêta. Entre

219

les interstices de cette haie faite de branches abattues et qui barrait le chemin, pointa le canon d'un fusil. Mordhom parut au milieu des fourrés. Aussitôt la sentinelle rentra son arme.

— C'est Haïlé, un demi-sang d'Abyssin et d'esclave. Une brute sûre comme un gourdin. Je l'ai pour seul domestique ici. Nous avons bien travaillé à défendre l'endroit.

Un pan de haie glissa, laissant un passage suffisant pour les chevaux. Derrière se tenait un grand gaillard massif. L'ovale du visage était allongé, le nez aquilin. Mais, dans la bouche, Philippe reconnut les stigmates bestiaux de celles qui avaient dévoré, cru, le bœuf égorgé à Dakhata. Mordhom souffleta amicalement les lèvres énormes. Haïlé rit et lui baisa la main.

Toute la vaste clairière calcinée était gardée par des barrières pareilles à celle qu'avaient franchie Igricheff, Philippe, Omar et Youssouf. Au milieu se dressait un carré épineux, grande zériba dans laquelle on entendait un sourd piétinement de montures en liberté. Derrière cet enclos se dissimulait une petite tente conique.

— Là, dit Mordhom, nous sommes tranquilles, Saïd et moi.

En entendant son nom, l'hôte de l'aventurier souleva un pan de toile, et d'une voix grave et d'un geste harmonieux, salua les arrivants. C'était un Arabe d'âge moyen, richement habillé, coiffé d'un turban de soie jaune vif très ample et noué minutieusement. Ses yeux étaient cernés de kohl, sa courte barbe teinte au henné. Un poignard orné de pierreries dépassait sa large ceinture. Il avait à la main un fusil à tir rapide, d'un modèle très récent et très coûteux...

— Saïd, puissant homme du pays d'Assir, présenta Mordhom en arabe. Le plus grand marchand d'esclaves et contrebandier d'armes de l'Abyssinie et de la Côte.

La tente abritait un repas très frugal posé sur une pierre plate. Des brassées d'herbe sèche servaient à la

220

fois de sièges et de lits. Ils s'assirent tous sur leurs jambes croisées, sauf Philippe qui s'étendit à demi. Il mangea peu, comme les autres, mais il eut l'impression que chaque bouchée était utile à son corps, que le dîner réparait exactement l'usure de la journée. Puis il tâcha de deviner sur les visages de ses compagnons le sens de l'entretien qui se livrait en arabe. Déjà il comprenait certains mots qui revenaient souvent : *taïb*, bien; *bandouk*, fusil; certains chiffres. Vers 9 heures du soir, Saïd écrivit une lettre qu'il remit à Mordhom et se leva. Haïlé l'accompagna avec une lampe-tempête jusqu'à la zériba. De là sortit une magnifique mule harnachée somptueusement. Le marchand d'esclaves l'enfourcha, fit glisser le pan de la haie qui ouvrait sur le sentier et, après un dernier salut, s'y enfonça.

— Maintenant, expliquez vite, s'écria Philippe.

Avant de répondre, Mordhom appela Haïlé, lui fit apporter des bouteilles de *tetch*, des gobelets et ordonna :

— Couche-toi! Nous veillerons. Mais, avec le soleil, que les bêtes soient prêtes.

— Où allons-nous? demanda Igricheff.

Mordhom avala d'un trait son gobelet d'hydromel, prit un temps. Enfin, il dit avec lenteur :

— Votre chemin à vous, comme celui de Philippe, dépendra de votre décision. Je vous ai demandé de venir pour vous apprendre ce que, moi, j'allais faire. Quant à vous, je le répète, vous êtes absolument libres de rester à Dirrédaoua, de remonter à Dakhata, d'aller vous promener dans toute l'Abyssinie, bref...

— Voyons, Daniel, ne continuez pas, interrompit Philippe.

— Mordhom a raison, déclara Igricheff. Il ne propose rien. Il raconte. Nous écoutons, à égalité. C'est bien, c'est très bien.

Il but à son tour un gobelet de *tetch*, alluma une cigarette, ferma les yeux.

— Quand je vous ai quittés, reprit l'aventurier de la

mer Rouge, je ne savais pas encore ce que je ferais. Mais cette sauvagerie sous le vieil arbre, là-haut, votre cri de la steppe, Igricheff... Il fallait que je parte. Je suis allé à Djibouti, simplement pour voir mon boutre, mes matelots. Là, j'ai appris, par des gens à moi du quartier indigène, que Saïd s'y trouvait. Je le connais depuis toujours. A mes débuts, j'ai travaillé pour lui dans la contrebande. S'il était là, lui qui habite Harrar (la plus belle plantation, à droite de la ville, c'est la sienne), j'étais sûr que j'aurais intérêt à le voir. Nous nous sommes rencontrés à l'île Moucha, sous les palétuviers, tranquillement. Il venait d'une crique pas loin de Raïeta où il avait embarqué, pour l'autre côté de l'eau, vers son pays, Djizan, qui se trouve entre l'Yémen et le Hedjaz, une bonne cargaison d'esclaves. Ses convoyeurs avaient pris pour revenir le même chemin qu'à l'aller.

— Je ne vois pas du tout l'intérêt pour vous, remarqua Philippe.

Mordhom répondit avec une sorte de passion :

— Comment! Voilà une troupe toute prête, tout entraînée à la marche secrète, qui va faire une route terrible d'un mois pour regagner l'Abyssinie, qui passera loin des postes et des douanes et tout cela sans transporter la moindre marchandise interdite. Saïd sentait aussi bien que moi que c'était imbécile. Mais il n'avait pas eu le temps de se ravitailler. J'ai pensé tout de suite à ma cargaison. Seulement, ses hommes étaient déjà partis. Nous avons calculé où je pourrais les rejoindre. Dans ces déserts, les étapes sont faciles à pointer. Les puits les fixent. Le dernier endroit où je puis les atteindre avant qu'ils s'enfoncent dans le Haoussah, c'est Hedeïto. Ils y parviendront mercredi prochain. Nous sommes jeudi. Voilà.

Il y eut un silence. Philippe qui voyait déjà, portées à travers les espaces inconnus et sauvages, les armes, les cartouches qu'il avait suivies jusqu'à Taïf et qui avaient été arrachées aux Zaranigs dans l'île noire, Philippe s'écria :

— Quelle chance admirable!

Igricheff souleva un peu ses paupières, le regarda, regarda Mordhom et demanda :

— C'est tout?

Et comme l'aventurier breton ne paraissait pas comprendre, il insista :

— C'est tout ce que vous nous offrez? Prendre le bateau, aller chercher votre marchandise, la transmettre aux gens de Saïd et reprendre le bateau?

Igricheff but un nouveau gobelet de *tetch*. Mordhom ébaucha un geste de colère à peine visible, mais qui s'amplifia démesurément sur la toile de la tente, car il était placé de telle manière que la lampe-tempête dessinait de lui une ombre immense.

— Mais qu'attendiez-vous donc? cria presque Mordhom.

— Est-ce que je sais! dit Igricheff avec nonchalance. Un beau pillage. Une province à prendre. Une tribu à soumettre. Un trésor à découvrir.

— Pour en faire quoi?

— Rien... Pour recommencer après... Quelque chose de grand...

Mordhom ricana.

— Pour moi, qui suis terre à terre, dit-il, il n'y a pas de petits ou grands dangers de mort. Ils se valent. Et si je peux, par la rapidité, l'audace et la ruse y échapper, gagner de l'argent, je vous l'ai déjà dit, je ne suis pas né riche, eh bien! je suis content.

— Il vous faut tout cela pour déterrer vos caisses et les vendre?

— Puisque vous daignez prêter l'oreille à mes opérations, je vous dirai que Hedeïto est en plein pays dankali insoumis, et que, pour prendre ma cargaison au Gubbet-Kharab et la mener là-bas, j'ai besoin de mulets. Mais je ne peux pas les embarquer sur mon bateau parce que j'attirerais l'attention des garde-côtes. Pourtant je dois mener le boutre moi-même, car je dois prendre des guides à Obock. Or, pour que mon affaire réussisse, hommes et mulets par voie de terre, c'est-à-dire par un terrible désert, guides par voie de mer et caisses de l'îlot du Diable, doivent se trouver à Hedeïto mercredi prochain, c'est-à-dire au pied du mont Goudda et dans six jours.

Le visage d'Igricheff était devenu soudain très attentif.

— Si je vous comprends bien, dit-il, sur un ton étrangement sérieux après la négligence et l'ironie qu'il avait montrées, l'expédition doit comprendre deux tronçons : l'un dirigé par vous cherche des guides à Obock, se rend par la mer au Gubbet-Kharab, déterre les caisses, les débarque sur la côte. A ce moment arrive l'autre convoi, celui des mulets, qui est venu par terre...

— Oui, mais par un chemin terriblement difficile, dangereux, qui passe chez les Abyssins, les Issas, les Danakils, et près des postes français. Et ce chemin doit se faire en quatre jours. Et il me faut un homme sûr pour tenir la caravane en main, pour l'amener mardi sur le bord du Gubbet où je serai. Sinon, tout est perdu. Je n'aurai plus le temps de monter jusqu'à Hedeïto où l'équipe de Saïd sera mathématiquement étape mercredi soir.

Philippe dit avec amertume :

— Vous me méprisez donc tant, Daniel! Vous cherchez un homme sûr pour votre caravane quand je suis là.

Pour la première fois depuis qu'il avait surgi de la brousse, l'aventurier de la mer Rouge eut, sur le visage, une expression humaine. La tendresse, l'incrédulité, l'effroi s'y montrèrent tour à tour.

— Vous n'y pensez pas, murmura-t-il comme malgré lui. Vous ne connaissez ni la route, ni la langue, ni les mœurs. Et puis, il faut une résistance... Je comptais vous prendre avec moi.

Philippe se redressa à demi sur le lit d'herbes sèches.

— Daniel, je serai de la caravane ou de rien du tout, dit-il nettement.

— Si vous y allez, je fais route avec vous, déclara soudain Igricheff.

— Dans ce cas..., commença Mordhom qui s'arrêta.

Il baissa la tête, réfléchit.

— Dans ce cas, voyons l'itinéraire, dit-il.

— Il est bien entendu, remarqua Igricheff, que je ne suis ni chef ni membre de l'expédition, simplement compagnon de voyage. Les caisses et les munitions ne m'intéressent pas, mais le chemin.

— C'est entendu, coupa Mordhom. Travaillons!

Il tira de la poche de son pantalon de toile bleue un papier soigneusement plié, l'étala sur la pierre plate, rapprocha d'elle la lampe-tempête. Ils s'allongèrent tous trois autour, leurs fronts se touchant presque et les yeux fixés sur le calque qu'avait fait Mordhom.

— Voici la région où doit se faire la caravane, dit celui-ci. Le pointillé indique la frontière de l'Abyssinie et de la Somalie française. Vous voyez que c'est surtout dans ce dernier territoire que passe le trajet.

» La carte la plus récente, sur laquelle j'ai fait ce calque, est certainement pleine d'erreurs. Je n'ai jamais traversé cette partie du pays, mais elle est si peu fréquentée, si peu de missions s'y sont aventurées que le relevé ne peut pas être exact. Pourtant, d'après son dessin général et d'après les renseignements des indigènes sur les distances et les points d'eau, la route se décompose d'une façon assez simple.

» Nous prenons ensemble le train demain matin avec les mulets que j'ai déjà réunis dans la zériba. Ils viennent du Harrar et d'Addis-Abeba. Ils sont solides. Les provisions — c'est-à-dire du riz et des dattes — sont prêtes, ainsi que l'orge pour les endroits où il n'y aurait pas d'herbe.

» Je continue jusqu'à Djibouti. Vous, vous descendez à Daouenlé, à cette station qui se trouve un peu avant la frontière de la Somalie française. Vous débarquez les mulets, vous les chargez et vous vous enfoncez vers le nord. Un *abane*, je veux dire un guide et en même temps un entrepreneur responsable de caravanes, qui vous attend à Daouenlé, vous mènera. C'est un Issa, car le début du trajet passe chez les gens de sa tribu.

» Cet abane doit s'être mis déjà en rapport avec un abane dankali, car, après un jour de marche, vous entrerez en terre dankali. A la limite des deux territoires, vous trouverez donc des guides danakils, du côté de Dekkel, je pense, poste français que vous éviterez soigneusement. De là, vous rejoindrez le lit du Chekaïto et, par plaines, défilés, déserts et gorges, atteindrez en trois jours le fond du Gubbet, où vous verrez ma voile.

— Cela fait combien de kilomètres? demanda Philippe.

— Cent vingt au moins, cent cinquante au plus.

— Mais ce n'est rien! Une heure pour ma Bugatti.

— Et encore moins pour un avion, dit Mordhom en riant. Mais je vous assure que, si vous faites ce trajet dans les limites de temps que je vous demande, vous pourrez être content de vous.

— Je le pense aussi, dit Igricheff. Les mulets... Le chargement... Les étapes... L'eau... L'imprévu... Quatre jours, c'est juste.

— Il le faut pourtant, car j'en ai besoin de deux pour monter la cargaison de l'*Ibn-el-Rihèh* jusqu'à Hedeïto et, dans six, les hommes de Saïd y seront et n'y seront que pour une nuit.

— Soyez tranquille! s'écria Philippe. Vous nous verrez à l'heure dite, lundi soir.

— Ça, c'est impossible. Au mieux, vous arriverez ce jour-là, au soleil couchant, sur les bords du lac Assal, le grand réservoir salé de ces déserts. Et vous ne pourrez descendre vers moi que le lendemain à l'aube. Mais ce sera déjà très beau. Nous aurons mardi et mercredi pour aller à Hedeïto.

Il y eut un silence. Igricheff et Philippe regardaient intensément la carte pour fixer dans leur mémoire tous les noms barbares qui jalonnaient le chemin et les répartir dans les cases étroites des étapes projetées. Les laissant à ce travail, Mordhom sortit de la tente. Tout était calme dans la brousse qui frémissait doucement sous la nuit tiède et fiévreuse. L'aventurier rejoignit ses compagnons.

— Comme équipe, dit-il, vous aurez d'abord Youssouf.

— Youssouf? demanda Igricheff d'une voix sans nuance.

— Oui. Seul, il n'aurait pu s'aventurer en pays issa. Mais sous l'égide de Blancs, il passera. Puis vous aurez Omar, qui sait cuisiner dans la brousse et qui tire bien. Enfin, Haïlé, bon muletier. La langue commune qu'on parle sur tout le trajet, malgré les dialectes particuliers, est l'arabe. Cela vous va, Igricheff?

— A moi, très bien.

— A moi aussi, dit Philippe.

Mordhom reprit :

— Dans la zériba, il y a aussi trois carabines à tir rapide, deux parabellums. Je pense que cela suffira. Maintenant, couchez-vous. Je ferai la garde. Vous aurez besoin de vos forces plus que moi dans les jours qui vont venir.

5

CHEZ LE VIEUX DE THESSALIE

LES oiseaux de brousse commençaient leurs chants stridents et brefs. Le jour allait naître. Haïlé pénétra dans l'enceinte de la zériba. Ses lourdes mains étaient chargées de harnachements, de selles, de bâts qu'il laissa tomber bruyamment près des bêtes endormies. Les chevaux hennirent, mais il les négligea. Toute son attention allait aux mulets qui se levaient avec lenteur. Il aimait ces bêtes patientes, tranquilles, pleines d'endurance et d'obstination, faites à son image. Il les avait choisies, sur l'ordre de Mordhom, parmi les meilleures chez les marchands qui, du Harrar ou d'Addis, les avaient amenées à Dirrédaoua. Dans la pénombre, il les compta, promena ses doigts sur les garrots, endroit si vulnérable, puis leur passa les rênes, les sangles. Quand le soleil parut, leur longue file s'engageait déjà dans le lit de la rivière à sec, vers Dirrédaoua. Derrière, pesamment, marchait Haïlé, le muletier abyssin aux lèvres d'esclave.

A ce moment, un feu de branches épineuses s'alluma dans la clairière. Omar prépara le café du matin, le porta sous la tente. Une demi-heure après, Mordhom, Igricheff et Philippe, ayant en croupe Omar, Youssouf et Yasmina, se lancèrent au grand trot et côte à côte dans la direction qu'avait prise Haïlé.

— Qu'allez-vous faire de la petite Bédouine? demanda Mordhom à Igricheff.

— Elle est à Youssouf. Qu'il se prononce.

Igricheff se tourna vers le Dankali et lui parla. Une expression d'orgueil satisfait illumina le beau et farouche visage.

— Tu me parles comme un chef à un autre chef, dit Youssouf. Je t'en remercie et te laisse choisir.

— Vous avez réussi à le séduire, remarqua Mordhom avec sarcasme.

— Vous en êtes jaloux?

Philippe dit alors en riant :

— Puisque c'est moi qui dirige la caravane, je fais un premier acte d'autorité. Je prends Yasmina.

Comme les premières maisons de Dirrédaoua blanchissaient à l'horizon, les cavaliers rejoignirent Haïlé et les mulets. Les trois plus robustes portaient une caisse sur chaque flanc.

— Qu'y a-t-il dedans? s'informa Philippe.

— Des provisions pour vous et vos hommes, de l'orge pour les bêtes, quelques ustensiles de cuisine, deux lampes-tempête, répondit Mordhom. Maintenant, au galop! Il faut s'occuper des formalités de l'embarquement. Et le train part à 8 heures.

Ils arrivèrent très vite à la gare, qui marquait la limite du quartier européen et de l'agglomération indigène. C'était, sur toute la ligne à voie unique qui montait de Djibouti à Addis-Abéba, la station de beaucoup la plus importante, la seule même qui rappelât un vrai trafic. Elle comprenait un bâtiment central, des maisons de surveillants, des voies de garage où se voyaient des wagons de marchandises, des petites locomotives poussives. A la gare était adjoint un poste de douane où des fonctionnaires en chammas blancs et des soldats aux pieds nus décidaient du sort d'une cohue noire, déguenillée, hurlante.

Mordhom y avait des amis. Il en revint au bout de quelques instants avec l'autorisation d'emmener dix mulets alors qu'il était interdit, à l'ordinaire, de sortir d'Éthiopie ces animaux que le gouvernement considérait comme l'une de ses principales richesses. Bientôt arriva Haïlé, menant ses bêtes. Youssouf, Omar et Yasmina l'aidèrent à les décharger, les débâter.

Le train se forma, étroit, minuscule. Les mulets furent poussés dans un wagon spécial où furent portées les caisses et les selles. Sur ces sièges s'assirent les trois Noirs et la petite Bédouine.

Igricheff, Mordhom et Philippe montèrent dans l'unique wagon de première. Il contenait trois compartiments. Le premier était occupé par deux seigneurs abyssins, enroulés dans de blanches étoffes, un gros revolver au côté. Dans le second, assis sur ses jambes croisées, se trouvait un vieil Hindou, vêtu de soies vives et précieuses. Sa barbe blanche s'étalait majestueusement au milieu d'elles. La dernière cellule était libre.

— Je n'aime pas ce voisinage, dit Mordhom quand ses compagnons se furent assis.

— Les Abyssins? demanda Philippe.

— Non. Eux sont inoffensifs. L'un est fiteorari d'une ville du Nord, l'autre maître des cérémonies du Négus. Mais le vieux, à côté, je le connais bien. L'homme de confiance de Mohammed Ali.

— Mohammed Ali?

— Oui, un autre Hindou, installé ici depuis trente ans. Le plus riche marchand des deux côtés de la mer Rouge. Marchand de peaux, de blé, de fourrures, de café et d'argent. L'œil des Anglais. Et qui manœuvre comme il veut notre imbécile de gouverneur. Vous pouvez être assurés que, à Djibouti, il s'arrangera pour faire alerter les postes. Dès demain, le télégraphe marchera. Vous êtes en ma compagnie, donc suspects. Évitez largement Dekkel, le dernier poste français avant la grande piste vers le Gubbet. Après, les civilisés ne peuvent plus rien contre vous.

Le train, avec des cahots irréguliers et durs, avec une peine gémissante, s'ébranla. Igricheff et Mordhom s'endormirent presque aussitôt. Malgré la chaleur sans cesse croissante et qui transformait le wagon en fournaise, Philippe ne put les imiter. Bientôt, il allait quitter Daniel, il allait avoir la mission de mener à un endroit sauvage, par des régions plus sauvages encore, une étrange caravane. Igricheff se désintéressait de la réussite. C'était lui, Philippe, le chef. Il apprenait la carte par cœur, repassait indéfiniment les étapes marquées par Mordhom.

Au début de l'après-midi, ils arriveraient à Daouenlé. Départ immédiat avec l'abane issa. Le lendemain samedi, vers le milieu du jour, rencontre avec les guides danakils. Le soir, halte au point d'eau d'Abaïtou. Dimanche soir, halte à Nehellé. Lundi, Alexitane.

Et Philippe répétait comme une obsession :

— Samedi : Abaïtou.

» Dimanche : Nehellé.

» Lundi : Alexitane.

A ces noms qu'il logeait difficilement dans sa mémoire, d'autres se mêlaient, aussi barbares, et qui le troublaient : les noms de stations auxquelles le petit train s'arrêtait. Elles s'appelaient Ramsadé, El Bahaï, Milo, Adagalla, mais se ressemblaient toutes. Au milieu de la plaine pierreuse, déserte, ardente, le long du ballast noir et des deux rails luisants, apparaissaient une bâtisse blanchâtre, un réservoir d'eau. Quelques huttes se groupaient dans le voisinage. Une désolation torride régnait sur ces pauvres nids humains. La locomotive prenait sa provision d'eau, soufflait, sifflait, grinçait. Les serviteurs des seigneurs abyssins qui, pendant la halte, avaient apporté à leurs maîtres des sucreries et de l'alcool, se précipitaient vers leur wagon. On entendait renâcler les mulets.

Des enfants nus couraient quelques minutes la main tendue derrière le train avec des supplications aiguës. Et de nouveau, des deux côtés de la chenille métallique, c'était l'étendue farouche, stérile, étincelante.

Et, de nouveau, Philippe reprenait sa litanie des points qu'il devait atteindre.

Samedi : Abaïtou.

Dimanche : Nehellé.

Lundi : Alexitane...

Ainsi passèrent d'autres stations : Lassarat, Achaa, Adaïlé. Ainsi arriva Daouenlé.

Les mulets descendirent bruyamment. On jeta le chargement et le harnachement sur le ballast. Mordhom serra la main d'Igricheff, se tourna vers Philippe. Il voulut dire quelque chose, se retint, puis montra un homme noir, très maigre, aux longs cheveux blanchis à la chaux : l'abane.

Le train diminua lentement sans qu'il mît la tête à la fenêtre.

Philippe et Igricheff demeurèrent silencieux, chacun pour des raisons différentes, au milieu des bêtes, des caisses et de la population de Daouenlé.

C'étaient les habitants des misérables huttes que l'on apercevait de l'autre côté de la voie ferrée, réunies dans un repli du sol; les maigres besoins de la station avaient fixé près d'elle ces Issas qui portaient dans leurs muscles secs, sur leurs visages brutaux, les traces de la vie nomade et de la solitude. A Daouenlé, cette atmosphère les enveloppait encore. Autour de la bâtisse blanche, du réservoir d'eau et des chaumières, il n'y avait aucune trace humaine. Des champs de pierres, des monts arides réfractaient seuls les rayons du terrible soleil.

Dans le cirque stérile et déchiqueté, une trouée s'ouvrait vers le nord. Philippe consulta son lambeau de carte. Par là devait s'engager la caravane.

Aussitôt une sorte de fièvre s'empara de lui. Il fallait partir le plus vite possible. Les minutes étaient comptées. Il se tourna vers l'abane. Celui-ci s'entretenait à voix basse avec un Abyssin que Philippe avait cru voir dans le train. Il n'y prêta attention qu'un instant et demanda à Igricheff :

— Voulez-vous lui dire que nous partirons aussitôt que les mulets seront prêts?

Puis il cria à Omar :

— Fais charger.

A ce moment, un homme âgé et vêtu d'un pantalon et d'un veston de toile bleue très sale, de haute taille, au visage tanné, s'approcha de Philippe.

— Je suis grec, chef de la station, dit-il dans un français rocailleux, impur, mais très compréhensible. Si vous avez besoin de quelque chose, ma maison est à vous.

Il indiqua la bâtisse de la gare d'une main qui tremblait un peu. Ses traits brûlés, lourds et tristes, ses yeux usés, par contre, ne bougeaient point. On eût dit un masque en bois de pauvre qualité.

— Je vous remercie de tout cœur, répondit Philippe. Je voudrais seulement des hommes pour aider au chargement.

Le chef de la station dit quelques mots aux Issas

rassemblés et une demi-douzaine d'entre eux se jetèrent vers les mulets. Aussitôt Youssouf le Dankali s'écarta.

— Je ne veux pas être touché par ces chiens, dit-il à Igricheff.

Le bâtard kirghize approuva d'un léger signe. Youssouf sourit de contentement.

— L'abane demande à aller au village tandis qu'on prépare les bêtes, communiqua Igricheff à Philippe.

— Il peut, mais qu'il fasse vite, répondit celui-ci.

Il se donnait à sa tâche avec une ardeur de novice, tournait autour des mulets, leur caressait l'encolure, poussait les hommes au travail par le seul mot arabe qu'il connût à cet effet :

— *Fissa, fissa* (1), criait-il sans répit en riant d'excitation, d'entrain, de jeunesse.

Parmi les indigènes qu'il avait recrutés, Philippe remarqua, dès les premiers instants, un athlète magnifique.

Le travail semblait se faire tout seul entre ses mains. Là où il fallait deux hommes pour soulever une caisse, lui la saisissait sans effort, la tenait suspendue au-dessus du bât jusqu'à ce que Haïlé lui criât de la poser entre les crochets ménagés pour elle. Puis, il secouait sa tête ronde crépue, assurait d'un geste machinal le poignard qui tenait au pagne fixé autour de ses reins puissants, se remettait à la tâche avec le même cœur et le même sourire. Car il souriait sans cesse et d'un sourire si serviable, si franc qu'il rappela à Philippe celui d'En-Daïré. C'était d'ailleurs la seule ressemblance entre le plongeur mort et l'athlète issa, car il y avait dans les larges yeux de ce dernier et dans ses mâchoires carnassières, une expression toute barbare.

— Comment s'appelle-t-il? demanda Philippe au Grec, qui, ses longs bras ballants, semblait perdu dans un rêve sans consistance.

— Moussa... Il pousse quand il faut une rame de wagons pleins.

_____
(1) Vite.

— Tiens, Moussa, dit Philippe en lui offrant des cigarettes.

Celui-ci en prit une, mais Philippe lui mit tout le paquet dans la main. Moussa le glissa dans son pagne, rit de toutes ses dents éclatantes et voraces et soudain cria :

— La voie est libbe.

— C'est tout ce qu'il sait de français, dit le vieux Grec de sa voix morne, parce qu'il travaille souvent à la gare et qu'il m'entend répéter ça au téléphone. Alors, quand il est content ou qu'il veut faire amitié, c'est sa manière. Un sauvage, quoi.

Le chargement était terminé. Philippe paya largement les hommes de Daouenlé et doubla la prime de Moussa. Puis, il chercha des yeux l'abane. Mais celui-ci n'était pas encore revenu.

— Envoyez-le chercher et frappez-le d'une forte amende sur l'argent qu'il doit toucher, dit Igricheff. Il va faire tordre les pieds aux bêtes dans la nuit pour arriver au point d'eau.

Sur un signe de son maître, Omar s'élança vers les huttes. Quelques minutes après, il était de retour, mais seul.

— On ne l'a pas vu là-bas, dit-il.

Igricheff plissa légèrement ses paupières, puis, se tournant vers le Grec, demanda :

— Connaissez-vous l'Abyssin avec lequel parlait l'abane avant de s'éloigner?

— Il est au village, s'écria Omar.

Le chef de station hocha affirmativement la tête.

— Que fait-il ici? demanda encore Igricheff.

— Rien. Il accompagnait l'Hindou de première classe, qui va souvent d'Addis à Djibouti.

— Vous pensez donc, Igricheff ? murmura Philippe se souvenant tout à coup des craintes de Mordhom.

— Je pense que si j'avais cet Abyssin à cinq kilomètres d'ici seulement, je lui mettrais une balle dans la tête, grommela le bâtard kirghize pour toute réponse.

— Vous allez tout de même vite dans vos soupçons !
L'abane peut-être...

— L'abane ne reviendra pas.

Une attente fiévreuse commença pour Philippe. Il arpentait la voie, les dents serrées. De temps en temps, il regardait la montre fixée à son poignet ou le soleil. Une heure s'écoula. Une heure perdue sur celles si réduites, si précieuses qui étaient mesurées à la caravane. Comme une obsession lancinante passaient dans le cerveau de Philippe les jours et les noms fatidiques :

Samedi : Abaïtou.

Dimanche : Nehellé.

Lundi : Alexitane.

Entre ces étapes, à marche forcée, le temps était compté strictement. Et voilà que, inutile, une heure avait déjà fui. Et si l'abane ne revenait pas, comme l'assurait Igricheff ? Où trouver un autre guide ? Tout était perdu avant d'avoir fait un pas. Mordhom attendrait en vain dans le fond du Gubbet-Kharab. Quelle honte ! Philippe avait envie de pleurer, de frapper, de tuer. Il comprenait la fureur du bâtard kirghize. Il n'y avait plus de doute possible. L'abane avait été acheté par le serviteur de l'Indien. Comme une fois de plus il retournait sur ses pas, dans sa promenade exaspérée entre les rails, il se heurta presque à Omar et à Moussa.

— Il peut trouver l'abane, déclara le jeune Somali en posant sa main délicate sur le bras puissant de son compagnon. Je lui ai parlé. Il dit qu'il peut parce que tu as été bon avec lui, mon chef.

— Il aura un bakchich de roi, dis-lui, s'écria Philippe.

Mais, pour achever son désarroi ce fut dans une direction opposée à celle des huttes que bondit Moussa. Il s'engagea dans le défilé qui menait vers le Nord. Il courait avec une légèreté, une souplesse étonnantes pour son corps d'hercule et disparut bientôt.

— Un autre chien d'Issa menteur et traître, dit Youssouf au bâtard kirghize. Nous ne sortirons pas de Daouenlé, tu verras.

— Attendons, fit Igricheff.

Puis, brusquement il demanda :

— Tu connais le Haoussah?

— Non, chef étranger. C'est un grand pays dankali assurément, mais ce n'est pas ma tribu qui l'habite. Je suis des Adéhemaro, des Danakils blancs parce que nous mettons de la chaux dans nos cheveux. Là-bas vivent les Asséhemaro, les Danakils rouges parce qu'ils mettent du henné. La vérité est que leur peuple est plus guerrier encore que le mien. Personne n'entre dans leur pays où se perd le grand fleuve Awash, qui vient d'Abyssinie. Ils tuent le Somali, l'Abyssin, l'Issa comme je tue les gazelles. Ils sont riches de chasse et de guerre et de tribut. Ils ont un grand sultan puissant, terrible à son peuple et plus terrible encore aux autres. Le Haoussah, chef étranger, est un grand pays de guerriers libres.

Cependant, Philippe à bout d'espoir et de nerfs, s'approcha du vieux Grec, qui toujours immobile, devant sa demeure, fixait vers un point indéfinissable ses yeux décolorés.

— Dans le village, y a-t-il quelqu'un qui peut nous conduire par là? demanda-t-il en montrant le chemin qu'avait pris Moussa.

Le chef de station hocha la tête et répondit :

— Personne ici ne connaît assez bien le désert des guerriers issas. Votre abane est d'une tribu de pillards nomades qui rôde dans tout le territoire. C'est pourquoi lui, il pouvait. Un sauvage, quoi, pire que les miens encore.

— Alors, il faudra que je gagne Djibouti, que je prévienne... s'écria Philippe avec des larmes dans la voix.

— Vous aurez un train lundi... Oui, il descend trois fois par semaine les jours où ne passe pas celui qui monte... La voie unique, vous comprenez. Il faut qu'elle soit libre.

A ce moment, comme un écho, retentit un cri perçant, joyeux :

236

— La voix est libbe, la voie est libbe.

Et, au débouché de la gorge qui donnait vers le désert, Moussa parut. Un corps jeté comme un paquet sur ses épaules tressaillait à la cadence de sa course.

— La voie est libbe, cria-t-il encore en posant l'abane évanoui aux pieds de Philippe.

Puis il se mit à parler avec une vélocité prodigieuse aux hommes de son village. Omar qui comprenait le dialecte issa traduisit aussitôt.

— Moussa dit : je savais que l'abane voulait rejoindre sa tribu. Il était allé au village pour tromper. Mais pour prendre la piste sans être vu, je savais qu'il avait besoin d'un grand détour... Alors, j'ai couru sur la piste. Je cours très vite, dit Moussa. Je lui ai crié : reviens. Il n'a pas voulu. Je l'ai cogné du poing à la tête, dit Moussa. Il est tombé. Je l'ai rapporté.

L'abane mit quelque temps pour reprendre conscience. Enfin, son corps émacié fut parcouru d'un tressaillement. Igricheff lui enfonça ses ongles dans l'épaule, le redressa. Le guide promena autour de lui des yeux de bête prise au piège, tâta le fourreau vide à sa ceinture, et, sans essayer de donner une explication de sa fuite, dit :

— Je vous mènerai comme il était convenu, mais demain. Il est trop tard maintenant pour le premier point d'eau.

Igricheff, ayant transmis à Philippe les paroles de l'abane, ajouta :

— En cela, il a malheureusement raison. Dans deux heures au plus le soleil sera couché. Vous ne pouvez pas laisser dès la première étape les bêtes toute une nuit sans boire.

— Une demi-journée de perdue, murmura Philippe, accablé. Nous n'atteindrons jamais Abaïtou demain soir.

— Pourquoi pas ? On peut ce qu'on veut dans ce domaine.

— Ah ! vous me faites du bien, s'écria le jeune

homme avec effusion. Je me croyais abandonné par vous. Je croyais que cela vous était égal.

— Pas le moins du monde, dit le bâtard kirghize en souriant du coin des lèvres. Maintenant, si vous me permettez de vous conseiller, enfermez jusqu'à demain matin l'abane, que Youssouf le garde, il ne le lâchera pas, vous pouvez être tranquille; faites décharger les mulets et allons chasser.

Philippe suivit point par point les avis d'Igricheff. Le Grec conduisit l'abane dans un réduit plein de pièces de fer et de boulons rouillés. Le Dankali se coucha en travers de la porte. Les caisses de la caravane furent alignées tout le long de la bâtisse qui servait de gare. On entrava les mulets près du réservoir d'eau. Puis Igricheff et Philippe allèrent battre les environs du village.

Moussa, qui avait reçu une récompense hors de mesure avec tout ce qu'il avait pu espérer, courait comme un chien de chasse devant eux. Bientôt, il s'accroupit, le doigt pointé vers une chaîne de petites roches qui découpaient leur profil aigu contre le flanc des premiers monts. Du couloir ainsi formé, surgit une tête délicate aux fines cornes renversées en arrière puis une autre et d'autres encore. Tout un troupeau de gazelles se préparait à bondir. Elles humaient l'air de leurs naseaux frémissants et doux. Leurs grands yeux pleins d'une tendresse infinie se posèrent sur les chasseurs. Ils tirèrent. Moussa rapporta deux bêtes tuées.

Le dîner eut lieu dans l'unique pièce de la gare. Elle était vide, triste et sale. Le vieux Grec offrit avec une joie qui perçait difficilement sur son morne visage ses deux assiettes ébréchées, deux boîtes de fruits en conserve, un peu de vin doux. Comme Philippe voulait refuser ces réserves d'un pauvre homme, le chef de la station de Daouenlé dit avec une sorte de hoquet dans la gorge :

— C'est la première fois que je reçois des hôtes ici. Et je suis là depuis vingt-cinq ans, avec les sauvages.

238

Je viens de Thessalie, mais je n'y reviendrai jamais parce que j'ai là-bas une fille malade et qu'elle a besoin de tout mon argent. A votre santé; à la mienne...

Le dîner achevé, Philippe et Igricheff s'étendirent sur le grabat que le vieux de Thessalie avait voulu à toute force leur céder. Lui, alla coucher au village. Philippe écouta pleurer les hyènes, renâcler les mulets, pensa à l'abane, à Moussa, et s'endormit d'un coup, d'un bloc.

Et ce fut la première nuit de la caravane.

6

LE TOMBEAU DES ISSAS

QUAND Philippe sortit de la gare, il faisait encore nuit. Mais déjà les hommes du village, amenés par le vieux Grec, avaient réveillé Omar et Haïlé endormis dehors, près des animaux. A la clarté des lampes-tempête et d'un bûcher de planches et de paille le chargement commençait. Il fut rapide. Tandis que le muletier mettait les bâts et serrait les sangles, les caisses passaient de main en main, arrivaient à celles de Moussa qui les soulevait, en fixait les anneaux aux crochets. Il ne restait plus qu'à les assujettir fermement par des cordes.

Omar apporta du café fumant à Igricheff et à Philippe, du pain de dourah et des quartiers froids de gazelle.

Puis le convoi se forma en file.

— Je me mettrai en tête si vous voulez bien, dit Igricheff. Je saurai mener le train plus vite que vous le premier jour. Et ce traître marchera mieux en me sentant dans son dos.

L'abane venait d'être libéré, car le jour commençait à poindre sur la triste cuvette de Daouenlé. Il avait un grand bâton à la main droite, un petit tapis de cuir jeté sur l'épaule gauche. Son visage émacié était sans expression.

Igricheff et Philippe montèrent sur les deux mulets les plus fins, les seuls qui eussent des selles. Le bâtard kirghize plaça le sien tout contre l'abane, sortit son revolver de son étui. Derrière lui, venaient les trois bêtes chargées, plus difficiles à manier, que surveillait Haïlé. Cinq autres animaux portant seulement leurs bâts et destinés à recueillir la cargaison de Mordhom suivaient le muletier. Yasmina et Omar avaient pour mission de les faire marcher en file régulière. Philippe fermait la caravane.

Quant à Youssouf il se tenait un peu à l'écart, son fusil à la main, et surveillait déjà les environs.

Philippe fit une distribution de piécettes aux Issas, serra vigoureusement la main racornie du vieux Grec, Igricheff donna un rude coup de talon à sa bête et le convoi s'ébranla. Au bout de quelques minutes il atteignit le large corridor qui s'ouvrait entre les monts sombres. Philippe se retourna, jeta un dernier regard sur la petite masure blanche, sur le talus de chemin de fer. Une grande joie et une grande angoisse l'étreignirent. C'étaient les derniers vestiges d'un monde où régnaient d'autres lois que celles de la nature et de la barbarie.

Or, au même moment, une forme puissante se détacha du ballast, toucha le sol d'un bond et se mit à courir dans la direction d'où venait de disparaître Philippe. C'était Moussa.

Quelques larges foulées suffirent à l'athlète noir pour rejoindre le jeune homme. Alors il cria :

— La voie est libre.

Philippe tressaillit de surprise. A l'autre bout de la caravane, Igricheff tourna la tête, puis se remit à travailler les flancs de son mulet, et à surveiller l'abane qui, paraissant n'avoir rien entendu, continuait à suivre son long bâton blanc qu'il projetait d'un mouvement égal et rapide.

— Omar, demande-lui ce qu'il veut, dit Philippe.

— Il ne veut rien, expliqua le Somali après avoir interrogé Moussa, que te saluer une dernière fois.

Omar se mit à rire. Moussa également et le Somali dansant comme l'athlète issa eurent, dans leurs yeux et dans leurs bouches éclatantes, la même expression de tendresse ingénue pour Philippe. Ce dernier dit soudain :

— S'il veut, je le prends pour la caravane.

Mais sans même consulter Moussa, Omar répondit :

— Il n'ira pas en pays dankali, mon chef, ils sont ennemis à mort.

— Et jusque là-bas?

Omar échangea quelques mots avec Moussa et dit :

— Oui, mon chef.

Philippe envoya le Somali annoncer à Igricheff cette nouvelle recrue. Youssouf qui marchait à la hauteur du bâtard kirghize entendit le message.

— Fais attention, murmura-t-il en se rapprochant d'Igricheff. Tous les Issas sont des chiens lâches, rusés et méchants. Qui sait si Moussa n'a pas rapporté hier l'abane pour donner confiance et mieux trahir avec lui. Des mulets et des armes comme nous en avons sont un beau butin.

— Veille bien sur le guide, dit Igricheff qui dégagea son mulet de la file et la laissa passer devant lui.

Quand Philippe l'eut rejoint, ils cheminèrent côte à côte et Igricheff transmit au jeune homme les craintes du guerrier dankali. Philippe hésita une seconde, regarda la sauvage mais franche figure de Moussa, haussa les épaules et dit :

— Ils se haïssent tant de tribu à tribu qu'on ne peut pas les croire. Je réponds de cet homme.

— Comme vous voudrez, répliqua Igricheff avec indifférence en poussant rudement son mulet vers la tête du convoi.

Ainsi fut engagé Moussa. Il avait pour tout bagage un coutelas et des muscles héroïques.

L'équipement de la petite troupe était également très mince. Haïlé, Omar et Youssouf marchaient aussi nus que l'Issa. Ils n'avaient en plus que des sandales de cuir grossier, des gourdes, et le Dankali un fusil. Igricheff portait sa culotte kaki, une chemise de même couleur, ses bottes, Philippe un pantalon et une chemise de toile ocrée, des espadrilles. Un peu de linge était roulé sur leurs selles. Et c'était tout.

Le bâtard kirghize avait l'habitude de ce dénuement de campagne. Mais Philippe en éprouvait une légèreté, une liberté qui l'enchantaient. Elles convenaient si bien à cette marche rapide, volontaire, qu'il sentait plus vigoureusement poussée que celles des caravanes ordinaires, à ces hommes simples, et patients, que leur sombre peau habillait mieux que la plus belle des étoffes, à ce pays inconnu enfin où ils s'enfonçaient.

La trouée qu'ils avaient prise en quittant le talus du chemin de fer, ils l'avaient vite franchie. Elle avait abouti à une vaste table, entourée de tous côtés de buttes et de collines, plates, érodées. Et aussi bien le sol du plateau que les flancs des ondulations étaient couverts, tapissés de cailloux et de graviers noirs. Aucune végétation n'y poussait sauf, çà et là, quelques touffes d'herbes pâles qui perçaient péniblement entre les pierres sombres. Pas un pouce de terrain n'était libre de cette immobile et funèbre avalanche. Aussi loin que pouvaient porter les yeux, ils n'apercevaient qu'un grésillement rugueux et noir sous la flamme du soleil qui montait, montait, chaque instant plus dur, plus pesant, plus mort. Ses rayons n'avaient pas de vie dans cette arène qui semblait dévastée par un incendie de cataclysme. Leur faisceau tombait comme une masse presque solide à force d'intensité, d'éblouissement et restait prisonnier, immobile, sans vibration, sans nuance, ensorcelé par les pierres noires, la poussière noire et soudé à elles pour l'éternité, semblait-il. Il y avait contact, fusion, unité indivisible entre ces pierres brûlées et cette lumière brûlante. Et au-dessus d'elles le ciel dépoli, corrompu par ce feu et sa réverbération aveuglante, était le ciel d'un autre monde, funeste, et maudit.

La caravane avait parcouru une dizaine de kilomètres que Philippe, déjà, avait perdu tout sentiment de la distance. Daouenlé s'était reculée à l'infini, dévorée par les sombres génies qui avaient forgé à leur enclume cette terre de deuil sauvage.

Maintenant ils l'emplissaient de leur suffocante haleine. Pas un souffle d'air n'animait la solitude absolue des pierres noires. Philippe se sentait collé à sa selle, aux flancs mouillés de son mulet. La sueur ruisselait de son large chapeau, sur son visage ardent. Il croyait respirer du feu. Et menée au même pas par l'abane aux mollets secs, par Igricheff aussi immobile qu'une idole, la file des bêtes et des hommes serpentait comme une minuscule colonne d'insectes le long d'une coulée de lave torride. Bientôt cette apparence même de chemin disparut. Il n'y eut plus ni sentier, ni piste. Sous les sabots des bêtes les cailloux funèbres roulaient avec un faible bruit de ressac. Les hommes trébuchaient parfois, mais se rattrapaient aussitôt en silence et continuaient leur avance muette, nus, élastiques. Dans la lumière qui dissolvait tout, sauf leur couleur pareille à celle du terrain, ils apparaissaient à Philippe comme des êtres sans corps, comme des ombres tirées du sol et qui pouvaient, d'une minute à l'autre, y rentrer, le laissant seul.

Il ne sentait plus la grandeur lunaire du paysage, le goût violent de l'aventure. Un poids affreux lui broyait la nuque et les reins. Ce n'était plus une course comme celles qu'il avait faites au Harrar où circulait toujours la brise des hauts plateaux, où frémissaient des branches, où la terre avait des aspects changeants.

C'était une épreuve sans nom ni mesure, une marche démoniaque, un tourment enflammé.

Combien de temps pourrait-il le supporter encore sans gémir, sans demander grâce?

Un désespoir immense l'envahit de voir les foulées régulières de l'abane, de Youssouf, d'Omar, de Moussa, qui se tenait à ses côtés, une main posée sur la croupe de son mulet, comme pour le soutenir de sa force. Ces gens-là pouvaient aller ainsi des heures et des heures sans halte ni répit. Et ne leur avait-il pas dit lui-même qu'il le fallait jusqu'au soir, sans répit. Igricheff, certes, tiendrait. Mais lui?

Son regard atone tomba sur Yasmina qui trottait derrière deux mulets. Alors il eut honte de sa faiblesse. Ce que pouvait un enfant, en serait-il incapable? Brusquement, Philippe sauta de sa selle et se mit à marcher. La sueur jaillit aussitôt de tous ses pores, mais elle était saine, active, bienfaisante. Elle le dégagea de sa détresse, de sa torpeur solaires.

Omar regarda son maître avec surprise. Philippe lui dit avec le plus grand naturel, et dès cet instant, il le crut lui-même :

— Je ne veux pas fatiguer mon mulet.

Le Somali répéta la chose à Moussa et tous deux hochèrent la tête avec approbation.

« Ils me trouvent bon caravanier », pensa le jeune homme joyeusement.

Il alluma une cigarette, sourit à Omar, à Moussa. C'étaient ses deux hommes à lui, comme Hussein avait été au bâtard kirghize, comme les matelots de l'*Ibn-el-Rihèh* étaient à Mordhom. Philippe eut pour la première fois le sentiment d'être un chef.

— Demain, se dit-il, c'est moi qui mènerai la caravane. Tantôt en selle, tantôt à pied, mais je serai en tête.

Le soleil devenait de plus en plus redoutable. Il pesait comme un lingot. Mais Philippe ne le craignait plus. Simplement, les idées se pressaient avec une fièvre singulière sous son front trempé. Il pensait :

« Nous marchons bien, je le vois au sérieux de Moussa, d'Omar. Ils ne parlent pas, ne rient pas. Nous allons rattraper le retard d'hier. Nous retrouverons les guides danakils. Cet après-midi... au début peut-être. En poussant encore, nous pourrons atteindre dès ce soir Abaïtou. Et nous sommes samedi. Selon le programme. Samedi : Abaïtou. Dimanche : Nehellé. Lundi : Alexitane. C'est bien cela. Ah! voici que le terrain change. Donc, nous avançons, nous avançons... »

Le plateau butait contre une paroi durement infléchie que les premiers mulets attaquaient déjà. Igricheff mena le sien rapidement, mais ceux qui portaient les caisses, hésitèrent. Haïlé en saisit un par la bride, l'entraîna. Moussa bondit vers les deux autres, se plaça entre eux. D'une main, il poussa, de l'autre, il tira. Et sa force était telle qu'il sembla enlever en même temps les deux bêtes. Celles qui n'étaient pas chargées grimpèrent facilement. Omar tendit l'étrier à Philippe et dit :

— C'est mieux pour toi, chef.

Il avait mis dans ce conseil une gentillesse qui fit obéir le jeune homme. Il rejoignit la caravane, qui commençait à descendre le versant opposé. Alors Philippe, se souvenant qu'il fallait à tout prix éviter de blesser les mulets à l'encolure, quitta de nouveau la selle. Un peu d'humeur lui vint en voyant qu'Igricheff n'avait pas bougé de la sienne. Mais à la façon légère dont le bâtard kirghize touchait les étriers, à la cambrure de son torse ramené en arrière, il comprit que lui avait le droit. Même sur son mulet, il avait l'air d'un centaure.

L'épuisante manœuvre recommença plusieurs fois, car sans cesse la caravane escaladait une colline abrupte pour la dévaler aussitôt et en gravir une autre. Et toujours et partout le regard n'embrassait que des crêtes et des creux couverts de pierres noires. On eût dit qu'une mer d'encre s'était figée là, depuis des siècles, et que la caravane, comme une pirogue étroite, traversait ses lames sans mouvement. Aucun point de repère ne semblait diriger l'abane. Pourtant, il avançait sans hésiter, sec, muet et suivant son bâton. Parfois, il se courbait à demi, comme pour flairer le sol et reprenait sa marche régulière, assurée. Le soleil était à son zénith, lorsque, dans une dépression, le guide s'arrêta.

— L'eau, dit-il.

L'endroit était pareil à tous les vallonnements qu'avait franchis le convoi. Même solitude, même dessin des monts, même texture pierreuse et sombre. Mais presque aux pieds de l'abane de gros cailloux étaient posés en cercle. Et leurs bords étaient humides. La caravane était arrivée au premier point d'eau.

Sans la descendre de son bât, Omar ouvrit une caisse, en tira de grands seaux de toile. Moussa les attacha à une corde, les descendit dans le puits qui, par on ne savait quel secret du désert, s'ouvrait là. Haïlé retira de la gueule des mulets les mors pleins d'écume et les bêtes burent avidement. Puis ce fut le tour des hommes. Quand Philippe vit sa gourde pleine d'une eau trouble, qui sentait le soufre et la vase, il faillit la vider. Mais il comprit soudain qu'il ne pouvait en avoir d'autre. Il la porta à ses lèvres avec une répugnance infinie, décidé à n'en boire qu'une goutte pour apaiser la brûlure intolérable de sa gorge. Dès que sa fraîcheur lui eut baigné les lèvres, il renversa la tête et but à longs traits.

Cependant, l'abane avait posé sur le gravier funèbre son petit tapis de cuir et à genoux, prosterné devant le soleil, faisait la prière de midi.

— Combien avons-nous fait de kilomètres à votre avis? demanda Philippe à Igricheff, tandis que les Noirs rentraient les seaux, remplissaient de nouveau les gourdes et remettaient leurs mors aux mulets.

— Une trentaine environ, répondit le bâtard kirghize. Nous marchons — et bien — depuis six heures. Je pense que, dans trois au plus tard, d'après les prévisions de Mordhom, nous aurons rejoint les éclaireurs danakils.

Il sauta en selle et ajouta comme pour lui-même :

— Je m'étonne pourtant que le point d'eau où ils nous attendent soit aussi rapproché de celui-là.

Philippe voulut lui faire expliquer sa pensée, mais déjà l'abane se mettait en route devant la caravane reformée. Philippe regagna sa place.

L'essentiel était de ne pas perdre de temps.

Les mulets eurent de la peine à reprendre leur allure. Ils étaient gonflés, alourdis. La fatigue de l'étape précédente pesait sur eux et, comme il arrive toujours, le très bref repos qu'ils avaient eu ne la faisait que mieux sentir. Pour les hommes il en allait de même. La faim les travaillait et une soif plus exigeante depuis qu'ils l'avaient une fois étanchée. Philippe surtout y fut sensible. Il puisait souvent à sa gourde cette eau qui l'avait tout d'abord écœuré. Il s'y ajoutait maintenant une âcre senteur de peau de bouc, mais il sentait avec angoisse sa gourde diminuer de poids. Bientôt, elle fut à sec.

— Tiens, mon chef, dit Omar, en lui tendant la sienne. J'ai plus l'habitude.

Et son geste était si persuasif dans sa douceur que, de nouveau, Philippe lui obéit sans honte.

— Nous arriverons bientôt, se dit-il, au point d'eau où sont les Danakils, Igricheff l'a dit. Omar ne souffrira pas trop.

Puis il ne pensa plus à rien, car, plus encore que le matin, l'étourdissait le soleil massif, prisonnier des champs de galets noirs. Mécaniquement, il touchait le sol aux descentes, remontait en selle pour gravir les côtes. Elles se répétaient indéfiniment, monotones, ardentes, funèbres. Et la caravane, inconsciente, assommée, rampait à leur surface. A la fin, n'y tenant plus, Philippe qui, pour ne pas désespérer, s'était interdit ce geste, regarda sa montre. Il était près de quatre heures.

— Mais nous devrions déjà arriver, pensa-t-il.

Tout à coup la dernière phrase qu'avait dite Igricheff en quittant le point d'eau lui revint à la mémoire et le tira de son engourdissement. Il en comprit le sens. L'abane, peut-être, les égarait. Aussitôt, il chassa cette pensée. Elle lui était insupportable. Simplement, le train de la caravane était plus lent, ou Mordhom avait mal calculé les distances... Ou peut-être touchait-on le point d'eau sans s'en apercevoir, comme à midi.

A la crête suivante, il crut bien que cette dernière espérance se justifiait. Un plateau s'ouvrait devant eux. Et au milieu se dressait un grossier quadrilatère de pierres aiguës et sombres assemblées les unes près des autres visiblement par des mains humaines. Un grand puits devait se trouver là. Philippe se redressa sur ses étriers pour mieux voir. Mais ce qui étincelait, à l'intérieur du quadrilatère, comme du diamant noir, n'avait pas les reflets de l'eau. C'était encore, toujours, de la lave.

— Ce n'est pas un puits, Omar? demanda Philippe d'une voix sans espoir.

— Non, mon chef, répondit le jeune Somali qui venait de s'entretenir avec Moussa. Non, c'est un grand tombeau des guerriers issas. L'an dernier, des Danakils terribles sont venus jusqu'ici et ont tué beaucoup, beaucoup dans la bataille. Tu vois, Youssouf parle à l'autre chef. Il raconte, il est fier.

La caravane défila en silence devant le mausolée. Philippe vit alors qu'il était composé de morceaux de roches sombres, déchiquetés, tranchants et qui lui venaient à la hanche. L'air bleu et lourd qui emplissait leurs découpures n'atténuait pas la rigueur des arêtes noires, ni l'aride majesté de la tombe barbare.

L'abane, qui n'avait pas détourné un instant son regard, entraîna plus loin la petite troupe.

Elle arriva au bout du second plateau volcanique. Des sombres flancs de la colline que le guide s'apprêtait à gravir, une lueur rouge commença de sourdre. C'était l'annonce du crépuscule. Igricheff se plia en deux sur l'encolure de son mulet, planta ses ongles dans l'épaule de l'abane.

— Tu ne vas pas nous tromper davantage, dit-il avec une tranquillité sinistre. Nous sommes hors du chemin et tu penses t'enfuir à la halte de nuit. Si nous ne trouvons pas, avant le coucher du soleil, les guides danakils auxquels tu dois nous conduire, je te tuerai.

Tout le convoi s'était groupé autour des deux hommes. Le bâtard kirghize, brièvement, traduisit à Philippe ce qu'il venait d'annoncer à l'abane. Le jeune homme inclina la tête en signe d'approbation. La mort d'un traître, après un jour de soleil, de soif, et de désert sauvage, lui paraissait naturelle.

L'abane, les yeux fixés au sol, répondit :

— Le point d'eau est de l'autre côté de la colline.

— Quelle preuve? demanda Igricheff.

— Fais-moi suivre par un de tes serviteurs. Il verra.

— C'est ta dernière chance.

Et, s'adressant à Youssouf, le bâtard kirghize ordonna :

— Va, mon guerrier. Tu es plus difficile à surprendre qu'une caravane. Et je n'ai ici confiance qu'en toi. Ta tribu parlera longtemps de ton courage pour avoir marché seul avec un traître en pays ennemi.

Youssouf mit son poignard entre ses dents, vérifia le chargement de sa carabine et fit signe à l'abane. Leurs deux corps presque jumelés se découpèrent sur la pente, sur la crête, disparurent. Les Noirs et la petite Bédouine s'accroupirent sur leurs talons. Igricheff et Philippe restèrent rivés à leurs selles. Personne ne parlait. Une légère fraîcheur descendait avec le soir.

Au loin, retentit un coup de feu. Nul ne tressaillit. Ils l'attendaient tous.

Bientôt Youssouf bondit sur le sommet de la colline, glissa, léger et farouche, parmi les pierres noires.

— Il y a de l'eau là-bas, mais près d'elle des guerriers issas et pas de Danakils. L'abane a voulu courir chez eux. Je l'ai tué dans la nuque, comme un chien.

— Ils sont nombreux? demanda Igricheff.

— Vingt, mais sans fusils. Des couteaux et des lances.

Le bâtard kirghize se tourna alors vers Philippe.

— Me laissez-vous agir? Rappelez-vous que, dans l'île, Mordhom lui-même...

— Faites, dit le jeune homme.

— Que penses-tu, Youssouf ? demanda encore Igricheff.

— Le jour, ils ne peuvent rien contre trois fusils, mais la nuit, ils rampent comme des serpents et je suis seul ici avec toi à savoir me servir d'un poignard.

— C'est bien, dit le bâtard kirghize.

Il fit volter son mulet. La caravane s'ébranla derrière lui. Il l'amena devant le tombeau primitif.

— Une brèche vite, ordonna-t-il.

Youssouf, Haïlé, Omar, Yasmina elle-même se mirent à l'ouvrage. Seul, Moussa se tint à l'écart.

— Et toi? cria Igricheff.

— Je ne peux pas, dit-il, toucher à la sépulture de guerriers de ma race.

— S'il reste vivant, il nous égorgera quand attaqueront les autres, avertit Youssouf.

— Ce n'est pas vrai, hurla Moussa, le poing levé. Le jeune chef est mon ami.

— Ouvre-lui la gorge tout de même, Youssouf, ordonna Igricheff. C'est plus sûr.

L'athlète noir se mit à trembler, car déjà, tandis que le bâtard kirghize le tenait en joue, Youssouf venait à lui.

— Vous êtes fou, cria Philippe qui avait suivi cette scène rapide sans comprendre les paroles échangées. Moussa n'a rien fait.

— Il peut faire. C'est plus sûr. Laissez donc.

— A aucun prix. Je suis le chef. Je réponds de lui.

Igricheff ferma les yeux un instant et dit :

— Comme vous voudrez.

Les mulets étaient déjà dans l'enceinte du tombeau.

— Déchargez, débâtez, cria Igricheff, et ménagez l'eau des gourdes.

Puis, accompagné de Youssouf qui évitait de regarder Philippe, il entra par l'étroite brèche. Moussa saisit les deux mains du jeune homme et les baisa avidement. A leur tour, ils pénétrèrent dans l'abri funéraire.

Le soleil touchait les aspérités qui bordaient le plateau. Des silhouettes se dessinaient sur la colline qu'avaient gravie Youssouf et l'abane. Igricheff fit fermer la brèche, allumer les lampes-tempête qu'il accrocha aux aiguilles noires les plus élevées du tombeau. Il donna son fusil à Haïlé, Philippe le sien à Omar. Tous deux baissèrent le cran d'arrêt de leur revolver.

— Trois salves à vingt pas et nous serons d'égal à égal, dit Igricheff à Youssouf.

— On les enterrera tous dans cette même tombe de chiens, répondit Youssouf le Dankali, en lissant sa courte barbe.

Les Issas sentirent-ils leur impuissance? La superstition leur interdit-elle d'attaquer la sépulture de leurs propres guerriers? Quoi qu'il en fût, la petite troupe veilla jusqu'à l'aube sans la moindre alerte.

Et ce fut la deuxième nuit de la caravane.

7

L'ESSOR DE L'ÉPERVIER

MAINTENANT que le jour était levé sur les pierres noires, il fallait, avant tout, faire boire et manger les bêtes. Philippe le comprit sans consulter personne.

Ensuite, il aviserait, avec ou sans Igricheff, sur la direction à prendre.

Haïlé, Omar et Moussa chargèrent, sellèrent les mulets. Le point d'eau le plus proche était celui où Youssouf avait découvert, la veille, le parti issa.

Youssouf courut de nouveau vers la colline en éclaireur.

— Je voudrais qu'ils fussent là encore, grommela le bâtard kirghize, énervé par la vaine attente de la nuit. Nous les fusillerions comme des brutes.

Mais, sur la crête, Youssouf tira deux coups de feu. C'était le signal de la sécurité. La caravane se mit en marche. Il faisait encore frais. Pourtant, les mulets avançaient en trébuchant. Et les hommes semblaient vides, flasques. Les uns et les autres, malgré la dure étape de la veille, n'avaient pas pris de nourriture depuis vingt-quatre heures. De plus, les gourdes étaient vides.

« Repos jusqu'à midi, au moins, pensa Philippe quand ils eurent péniblement atteint la flaque tiède à fleur de sol vers laquelle, de loin, Youssouf les avait menés. Et qu'importe! Il n'est plus question de rejoindre à temps Daniel. »

Les mulets se précipitèrent vers l'eau. Leurs conducteurs durent les frapper à toute volée sur les naseaux pour les empêcher de piétiner, de souiller complètement le liquide trouble.

Près de la mare poussaient des herbes blanches, des mousses jaunâtres. Yasmina se mit à les arracher, à les entasser. Une main puissante la souleva comme un jouet et la bonne voix de Moussa lui dit :

— Repose-toi, enfant. Si les hommes sont fatigués, tu dois être morte.

Elle eut un sourire peureux, plein de charme et de tristesse. Moussa regarda ce visage bronzé par le soleil et l'air des montagnes, mais qu'il devinait si blanc, si chaud sous le hâle. Il n'avait jamais connu de fille parée des grâces de l'Orient. Et elle était si petite auprès de lui, si fort. Sa poitrine d'hercule se gonfla un instant, puis, sauvagement, il écarta, arracha les pierres pour mieux trouver les racines de la végétation misérable.

Avec elles, Omar alluma le feu entre trois galets. C'était le foyer éternel du désert et de la brousse. Il plaça dessus une marmite, l'emplit de riz, jeta dedans du beurre de conserve, des dattes. Igricheff et Philippe mangèrent en silence, puis les Noirs et Yasmina. Comme Philippe cherchait une place pour s'étendre, Moussa le conduisit vers celle qu'il avait débarrassée de cailloux. Bientôt tous dormirent sur la terre sombre, tous, sauf Igricheff et Youssouf qui avaient demandé à veiller.

Ils chuchotèrent longtemps ensemble, appuyés sur leurs fusils.

Les dernières paroles du Dankali furent :

— Je suis d'accord. Mais il faut arriver chez les miens et je ne sais pas la route.

Sur l'ordre d'Igricheff, il s'allongea à son tour. Le bâtard kirghize resta seul en sentinelle. Au-dessus des pierres noires du désert issa, au-dessus de la caravane endormie dans la lumière de feu et d'or, flotta bientôt un air déchirant et sauvage qui venait de Mongolie.

Vers onze heures, Igricheff réveilla Philippe.

— Ce n'est pas pour que vous preniez votre tour de garde, lui dit-il. Je voudrais vous parler.

Philippe cligna des yeux, ébloui. Sa tête était lourde, mais il sentit son corps dispos, détendu. Il murmura avec naïveté :

— Comme on dort bien sur le sol.

Igricheff sourit. Cette lueur qui, très vaguement, rappelait une lueur d'amitié, brilla une seconde dans ses yeux d'épervier.

— Mettez-vous un peu d'eau sur le front, dit-il doucement.

Ainsi qu'il le faisait chaque fois qu'un conseil lui était donné avec bonté, Philippe obéit. Il revint auprès du bâtard kirghize l'esprit lucide. Mais cette lucidité même l'attrista. Car elle lui fit concevoir brutalement toute son impuissance. Il se laissa tomber sur une caisse et dit :

— Quelle honte! Demain lundi, Daniel sera au Gubbet-Kharab. Et nous...

— C'est la vraie question, interrompit Igricheff. Où serons-nous demain? Laissez Mordhom en paix. Il risque seulement de ne pas vendre pour cette fois ses armes. Tandis que nous...

Il montra d'un geste la poignée d'hommes endormis près des bêtes et tout autour le champ funèbre, brûlant, sans piste, inconnu.

— Vous voulez dire que nous sommes complètement égarés? demanda Philippe et que nous ne pourrons même pas trouver le prochain point d'eau?

— Pour continuer, certes.

— Et pour revenir?

— C'est différent. Votre Moussa retrouvera sûrement la route. Et même Youssouf, même Omar la reconnaîtraient; les hommes de brousse, lorsqu'ils ont une fois fait un chemin, l'ont dans la peau.

— Alors, il faut regagner Daouenlé, vaincus, battus, déshonorés après deux jours de caravane!

— Décidez!

— Eh bien! non! s'écria furieusement Philippe. On ira en avant, on crèvera de soif, on passera sur les Issas, mais on arrivera quelque part.

— C'est très bien, dit Igricheff. Je suis avec vous. Et nous réussirons.

— Comment?

— Je n'en sais rien, mais nous réussirons.

Il y avait chez le bâtard kirghize une assurance si forte et si simple qu'elle galvanisa Philippe. Il secoua Omar, lui ordonna de réveiller tout le monde, d'abreuver les bêtes, de faire la cuisine, de préparer le départ. Puis, prenant la carte dessinée par Mordhom, il dit à Igricheff :

— Rien à tirer de ce morceau de papier, n'est-ce pas?

— Il faudrait, pour s'en servir, savoir si l'abane

254

nous a déportés vers l'Est ou vers l'Ouest. Je pense qu'il nous a menés dans ce dernier sens. Dans l'autre, il se fût rapproché de Dekkel et on ne cherche pas les alentours d'un poste pour massacrer une caravane.

— Alors, nous serions à peu près dans l'alignement du pointillé de Mordhom qui part d'Abaïtou?

— Sans doute.

— Et en marchant vers le Nord d'après le soleil, on peut y arriver?

— Avec beaucoup de chance... à cause des points d'eau. Vous avez bien vu qu'il faut avoir le nez dessus pour les découvrir.

Philippe allait répondre lorsque Omar le tira par la manche et l'entraîna à quelques pas.

— Moussa veut te parler, chuchota-t-il, mais à toi seul, parce que toi seul tu es bon pour lui.

L'athlète noir, ayant fini de charger les caisses, inspectait minutieusement l'horizon, la main en visière sur ses yeux, le torse infléchi en avant. Ses muscles tendus, immobiles, semblaient saisir tout son corps dans une gaine de métal.

— Je vois que tu veux continuer ta route, fit-il dire à Philippe par le jeune Somali. Tu te perdras sûrement sans guide, parce que toutes les collines noires et tous les champs noirs se ressemblent, mais moi, je te mènerai jusqu'à la terre des Danakils, car je connais la piste.

Il jeta un regard furtif vers Youssouf qui s'entretenait avec Igricheff et reprit :

— J'ai fait la guerre contre ces hyènes et tu le vois (il touchait les minces bandes de cuir qui ceignaient son biceps saillant), j'en ai tué deux. Mais je n'ai pas le cœur cruel et quand j'ai montré que j'étais un homme, je suis allé travailler au chemin de fer. J'y retournerai quand tu ne seras plus sur le territoire de mon peuple.

Le plat de riz que Yasmina avait fait cuire était prêt. Ils le mangèrent rapidement, puis la caravane, ayant, cette fois, Moussa en tête, quitta le point d'eau.

Haïlé, Omar et la petite Bédouine s'occupaient des mulets. Philippe, Igricheff et Youssouf à l'écart de la file et le fusil au guet surveillaient les alentours. Ils sentaient tous que de loin, invisibles parmi les pierres noires dont leurs corps avaient la couleur, des ennemis patients, tenaces, inexorables, suivaient la marche du convoi.

« Aussi longtemps que le terrain sera plat ou régulièrement ondulé, pensait Philippe, ils n'oseront pas s'approcher à portée de balle. Mais s'il faut passer un défilé... »

Pourtant, par deux fois, la caravane s'enfonça dans de brèves gorges où l'embuscade eût été facile sans que se produisît la moindre alerte. Et il était près de quatre heures de l'après-midi lorsque le sol noir sur lequel, depuis Daouenlé, marchait sans répit la caravane, commença de se modifier.

Les pierres, les galets, le gravier couleur de charbon couvraient encore les collines, mais entre elles s'apercevait une piste de sable où les bêtes et les hommes enfoncèrent légèrement, sable sombre d'abord, puis cendré, fauve enfin. Il avait la nuance et la désolation des déserts de dunes, mais, au milieu du désert des roches d'encre, il semblait une terre vivante. Philippe respira plus librement, sauta de selle pour sentir à travers ses espadrilles le contact favorable de ce terrain nouveau.

Les collines peu à peu fondirent. Un grand plateau s'étendit, poudreux, bistré. Sur lui, par touffes assez serrées, le long d'un cours d'eau à sec qui creusait profondément le sol, poussaient des arbustes épineux, dont la pâle verdure parut miraculeuse au jeune homme. La caravane s'engagea dans le lit de l'oued.

— Encore un peu de temps, dit Moussa, et nous serons au point d'eau où s'abreuvent les Issas et les Danakils lorsqu'ils sont en paix. Là, jeune chef, tu attendras de nouveaux guides. Ils peuvent venir dans un jour, ou deux, ou dans dix, mais ils viendront sûrement, car la piste est passante.

Comme une dérision, les noms qu'il s'était tant de fois répétés sonnèrent aux oreilles de Philippe :

— Samedi : Abaïtou; dimanche : Nehellé; lundi : Alexitane.

Mais il secoua ses pensées. Il fallait se soumettre à la grande loi de ces terres maudites et des hommes qui les hantaient : la patience et la résignation.

La caravane s'arrêta brutalement. Moussa venait de s'incruster au sol, les bras en croix, comme pour barrer le chemin de tout son poitrail déployé. En même temps Youssouf qui suivait en éclaireur une des rives escarpées de l'oued, abaissa son fusil vers une haie touffue de jujubiers moussant sur le bord opposé. A travers leurs branches sèches et d'un vert très faible s'apercevaient des points noirs. Le Dankali tira, tira, tira encore. Une clameur furieuse lui répondit. Alors, il acheva de vider son magasin, bondit dans le lit de l'oued tout en rechargeant son arme et cria à Igricheff :

— Les Issas.

Déjà, l'on voyait courir vers la caravane des silhouettes farouches.

— A terre les caisses, les selles et les bâts, commanda Igricheff. Barrez l'oued des deux côtés. Moussa, Yasmina, faites coucher les bêtes et tenez-les.

En quelques secondes, la manœuvre fut exécutée et la caravane se trouva enfermée dans un quadrilatère formé par les escarpements de l'oued et par la barricade. On ne pouvait attaquer cette forteresse improvisée que de face ou de dos, les pentes étant trop abruptes pour que l'ennemi les dévalât rapidement. Les Issas le virent aussitôt et leurs imprécations farouches s'élevèrent vers le ciel. Puis le silence se fit et les sombres silhouettes disparurent à la vue des assiégés, cachées par l'escarpement de la rive.

— Vont-ils se dérober une fois encore? demanda Igricheff à Youssouf.

— Je ne pense pas, dit celui-ci d'un air préoccupé. Ils sont plus nombreux que la nuit dernière. Ils ont dû retrouver une autre bande et prendre du courage.

— Alors?

— Ils vont attaquer des deux côtés en même temps. Igricheff communiqua cette réponse à Philippe.

— Gardez-vous de face avec votre revolver et avec Youssouf, dit le jeune homme. Donnez votre fusil à Omar, je donne le mien à Haïlé et nous veillerons à l'arrière.

— Je suis d'accord, dit le bâtard kirghize.

A peine Philippe et ses deux hommes avaient-ils pris position, que retentit un cri de guerre barbare et que des deux côtés du réduit les Issas se ruèrent à l'assaut. La carabine de Youssouf, le revolver d'Igricheff arrêtèrent les ennemis au pied de la barricade. Mais, du côté de Philippe, les tireurs étaient moins fermes et moins adroits. Philippe abattit trois hommes, Omar ne fit qu'une victime et Haïlé déchargea en vain son fusil. Et la bande hurlante fut sur eux, escalada les caisses.

Le muletier et le Somali saisirent leurs armes par le canon, écartèrent un instant, à coups de crosse, les lances dardées sur eux, sur Philippe. Mais environnés, ils allaient être percés de coups. Et, face à Youssouf et au bâtard kirghize, l'attaque recommençait. D'eux, il n'y avait pas d'aide à attendre. Une lame brilla devant les yeux de Philippe. Il baissa les paupières. Mais une sorte de bolide le renversa. Et Moussa surgit sur la barricade. Il avait ouvert une caisse et parmi les ustensiles qu'elle contenait pris une lourde hache. Sa force était telle qu'il brisait les lances, les côtes, les crânes, tout à la fois. Les assaillants avaient beau être de sa race, il ne pouvait laisser égorger le jeune chef si joyeux et si doux qui lui avait sauvé la vie.

Un instant, sous sa pesée, les Issas refluèrent... Philippe était déjà debout, ayant rechargé son arme. Il tira à bout portant, touchant à chaque coup. Mais, quand son revolver fut vide, l'ennemi attaqua avec une rage redoublée. Et, de l'autre côté, Igricheff et Youssouf luttaient déjà au couteau et à coups de crosse.

— Avez-vous gardé une balle pour vous? cria le bâtard kirghize en se repliant vers Philippe.

Celui-ci couvert encore par les moulinets terribles de Moussa, essaya de recharger son revolver.

Mais, à cet instant, un hurlement plus strident, plus inhumain encore que celui qu'avaient poussé les Issas, se lançant à l'attaque, couvrit soudain la rumeur de la bataille. Et, des talus de l'oued, de nouveaux démons fondirent vers la barricade.

« Tout est fini », pensa Philippe.

Mais au lieu de foncer avec l'acharnement du triomphe sur leur proie toute prête, les Issas, soudain, se retournèrent vers les nouveaux assaillants.

Et Youssouf cria :

— Victoire, victoire! Ce sont les Danakils, mes frères!

La mêlée fut sanglante, mais brève. Les Issas fatigués par la lutte qu'ils avaient déjà soutenue, désemparés par la surprise, fusillés dans le dos par Igricheff et Youssouf, se débandèrent. Mais les nouveaux démons noirs, aussi agiles qu'eux, les rejoignaient, les égorgeaient, les clouaient au sol à coups de lance. Pas un n'échappa.

Quand furent achevées la tuerie et les mutilations viriles, la bande des Danakils entoura la caravane. L'excitation du combat brillait dans leurs yeux agiles. Les bras qui s'appuyaient aux lances, trempés de sang, avaient encore des frémissements de meurtre. Et, sur tous leurs corps minces, flexibles, des muscles étroits, durs et lisses tressaillaient comme des serpents irrités.

— Sans Youssouf, ils nous chargeaient à notre tour, dit Igricheff à Philippe. J'ai vu les Yéménites et les Zaranigs au combat. J'ai vu également les Bachkires et les Kirghizes. Je n'ai jamais vu de bêtes aussi sauvages.

Il se retourna vers les profils aigus que le carnage semblait avoir rendus plus acérés encore et murmura :

— Ce sont des Adéhemaro.

En effet, beaucoup de guerriers avaient les cheveux

blanchis à la chaux. Tous étaient glabres, avec des traits de rapaces, sauf le plus grand d'entre eux qui portait une barbe en collier.

Il menait avec Youssouf un entretien animé. La conversation fut longue. Tant qu'elle dura, les Danakils demeurèrent en cercle, immobiles, appuyés à leurs lances.

Enfin, Youssouf vint à Igricheff et lui dit :

— J'ai raconté au chef toute la route. J'ai demandé la vie sauve pour Moussa parce qu'il s'est bien battu avec nous. Le chef m'a dit que, depuis ce matin, il suivait à la piste les Issas et voulait les attaquer au coucher du soleil. Mais il a profité de notre bataille. Et parce que nous l'avons aidé, il nous laisse libre passage sur son territoire de Gobad et donnera deux guerriers pour guides jusqu'à Gubbet-Kharab.

— Où sommes-nous donc? lui demanda Philippe lorsqu'il connut la situation.

— Près de Douddée, répondit Youssouf. C'est un point d'eau voisin de celui d'Abaïtou.

— Mais alors, répondit Philippe, nous n'avons qu'un jour de retard. Rien n'est perdu peut-être. En route, vite!

Les mulets furent sellés, bâtés, chargés. Haïlé et Omar déchirèrent un lambeau de leur pagne pour panser les blessures superficielles qu'ils avaient, l'un à la nuque, l'autre au bras gauche. La file se reforma.

Seule Yasmina ne put se lever. Dans le piétinement du combat, elle avait eu une cheville foulée. Sans dire un mot, Moussa la posa sur ses épaules et ferma la marche.

Les guerriers danakils s'étaient égaillés sur les rives de l'oued. Dans le lit desséché demeurèrent, face au ciel et affreusement mutilés, des cadavres noirs.

Deux feux de brousse flambaient dans l'obscurité profonde. L'un éclairait les guerriers danakils qui parlaient de leur victoire. Autour du second s'était disposée la caravane. Les mulets broutaient l'herbe humide qui poussait dans la dépression de Douddé.

Omar et Haïlé dormaient déjà d'un sommeil fiévreux. Moussa, accroupi près de la petite Bédouine, chantonnait doucement. Igricheff et Philippe, ayant achevé l'éternel plat de riz, allumèrent des cigarettes.

— Tout est pour le mieux, dit le bâtard kirghize. Vous avez deux guides pour rejoindre Mordhom. La piste passe entièrement en territoire dankali. Donc pas de surprise à craindre. Vous avez un interprète dévoué : Omar. Je suis tranquille pour vous.

Philippe se mit à rire et répliqua :

— Vous êtes vraiment drôle, Igricheff. Vous me parlez comme si nous devions nous séparer demain.

— Pas demain, ce soir.

— Quoi?

— Je dis bien : nous allons nous quitter ce soir.

— Mais vous êtes fou. Il n'y a que deux routes, celle du Gubbet et celle de Daouenlé. Vous n'allez tout de même pas me faire croire que vous êtes fatigué et que vous voulez rentrer.

Le bâtard kirghize eut un sourire bref.

— Fatigué, je le suis, et d'avance, de marcher encore deux jours ou trois pour vendre la marchandise de Mordhom.

— Alors, où irez-vous?

— Dans le Haoussah, chez les Cheveux-Rouges. Il y a sûrement quelque chose à faire dans ce pays. Personne ne le connaît. Avec Youssouf, j'y arriverai bien.

— Youssouf aussi? murmura Philippe.

— C'est un homme de mon bord et pas du vôtre, ni même de celui de Mordhom. Je vous laisse mon fusil. Vous voyez, je suis large. Adieu Philippe. J'ai de l'amitié pour vous.

Le bâtard kirghize secoua la cendre de sa cigarette et se dirigea vers le campement des Danakils. Philippe resta pétrifié devant le feu. Le sommeil le surprit assis sur une caisse.

Et ce fut la troisième nuit de la caravane.

8

LES PALMIERS AUX POIGNARDS

Transi, courbaturé, Philippe ouvrit les yeux. Les
étoiles, dans le ciel limpide et profond, brillaient
comme de merveilleux signes sans mesure ni sens.

— Il fait encore nuit, murmura Philippe... Je me
suis endormi sur une caisse... Pourquoi?... Ah! oui,
Igricheff...

Le jeune homme se leva d'un bond, comme s'il
avait quelque chose d'urgent à accomplir, à rattraper.
Ses pieds foulèrent la cendre froide du foyer éteint,
devant les flammes mourantes duquel il s'était assoupi.
Dans l'ombre et presque serrés contre lui gisaient les
corps immobiles de ses hommes. Autour d'eux, entravés, les mulets renâclaient faiblement dans leur sommeil. Quelque part, tout proche, mais caché par les
ténèbres, dormait le camp des Danakils. Et avec lui
le bâtard kirghize.

Philippe s'interdit de penser à ce dernier. Il n'avait
que trop réfléchi à son abandon en regardant vaciller
le feu de racines et d'herbes. Il n'avait que trop perdu
de force à cette méditation.

— Igricheff n'existe plus, n'existe plus, répéta
Philippe entre ses dents serrées. Je suis seul, je suis seul
jusqu'au Gubbet-Kharab. Et je mènerai à bon port
la caravane. A bon port.

Il calcula ses chances : deux hommes à lui, Omar et
Haïlé (Moussa ne pouvait continuer en territoire
dankali), deux guides sûrs et dans leur propre pays,

des provisions suffisantes malgré le retard, de l'argent enfin.

En vérité, il y aurait lâcheté de sa part à se sentir troublé parce qu'un nomade au teint jaune avait suivi l'appel de son cœur insatiable et désordonné.

Philippe imagina les étapes forcées, les haltes sans cesse raccourcies auxquelles il allait astreindre la caravane pour essayer de regagner le temps perdu. Un flux d'orgueil le traversa tandis qu'il devinait, confus, prostrés tout autour, les hommes, les animaux qui dépendaient de lui seul.

— Seul! dit-il à haute voix.

Fut-ce la sonorité de ce mot dans le silence absolu du désert et du ciel plus encore que sa signification qui fit passer un frisson dans les os de Philippe? Il ne se le demanda point, car il se vit soudain au milieu de pierres noires, dans des gorges arides, monté sur son mulet aux réflexes lents, environné de sauvages beautés et d'embûches secrètes, n'ayant personne avec qui partager ses ravissements ou ses craintes, limité par le truchement d'Omar aux explications, aux ordres les plus élémentaires et sans aucune communication, sans nulle ouverture, réduit désespérément à lui-même. C'était donc cela, la solitude!

Un étincelant et tragique miroir qui réfractait toutes les émotions, tous les espoirs, tous les effrois.

Philippe considéra les étoiles pâlissantes, la terre encore obscure et il s'avoua humblement que, à ce prix, il ne pourrait jamais être un aventurier. Le danger, sa jeunesse, qui ne pouvait croire à la mort, le lui faisait aimer. La fatigue, les privations, l'eau ignoble, en quelques jours son corps en avait pris l'accoutumance. Mais la solitude, non, son âme n'était point faite pour elle. Il se sentait trop d'amour, trop d'exubérance, trop de vie, en un mot, pour les restreindre à ses propres limites.

Et plus que jamais Philippe admira non point Igricheff qui, pour ainsi dire, était né armé de solitude, mais Mordhom qui avait dû forger ce bouclier d'airain au mépris de son cœur sensible et déchiré. Et plus que jamais Philippe éprouva le besoin, la nécessité de le voir, de partager avec lui le butin spirituel que les journées de marche, de combats et cette aube lui avaient procuré.

Un attouchement à l'épaule le fit tressaillir tout entier. Il se retourna, la main à la crosse du revolver qui, depuis le départ, ne l'avait quitté ni le jour, ni la nuit. Deux hommes étaient là qui s'étaient approchés avec le silence des ombres.

— *Yacoul*, dit l'un d'eux, d'une voix rauque et impérieuse.

Philippe appela Omar.

— Ils veulent manger, expliqua celui-ci encore tout engourdi et trébuchant de sommeil.

— De quel droit?

— Ils sont les guides.

— Ah! je suis très content!

— Ils veulent qu'on parte dès le premier soleil.

— Dis-leur que je suis très content.

Omar traduisit les paroles de Philippe, mais la même voix gutturale, agressive, ne fit que répéter :

— *Yacoul.*

Le premier mouvement de Philippe fut de refuser. Tout prêt à l'amitié, il ne trouvait qu'exigence, arrogance. Mais il pensa aussitôt qu'il ne pouvait point se passer de ces guides sauvages.

— Allume le feu et prépare le déjeuner, ordonna-t-il au Somali.

Omar s'en alla couper des arbustes qui poussaient autour du point d'eau. Dans l'obscurité, il frôla la cheville gonflée de Yasmina. Elle gémit très faiblement, mais sa plainte suffit à réveiller Moussa, étendu auprès d'elle, et que la voix des Danakils n'avait pas réussi à tirer de son lourd sommeil.

— Tu as mal, petite? demanda-t-il d'une voix étouffée.

Yasmina ne répondit pas, plus effrayée que rassurée par tant de sollicitude. Alors, de ses mains, qui pliaient

264

facilement le bois et le fer des lances, l'athlète issa se
mit à masser avec une grande douceur la fragile arti-
culation. Personne ne pouvait le voir. Et la chaleur de
ses doigts puissants sur la cheville malade fut comme
un secret charnel entre Moussa et la petite Bédouine.

Les branches humides commençaient à crépiter
entre les trois pierres réunies la veille. Les deux
Danakils s'étaient déjà accroupis près du foyer.

— Tu comprends, mon chef, dit Omar à Philippe
tout en soufflant sur la flamme, ils n'ont pas du bon
thé, du café comme nous, ou le sucre, ou le riz. Ils
mangent des dattes sèches, boivent de l'eau. Aussi ils
sont beaucoup guerriers et méchants parce que leur
pays est mauvais.

Le feu jaillit soudain, et à sa lueur crue, Philippe
découvrit les visages noirs de ses guides. L'un avait
des traits assez réguliers sous une épaisse chevelure
bouclée et passée à la chaux. Mais l'autre était sinistre.
Sa figure, d'une minceur et d'une acuité singulières,
faisait invinciblement songer à un oiseau de guet, de
violence et de proie. Ses petits yeux étirés avaient un
sombre brillant de métal. Ses paupières sans cils
étaient toutes striées de sang. Sa bouche étroite, son
nez en bec pointu, son front court et bombé, son
incessant rictus montraient un orgueil et une cruauté
inexorables. Sur chacune de ses joues, il portait sept
raies blanchâtres, visiblement faites au fer rouge. Mais
ce ne fut pas à ces cicatrices que Philippe le reconnut.
Ce fut à son fusil. En effet, dans la horde qui, la veille,
avait massacré les Issas, Philippe avait remarqué qu'un
seul Danakil possédait un fusil. Il ne s'en était pas
servi. En le regardant mieux à la clarté du foyer, Philippe comprit pourquoi : le fusil n'avait pas de culasse.
A la suite de quels combats, de quelles sanglantes
traverses cette arme que le guerrier barbare tenait entre
les genoux avec une fierté farouche lui était-elle échue?
Philippe y rêva longuement, pris de nouveau, malgré
tous ses soucis, par cette sorte de griserie violente qui
l'enveloppait chaque fois qu'il pensait à l'épopée large,

dure et sauvage où, depuis des jours et des jours, il vivait.

Autour du feu, toute la caravane se trouvait maintenant réunie. Jusque-là, Haïlé avait toujours étonné Philippe par sa voracité. Il ne la remarqua même pas ce matin à cause de celle des Danakils. On eût dit que rien n'était capable de combler l'estomac de ces deux corps minces et flexibles comme des lanières de cuir. Ils raclèrent la grande marmite pleine de riz. Ils vidèrent par trois fois les boîtes de conserves qui leur servaient de verre et dans lesquelles ils faisaient verser à Omar du thé qu'ils ne trouvaient jamais suffisamment sucré. Enfin, quand tout fut épuisé, ils se redressèrent, passèrent avec satisfaction leurs mains sur leur ventre nu, noir et creux, prirent l'un sa lance, l'autre son fusil sans culasse, allèrent à Philippe.

— Je m'appelle Hassan, dit l'homme à la lance.

— Je m'appelle Gouré, dit l'homme à la tête d'oiseau de proie.

Puis le dernier se mit à parler avec la brutalité impérieuse qui avait déjà indisposé Philippe.

— Il dit qu'il parle pour les deux, traduisit Omar. Il demande cinquante thalers pour te conduire au Gubbet. Et moi je te dis, mon chef, c'est trop.

— J'accepte, mais on ira très vite.

Gouré redressa la tête avec insolence. Le chargement commença à la lueur du foyer. Aucun des deux Danakils n'y aida.

— Si le jour était plus proche, je les forcerais, pensa Philippe. Mais ce matin nous avons le temps.

Comme toujours, ce fut Moussa qui fit le plus gros du travail. Ses bras, ses épaules se tendaient, se détendaient comme des instruments magnifiques. Quand il eut ficelé la dernière caisse, Philippe l'appela et lui fit dire par Omar :

— Je te remercie, Moussa. Tu as été fort, courageux, fidèle. Je ne t'oublierai jamais. Et je te donne le double de ce que je t'avais promis. Que le chemin du retour te soit favorable.

L'athlète noir baisa le coude, la main de Philippe. Son regard glissa vers le bât sur lequel il avait hissé Yasmina, retourna vers le jeune homme, puis encore vers la petite Bédouine.

— Je ne peux pas quitter la caravane si tu ne me l'ordonnes pas, jeune chef, dit-il. Le sang de mon cœur est avec elle. Je te suivrai à travers le pays dankali quoi qu'il arrive.

— Il faut que les guides le sachent, décida Philippe.

Omar discuta quelques instants avec Gouré.

— Il dit qu'il peut prendre cet Issa parce que nous ne verrons pas un homme jusqu'au lac Assal qui est au-dessus du Gubbet-Kharab. Mais là-bas, si des guerriers veulent tuer Moussa, il le laissera tuer.

— Moussa a entendu?

— Il a entendu, mon chef.

— Il veut toujours?

— Toujours.

— Alors...

Et Philippe étendit le bras. Il était juste six heures. Ainsi que chaque matin, à cet instant précis, le soleil se montra.

Gouré et Hassan, comme des lévriers noirs, bondirent en tête de la file des mulets déjà alignés. Philippe sauta sur le sien, placé le dernier et, sans un regard pour le campement où s'éveillait, avec les guerriers danakils, le bâtard kirghize, suivit sa caravane.

Il lui fallut un rude effort pour ne pas tourner la tête, mais quand, à son tour, il eut pénétré dans le couloir dont les parois dérobaient à ses yeux le point d'eau de Douddé, il aspira l'air encore frais avec orgueil. Il s'était montré à la mesure d'Igricheff. La route de celui-ci allait désormais vers l'ouest, la sienne vers le nord. Et il n'y avait pas de retour à cela. Une fois que les destins avaient décidé, il fallait s'y soumettre d'un cœur égal.

Le chemin que prenait la caravane aidait Philippe dans ce dur fatalisme si nouveau pour lui. C'était de nouveau une piste noire, mais large et ferme, semée de blocs gris, et qui serpentait entre des monts couverts par endroits d'une courte végétation épineuse. Ces rochers et ces buissons, cette ampleur de vallée, les perspectives changeantes qu'elle ouvrait sans cesse par ses brusques inflexions sur d'autres monts et sur d'autres gorges, donnaient au paysage une vigueur aride, libre et vivante. Le convoi marchait bien, les mulets ayant fait la veille peu de route, ayant bu à leur soif et reçu bonne ration d'orge outre l'herbe qu'ils avaient pu brouter. Les deux Danakils sautaient de pierre en pierre, chantaient des airs stridents et farouches. Répartis entre les bêtes, couraient Omar et Haïlé, fiers de porter chacun un fusil. Et juste devant Philippe, une main posée sur la croupe du mulet qui cahotait Yasmina, Moussa marchait à foulées puissantes.

Soudain, Gouré montra, au fond du cirque qu'ils étaient en train de traverser, un miroitement liquide.

— Abaïtou, dit le guide.

Philippe tressaillit.

Ce nom qui tant de fois avait hanté ses calculs, il l'entendait enfin et sur le lieu même qu'il désignait! Par le jeu de l'automatisme, il murmura : « Samedi : Abaïtou. Dimanche : Nehellé. Lundi : Alexitane. »

Aussitôt, le sens de la réalité lui revint. C'était déjà lundi. Le lendemain, à l'aube, il devait, d'après le programme établi, rejoindre Mordhom au Gubbet-Kharab. Or, d'après ce même programme, il lui fallait deux jours au moins pour l'atteindre. Et encore, pour cela, il aurait dû atteindre Abaïtou la veille. Philippe regarda sa montre : il était sept heures. Le retard — en ce qui concernait l'étape de la journée même — n'était pas grand. Certainement, dans ses prévisions, Mordhom avait réservé du temps pour la halte de midi. On la brûlerait. On arriverait à Nehellé pour le soir. Mais cela ne suffisait point. Comment faire pour regagner le jour perdu, irremplaçable?

Philippe, à coups de talon, poussa son mulet jusqu'aux guides.

— *Fissa, fissa!* cria-t-il.

Gouré le toisa en ricanant et allongea le pas. Les conducteurs suivirent. On entendit trotter les bêtes, bringuebaler les caisses. Mais bientôt Omar vint avertir Philippe :

— Mon chef, Haïlé et Moussa disent : « Les mulets vont se blesser. Le chargement va tomber. »

— C'est bien, murmura le jeune homme. Ordonne aux Danakils de ralentir.

Gouré tourna vers Philippe sa figure sinistre avec un sarcasme qui tenait de l'insulte. Le jeune homme serra les poings. Mais que pouvait-il répondre ?

Il regagna sa place à l'arrière de la caravane, sortit la carte de Mordhom. Elle ne lui apprenait rien sur le terrain à parcourir, et les distances, d'après l'échelle, étaient certainement inexactes. Seuls, les noms des points d'eau pouvaient servir de repères. Avant Nehellé, il y en avait deux : Galamo et Saggardera. Toute l'énergie du jeune homme se tendit vers eux. Il aurait voulu en sentir, en mesurer l'approche, percevoir chaque kilomètre gagné comme une victoire. Mais cela lui était impossible avec cette piste pleine de méandres, ces monts, ces ravins qui barraient la vue. Et les jalons même qu'il brûlait de reconnaître, rien ne les distinguait du chemin qu'un puits caché entre des pierres, qu'une flaque d'eau qu'il fallait connaître pour la découvrir à cent pas. Il n'avait qu'un seul moyen de contrôle : calculer à peu près, par le temps écoulé, la distance parcourue. Alors, il frémit. La caravane marchait — et c'était une allure limite — à cinq kilomètres à l'heure. Le jour en comptait douze inexorablement. Il en fallait, s'il ne voulait pas tuer les bêtes, au moins trois pour l'abreuvoir, le repos. Il ne restait plus que neuf heures pour avancer. Ainsi tout ce qu'il pouvait espérer parcourir avant la nuit, c'était quarante-cinq kilomètres.

Il pensa aux machines prodigieuses qu'avaient inventées les hommes pour raccourcir l'espace, aux routes, aux cieux sillonnés dans la lumière et l'ombre par de frémissants bolides. Et, tout meurtri qu'il fût de ne pouvoir forcer le temps, il sentit soudain, avec une émotion qui le toucha au plus profond de lui-même, que ceux-là qui montaient ces engins dévorants avaient perdu l'instinct nécessaire de la terre et que lui, derrière ces hommes noirs et nus, dans cette âpre et torride vallée, le retrouvait, poignant, divin.

Il mesura l'exacte puissance de son corps à se mouvoir dans l'étendue. Il comprit que le monde était d'une ampleur infinie et d'une substance difficile pour l'homme. Il connut le prix du soleil, l'interdiction terrible des ténèbres, la magie de l'eau, le sang précieux des nourritures. Et, malgré la chaleur qui se condensait, plus épaisse et plus ardente que jamais, dans le couloir qui se resserrait entre des parois éblouissantes, Philippe eut pour les monts, pour le ciel, pour la piste, les hommes et les bêtes un regard qui portait la trace de sa découverte et de sa gratitude.

A neuf heures, la caravane atteignit Galamo. Gouré interrogea Philippe du regard.

— En avant! dit le jeune homme, le doigt pointé vers la piste.

Gouré vida sa gourde, la remit à Hassan qui courut vers le puits. Lui-même, sans perdre un instant, reprit le train. Pour toute la caravane, ce fut Moussa qui alla remplir les peaux de bouc.

Alors commença la plus dure partie du jour. La chaleur allait sans cesse croissant. Tandis que jusquelà, en suivant la bordure des monts, la caravane avait pu profiter parfois des franges d'ombre, maintenant le soleil ne laissait plus un pouce du sol échapper à sa morsure. Il embrasait tout, les crêtes et les creux, la terre, les cailloux, les broussailles. Les petites perdrix du désert s'élevaient à l'approche des hommes d'un vol sans force. Des serpents qui se chauffaient au creux des pierres ne bougeaient pas, engourdis, et les Noirs, malgré leur haine farouche des reptiles, ne déviaient pas de la piste pour les tuer. Les deux guides ne parlaient plus entre eux, ménageant leur souffle. C'était le règne de la lumière, de l'immobilité, du silence.

Philippe, la nuque ployée sous son terrail trempé d'une sueur qui brûlait, ne regardait plus le paysage. Que lui importaient ces tours et ces détours de vallées, ces oueds qui se succédaient sans fin, et ces collines, ces monts sauvages entre lesquels rampait la caravane, et les muscles de Moussa, et le sourire d'Omar, et cette marche primitive, barbare d'hommes noirs derrière des bêtes lentes? Tout son effort se bornait à résister à l'envie de boire d'un coup l'eau saumâtre et tiède qui battait contre le flanc de son mulet et qui lui paraissait une liqueur de vie. Tout son champ de conscience était occupé par la douleur qui lui poignait les reins, le forçait à descendre de selle, puis, par l'usure de ses jambes, de ses pieds grillés par les pierres ardentes, qui l'obligeaient à remonter.

Et cela dura des heures, des heures.

Il ne consultait même plus sa montre. A quoi bon? Elle pouvait lui apprendre uniquement le temps écoulé, non pas celui qu'il avait encore à souffrir. Cela, seuls le savaient les deux félins sombres qui le menaient. Leur eût-il demandé grâce qu'ils ne pouvaient l'accorder. Il fallait arriver au point d'eau suivant. Quel repos hommes et bêtes eussent-ils trouvé parmi ces monts crevassés, stériles, grésillant de feu aveuglant et de lumière insupportable?

— Saggadera, Saggadera, murmurait Philippe comme une invocation sans force aux divinités du désert enflammé.

Et, lorsque la caravane déboucha dans une arène de chaos et de flamme, où des rocs s'entassaient pêle-mêle comme dressés et rompus par l'incandescence du jour et que Philippe vit étinceler dans une vaste cuvette un liquide qui semblait du soleil fondu, il ne put croire, tant sa détresse était profonde, qu'il était arrivé à Saggadera.

Il se laissa tomber de son mulet, marcha dans une sorte de vertige vers l'eau, y plongea sa figure, puis, sans force, s'étendit sur une pierre plate. Il était à peine conscient. Des bribes de pensées tournoyaient confusément en lui.

« Brûler la halte... c'est nécessaire... Dès que les bêtes auront bu... Mais est-ce que je pourrai? Mourir ici plutôt... Ce serait bon... »

Il entendit le bruit que faisaient les langues des mulets assoiffés. Le clapotement de l'eau remuée était si doux! Pourquoi affronter de nouveau, tout de suite, cette torture, cette réverbération, cette route inhumaine?

Un corps noir, mince, luisant, se dressa devant lui.

— *Yacoul*, dit brutalement Gouré.

— Non.

Le Dankali ne pouvait comprendre le mot. Mais la figure, le geste du jeune homme le renseignèrent. Sa bouche aiguë frémit, laissant apparaître les pointes de ses dents. Un sang plus sombre gonfla les stries rouges de ses paupières. Il secoua son fusil et gronda :

— *Yacoul.*

— A Nehellé! dit Philippe.

Et les bêtes ayant fini de boire, il sauta sur son mulet. Gouré passa le bout de sa langue sur ses lèvres que la colère desséchait et jeta un tel regard à Philippe que celui-ci vérifia le jeu de son revolver dans l'étui. Mais déjà le guide prenait la tête de la caravane. Il était deux heures de l'après-midi. La halte n'avait duré que vingt minutes.

Malgré cela, l'étape suivante fut moins pénible pour Philippe. Il avait pris la cadence de la marche à mulet et à pied. Il voyait, d'après le grossier schéma de la carte, que, de Saggadera à Nehellé, la distance était beaucoup plus courte que de Galamo à Saggadera. Le soleil et la sueur l'avaient enduit d'une patine qui servait de protection. Enfin, la route était d'une beauté si étonnante qu'elle faisait oublier le temps, la chaleur, la fatigue.

La piste s'infiltrait entre des murs hauts et rouges couleur de cuivre, creusés, fouillés de stries sauvages et tout parcourus de veines d'un bleu sombre. Puis elle s'évasait en cirques, toujours gardés par ces parois qui semblaient faites d'un prodigieux métal. Quelquefois, du sommet de l'une de ces murailles, un grand mimosa penchait vers le vide sa tête ronde, hérissée d'épines qui étaient autant de dards étincelants. Et, au milieu des pierres noires, des défilés de cuivre, sous le ciel éternel des solitudes, avançait, comme un lambeau de horde primitive, la caravane. Souvent, Philippe se laissait distancer par elle, pour mieux la voir, minuscule, obstinée, perdue parmi tant de splendeur et de désolation. Il était fier de l'animer, de la tenir dans sa main, de la lancer ou de l'arrêter à sa guise, de sentir les limites de son effort.

Il pensa que la lenteur même à laquelle elle l'astreignait était son plus sûr instrument de découverte, de révélation. Qu'aurait-il vu par les rapides moyens de voyage qu'il avait aimés jusque-là? Des images, des perspectives effleurées. Mais le long contact avec le grain du sol et de la lumière, cette notion des valeurs minérales, ce sens de la sécheresse et de l'approche de l'eau, ce dessin des vallées, des plateaux, des cirques et des monts qui, peu à peu, entraient en lui, cette communication efficace, directe, brute, avec la peau ardente de la terre, comment les eût-il pu connaître sans cette avance pas à pas, où le corps s'unissait à la route, sans le déroulement presque immobile des crevasses mystérieuses, des piliers et des rouges murailles?

Dans ce songe lucide, deux heures passèrent. Et la vallée cuivreuse s'épanouit en une faille large et verte.

De nombreuses nappes d'eau y miroitaient. Sur leurs bords poussait une herbe drue. Plus loin, de hauts massifs épineux offraient des ombrages traversés de soleil. Au milieu, jalonnant la piste, s'élevaient orgueilleusement une dizaine de palmiers. C'était la douce oasis de Nehellé, mais aussi solitaire, aussi vierge que le désert lui-même.

Omar, qui cherchait déjà la meilleure place pour le campement, s'approcha de la première nappe liquide, tendit vers elle son petit visage épuisé. Mais il recula aussitôt avec un léger cri. L'eau était bouillante.

— C'est la source chaude, lui dit Hassan avec orgueil. La source froide est plus loin. C'est à ma tribu que Nehellé appartient.

— A elle seule, appuya fortement Gouré. Et les palmiers, qui sont des palmiers à vin, sont aussi à elle seule.

Toutes ces étonnantes découvertes, Omar les raconta à Philippe lorsque, à l'ombre des grands jujubiers, ils commencèrent à manger leur ration de riz.

— Des palmiers à vin? demanda le jeune homme.

— Oui, mon chef. Quand tu coupes l'écorce près des branches, en haut, il coule un lait, épais comme la cire. Tu le mets dans un pot, tu le fais fondre et c'est la douma, le vin de palme qui fait tourner la pensée.

Son frugal repas achevé, Philippe, accompagné du jeune Somali, se dirigea vers la ligne des palmiers au lait enivrant. Comme il en était à une vingtaine de pas, une main violente le tira en arrière, le fit pivoter. Il se trouva face à face avec Gouré dont, une fois de plus, il n'avait pas entendu l'approche.

— Je ne sais pas ce qu'il veut, cria Philippe, mais dis-lui, Omar, que s'il me touche encore de cette manière, je lui ouvre la figure.

— Et toi, dis-lui, siffla Gouré entre ses lèvres étroites, que nul, sous peine de mort, s'il n'est pas de ma tribu, n'a le droit de venir au pied de ces arbres. Qu'il regarde mieux en haut et il saura.

Ce fut alors que Philippe aperçut, plantés juste sous les bouquets de palmes, les poignards danakils. Il les avait pris jusque-là pour des branches mortes, mais il distinguait maintenant les poignées de bois et la naissance des lames qui hérissaient les troncs d'une floraison sinistre.

— Dis-lui encore, reprit Gouré, que j'ai tué, ici même, des hommes du pays dankali, mais d'une autre tribu, parce qu'ils avaient voulu boire notre douma.

J'en ai égorgé cinq, car je suis le plus grand guerrier depuis Gobad jusqu'au lac Assal. Et chacun le voit à mes joues.

Il passa rapidement, férocement, ses doigts sur les quatorze traits blanchâtres qui encadraient son nez de vautour, et Philippe comprit que chacune de ces cicatrices représentait la mort d'un ennemi.

— Il y en a encore cinq à faire, continua Gouré, pour les Issas d'hier. Tous au poignard. Puis je chercherai ma vingtième victoire pour être illustre dans les récits du désert.

Et le chasseur d'hommes revint à sa nourriture.

Philippe suivit du regard ce tueur qui marchait plus silencieux qu'un chat-tigre, et un frisson de malaise parcourut le jeune homme.

— Aurais-je peur de lui? murmura-t-il. Nous allons bien voir.

Dès l'arrivée à Nehellé, sa décision avait été prise. La caravane ne passerait pas la nuit dans l'oasis. Quelle que pût être sa lassitude, il restait trop de temps jusqu'à la tombée du jour pour ne pas en profiter.

— Une heure de repos et en route, s'était dit Philippe.

L'instant était venu. Par Omar, il fit donner l'ordre de lever le camp. Les Danakils, comme s'ils ne s'apercevaient pas des préparatifs, buvaient par petites gorgées leur thé au goût de sirop. Quand les bêtes furent chargées, Gouré appela le jeune Somali.

— Préviens ton maître, lui dit-il en ricanant, qu'il doit demander leur avis aux guides avant de se mettre en chemin. Il faut la moitié d'un jour pour arriver à l'eau la plus proche. Les mulets ne peuvent pas passer une nuit et marcher beaucoup ensuite sans boire. Tu peux de nouveau enlever les caisses.

Quand Philippe connut la réponse du Dankali, il eut une sorte d'éblouissement. Gouré avait raison, mais comment accepter son conseil, alors que le guide avait, par insolence calculée, laissé faire le chargement ?

Omar, les yeux baissés, attendait la décision de Philippe. Il comprenait son désarroi et, comme il haïssait les Danakils d'une haine séculaire, souffrait avec lui.

— Écoute, mon chef, murmura-t-il soudain. Je connais la vie dans la brousse. Quand mon père faisait un grand chemin sans eau, il emportait des outres pleines pour la famille et les bêtes.

— Merci, Omar, dit Philippe avec un profond soupir de joie. Fais emplir les seaux, les gourdes, vide les bidons de pétrole pour les fanous (1), lave-les, mets de l'eau à la place. Et pour que cela aille vite, les guides vous aideront.

Quand Gouré connut l'ordre de Philippe, il marcha vers lui avec une expression sinistre.

— Un guerrier, un tueur comme moi... commença-t-il.

Fut-ce l'effet du soleil qui, toute la journée, avait chauffé le sang de Philippe, la fièvre du mouvement ou la peur d'avoir peur, le jeune homme ne le sut point, mais il mit le canon de son revolver sur le front de Gouré et lui indiqua deux seaux de toile. Leurs regards se croisèrent un instant, puis le Dankali obéit. Mais la haine de ses yeux cerclés de sang avait été si violente que, lorsque vint l'obscurité et que la caravane s'arrêta sous une roche aride, Philippe ordonna d'entretenir le feu jusqu'au matin et, ayant veillé le premier, fit prendre par ses Noirs la garde tour à tour.

Et ce fut la quatrième nuit de la caravane.

(1) Lampe.

9

LE LAC D'ENFER

AINSI qu'il avait été convenu la veille, ce fut Omar qui monta la garde le dernier. Lorsqu'il vit faiblir les étoiles, il chauffa du café, éveilla la caravane. Philippe, d'un bond léger, fut sur ses pieds, et chercha instinctivement une flaque d'eau pour s'y baigner les mains, la figure. Mais il se souvint que l'eau, ce matin, était strictement mesurée et, s'étant fait verser quelques gouttes dans le creux des paumes, il mouilla seulement ses tempes.

Il se sentit dispos et vigoureux comme il ne l'avait jamais été depuis sa toute première adolescence, considéra avec surprise le lit de cailloux sur lequel il avait si bien dormi et dont il se levait sans une courbature, le sang neuf. Les terribles journées de marche, de soleil, les brefs repas de riz au beurre indigène et l'eau douteuse lui revinrent à la mémoire. Et pourtant, quelle élasticité, quelle intensité physique dans tous ses membres! Il tâta ses bras, son torse. Il avait maigri, certes, et beaucoup, mais ses muscles étaient plus vifs, plus lisses sous la peau que la lumière avait bronzée à travers la chemise légère.

Philippe avala avec délices un gobelet de café, chercha une cigarette. Il eut beau inspecter son étui et ses fontes, il n'en trouva point. Omar, qui le suivait toujours d'un regard affectueux et brillant, tira de son pagne une boîte de carton rose, la lui tendit.

— Tu es plus sage que moi, dit Philippe en riant.

— Oh! mon chef, j'ai acheté beaucoup, beaucoup de cigarettes. Pour toute ma paie de caravane.

Alors, pour la première fois, Philippe songea que son boy, lorsqu'il arrivait exténué à l'étape, devait encore chercher des racines, allumer le feu, préparer le dîner, chauffer l'eau pour tout le monde, qu'il se levait le premier pour faire le café, qu'il portait son fusil, qu'il marchait en chantant, qu'il servait d'interprète. Et tout cela lui était payé de quelques boîtes de cigarettes qu'il partageait du cœur le plus joyeux. Il comptait pour rien ses risques, la soif, les embûches mortelles semées le long du chemin épuisant.

Et Moussa qui, par dévouement, s'enfonçait chaque jour davantage dans un pays dont aucun des siens n'était revenu vivant! Et Haïlé lui-même, avec sa face de métis esclave qui soignait ses bêtes avec autant de sollicitude dans le désert issa que dans le désert dankali!

— Je leur ferai une vie qui, pour eux, sera comme un rêve, se dit Philippe.

Quelques instants, il fut heureux d'être riche. Sa fortune ne lui avait-elle pas permis d'aider Mordhom? Il revit la cargaison d'armes dans les flancs de l'*Ibn-el-Rihèh*. Soudain, il eut un serrement de cœur.

Le matin où il rêvait si tranquillement était le matin même où la caravane aurait dû se trouver sur le rivage auprès duquel, sûrement, se balançait déjà le boutre. Daniel, avec sa lunette, allait scruter bientôt les environs, plein d'inquiétude, de fièvre, peut-être de colère et de dédain.

— Mais ce n'est pas ma faute, gémit presque le jeune homme. J'ai fait tout ce que j'ai pu. Je le ferai encore.

Le soleil n'avait pas paru que les mulets, ayant vidé tous les récipients, s'ébranlèrent. A leur tête, comme la veille, marchaient les Danakils qui, pas une fois, n'avaient tourné leurs regards vers Philippe.

— Les guides ont été calmes cette nuit? demanda ce dernier à Omar.

— Oui, mon chef. Haïlé et Moussa disent : « Ils ont dormi sans bouger. » Je dis la même chose.

Le jeune Somali marcha quelques instants silencieux et reprit :

— Ils ne peuvent rien. Nous avons des fusils. Ils sont deux. Mais quand ils verront d'autres Danakils, ce sera mauvais, mon chef. Mais je te ferai toujours respecter à coups de balles... Et Moussa est très fort avec la hache.

Il sourit de toutes ses dents et courut vers un mulet qui s'écartait de la file.

En effet, la piste qui, la veille, s'était encaissée au sortir de l'oasis de Nehellé, devenait ce matin chaque instant plus large et plus plate et il était difficile d'y maintenir les bêtes en ordre. En même temps que la piste, le paysage tout entier s'amplifiait. De tous côtés, des chaînes de montagnes apparurent l'une derrière l'autre. Au fond, vers le Nord, dans la lumière tremblante et délicate du lever du jour, un immense massif arrêtait la vue.

— Ce ne peut être que le Goudda, pensa Philippe, qui avait tous les éléments de la carte logés dans sa mémoire. Le Goudda... qui se trouve derrière le lac Assal, de l'autre côté du Gubbet-Kharab.

Bien que le massif, derrière les remparts des chaînes successives qui lui servaient de contreforts, parût inaccessible, Philippe exulta. C'était le premier signe du but. Encore un effort, et il y toucherait. Peut-être ce soir même il donnerait à Daniel sa caravane.

Et voici que la vallée par laquelle avançait la petite troupe déboucha soudain, à angle droit, sur une étendue immense et lisse pareille à un fleuve engourdi. Elle était large comme un bras de mer, polie comme un miroir, aride comme le sable et fauve comme une peau de lion. Pas un pli, pas une ride ne soulevait cet extraordinaire espace mort.

— C'est la plaine de Gagadé, mon chef, dit Omar. J'ai entendu beaucoup parler d'elle en Abyssinie. Toutes les caravanes de sel pour le lac Assal passent là, et aussi les caravanes d'esclaves. Alors, c'est dangereux parce que les gardiens des esclaves ont de bons fusils et tirent vite. Tu vois, Gouré surveille.

Le tueur dankali avait grimpé sur un piton et inspectait la plaine lunaire. Mais elle était vide ainsi que le fond d'une mer stérile. La caravane se lança à travers elle. Les mulets, sentant sous leurs sabots cette surface lisse, prirent le trot d'eux-mêmes. Et comme l'étendue n'avait pas une aspérité et qu'ils marchaient l'amble avec douceur, le chargement tint. Trois heures après l'avoir abordée, le convoi avait franchi la plaine.

Elle butait contre les collines nues que gravissait une pente rude. Un troupeau d'antilopes, un instant, barra le sentier, disparut dans les rochers, surgit sur l'étendue vierge de Gagadé et se rua dans un galop magnifique. Longtemps, leurs belles formes bondissantes se détachèrent du terrain poli. Ce fut la dernière vision qu'emporta Philippe de la plaine immense et impeccable.

Puis il fut de nouveau la proie du soleil, de la soif, de vallonnements monotones, de la marche à demi consciente. La vue d'une maigre végétation le fit revenir à lui. Il savait maintenant reconnaître d'assez loin les points d'eau. Et sans que personne le lui indiquât, il dirigea son mulet vers un puits mal distinct que trois jours auparavant il eût été incapable de reconnaître.

— *Yacoul*, grinça Gouré.

Philippe, sans même prendre la peine de lui faire répondre, dit à Omar :

— Une demi-heure de halte pour abreuver les bêtes. Elles mangeront, comme nous, ce soir.

Et pour lui-même, il ajouta :

— Au Gubbet.

Gouré appela le jeune Somali.

— Si nous ne mangeons pas, je ne montre plus le chemin. Ton chien de maître pourra me tuer, mais ensuite, il se perdra. Je veux manger. Je suis comme une hyène, content seulement avec le ventre plein. Si vous autres esclaves vous voulez marcher, suivez la piste sur la gauche. Tu la vois qui glisse entre deux murs de pierre. Là, un enfant irait les yeux fermés. Nous vous rejoindrons après la nourriture.

La réflexion de Philippe, lorsqu'il connut les propos du tueur, fut brève. Il était certain que les guides le rattraperaient pour toucher leur salaire. Et pourquoi recommencer un acte d'autorité qui pouvait se heurter à une obstination inflexible?

— C'est bien, dit-il à Omar. Laisse-leur du riz, du thé et du sucre. Qu'ils fassent leur cuisine. Nous partons. Yasmina est plus courageuse que ces guerriers.

Il sourit à la petite Bédouine, toujours assise sur un bât et que Moussa soignait à chaque halte avec une tendresse qui n'avait plus honte d'elle-même. Yasmina ramena sur son visage ses cotonnades bleues et, de son talon valide, poussa sa monture. Les deux guides et leur feu disparurent bientôt aux yeux de Philippe. La caravane s'engagea dans les gorges de Gongouta.

Aussitôt, ce fut comme un bouleversement fantastique de la terre. Tout ce que Philippe avait découvert en ces quelques jours de farouche beauté et de grandeur sauvage, il l'oublia devant le corridor de rêve et d'épouvante qui, brusquement, s'ouvrit à lui.

Un torrent, le Kellou, à sec dans cette période de l'année, s'était au cours des siècles frayé un passage dans la montagne verte et rouge. Il l'avait ravinée, fouillée atrocement. Son lit était si mince et si profond que le ciel coulait entre les hautes parois sombres comme un filet bleu. Le soleil lui-même, à son zénith, n'arrivait pas à remplir de sa flamme cette fente tragique. De grands pans d'ombre humide en gardaient les mystères béants. Et ce n'étaient que défilés souterrains, cascades de roches immobiles et suspendues, sentiers étroits, comme des rubans, grottes secrètes dont les orifices soufflaient une haleine de soufre, chaos de pierres énormes, nappes d'eau à l'odeur et au goût de sel, porches stupéfiants qui soudain ouvraient sur des abîmes.

Pendant trois heures, Philippe mena sa caravane

dans ces gorges sculptées par les démons. Une excitation voisine de la folie le possédait. Dès le commencement du défilé, il avait mis pied à terre, incapable de rester inactif, pressé par le besoin de se mêler, de se fondre à cet enchantement grandiose et désespéré. Très vite, il avait dépassé tous ses hommes et il allait, il allait, soulevé par le sentiment d'avancer sans guide, seul maître de la cadence de la caravane, ne connaissant plus ni fatigue, ni soif, dans une étrange et vertigineuse ivresse faite d'orgueil, de mouvement et d'admiration éperdue, idolâtre.

Vers quoi pouvait mener ce couloir déchiqueté par des griffes surnaturelles? Vers quel antre, vers quel domaine exclu de l'univers des hommes? Philippe le sut au moment même où le rejoignirent, essoufflés, les deux Danakils.

Les parois suintantes qui étranglaient le défilé s'écartèrent d'un seul coup. Le soleil déferla comme un flot aveuglant, le ciel fut vaste et dur comme un maléfice infini. Et, sous cet azur enflammé, dans un immense cirque de montagnes qui se pressaient sans terme ainsi que des vagues de plus en plus hautes et furieusement tordues par une invisible tempête, trois cercles parurent l'un dans l'autre enfermés. Le premier était d'argent étincelant. Le dernier était peint de ce bleu intense et profond que l'on voit aux eaux mortes.

— Les cercles de l'enfer, murmura Philippe.

— Assal, crièrent les caravaniers.

Aucun d'eux n'était venu jusque-là, mais ils connaissaient tous, par des récits sans âge, l'existence de la coupe fabuleuse qui, depuis des siècles, fournissait de sel les plateaux éthiopiens. Malgré sa hâte, Philippe demeura longtemps rivé à l'endroit même d'où il avait découvert, au milieu des roches volcaniques et de son armure saline, le lac mystérieux. Il se sentait comme pétrifié par cette magnificence maudite. Pour se remettre en route, il lui fallut un effort démesuré.

Les guides reprirent la tête du convoi et descendirent des hauteurs de Gongouta vers le centre du cirque géant. A mesure que s'affaissait le terrain, la perspective fondait. Bientôt la caravane ne fut entourée que de pierres noires. Elles ressemblaient par leur couleur et leur matière calcinée à celles du désert issa, mais leur dessin et leur masse n'avaient pas cette monotonie, cette uniformité. Tantôt elles se dressaient en cônes aigus, tantôt elles formaient des traînées bizarres, pareilles à de gigantesques ossements brûlés, tantôt encore elles s'amoncelaient en quadrilatères puissants et ruineux qu'on eût pris pour les vestiges de demeures diaboliques.

Ainsi la caravane atteignit le bord du lac. Gouré et Hassan, s'arrêtèrent, scrutèrent attentivement le sol. Il était, vu de près, d'un gris nacré, plein de fissures. C'était l'écorce de sel qui ceignait le lac. Sur elle, à peine visible, courait une sente pâle. Les guides s'y engagèrent très prudemment l'un derrière l'autre. Bien qu'il ne comprît pas la raison de leur lenteur, Philippe ne voulut pas les presser. Il y avait dans leur démarche attentive, dans leur effort de souplesse, une sorte d'avertissement qui le forçait à accepter cette allure.

Instinctivement, Haïlé, Omar et Moussa avaient modelé leur attitude sur celle des Danakils et surveillaient avec une acuité particulière le pas des bêtes. La marche rapide à travers les aspérités de Gongouta avait-elle déréglé le chargement du mulet qui portait les provisions? Fut-il la proie de cet égarement qui saisit les animaux fatigués sous le soleil éblouissant? Personne n'eut le temps de le reconnaître, mais il fit soudain un écart qui le porta hors de la piste suivie. Déjà Haïlé s'élançait pour le rattraper lorsque Hassan le saisit brutalement par l'épaule.

— Regarde, cria-t-il.

La croûte de sel avait cédé d'un coup et le sol grumeleux, spongieux, buvait impitoyablement la bête. Les sables étaient des sables mouvants.

A peine Philippe avait-il compris la nature de l'accident qu'un cri enfantin le glaça. Effrayés, les mulets avaient rué et Yasmina, surprise, jetée bas, s'était soudain trouvée saisie par la visqueuse étreinte de la terre. A son cri, un autre fit écho, grondant et rauque, chargé d'une inconsciente souffrance. D'un réflexe, Moussa se jeta à plat ventre sur la piste. Ainsi, porté au centre de son corps par un terrain solide, il tendit les bras. Ses mains agrippèrent la petite Bédouine aux aisselles. Les reins creusés par un effort inhumain, tous ses muscles héroïques saillant sous la peau noire, la poitrine déchirée par des halètements de forge, Moussa tira le corps prisonnier des sables. Longtemps les deux forces s'équilibrèrent, puis lentement le sol se craquela autour de la fillette. Il cédait. Et l'hercule noir se releva lentement, tenant Yasmina entre ses mains tremblantes. Le mulet enlisé avait disparu.

— Plus de provisions, pensa Philippe avec indifférence... Daniel en aura sûrement.

Tout à coup l'idée vint au jeune homme que Mordhom peut-être lui aussi avait été dénoncé, trahi, retardé ou que, son boutre ayant une avarie, il ne se trouvait pas au rendez-vous. Ou encore, voyant la rencontre manquée, Daniel avait déjà appareillé pour le retour. Un léger frisson courut le long de l'échine de Philippe. Comment regagner sans vivres Daouenlé? Comment atteindre Tadjourah, de l'autre côté du golfe, et qui était l'agglomération la plus proche? Retrouver Mordhom n'était plus désormais une affaire d'honneur, un jeu magnifique. C'était une question de vie ou de mort.

Malgré le péril d'enlisement, Philippe poussa fébrilement sa caravane diminuée et, bientôt, hommes et bêtes se suivant avec des précautions d'équilibristes, la zone dangereuse fut dépassée. La piste s'éloigna du lac, glissa de nouveau entre les rocs et les galets noirs.

Une heure s'écoula. Il semblait à Philippe que jamais il ne sortirait de ce funèbre entassement. Plus le convoi avançait et plus se resserraient, se pressaient autour de lui les murailles sombres. Les guides hésitaient, tâtonnaient, s'interrogeaient à voix basse.

S'étaient-ils trompés de chemin? Tout le laissait croire. Une colère impuissante ravagea Philippe. Il se mordit les lèvres pour ne pas injurier, menacer les Danakils. Sans eux, il était perdu dans ce labyrinthe d'encre. Et le soleil commençait à décliner. La nuit tomberait-elle sur la caravane égarée, privée d'eau et de vivres?

Les guides firent signe à Philippe de s'arrêter et se mirent à courir de monticule en monticule comme des chiens de chasse. Enfin, Hassan cria de joie. La caravane, trébuchant sur les pierres croulantes, marcha vers lui. Il montra une porte fantastique, béant entre deux gigantesques parois noires et qui donnait sur un sombre moutonnement de dunes pierreuses. Philippe s'élança par la brèche. Les Noirs et les bêtes le suivirent dans un trot désordonné. Il ne pensait plus à ménager personne. Il fallait arriver coûte que coûte à la mer. Il fallait savoir si l'*Ibn-el-Rihèh* était là. Mais une heure passa encore et rien ne changea dans le tragique paysage, sauf que, par endroits, parurent des touffes d'herbe pâles.

Soudain, Gouré, qui guidait le convoi à travers un couloir encaissé, fléchit le buste, prêta l'oreille. Hassan l'imita. Le son de voix rauques parvint jusqu'à Philippe. Il tressaillit, poussa son mulet sur la pente qui menait à la crête dominant la piste et se trouva au-dessus d'un groupe d'hommes surprenants. Ils étaient vêtus de cuir non tanné et armés de lances légères. Leurs cheveux, d'une longueur démesurée, luisants de beurre, tombaient plus bas que leurs épaules. Des barbes incultes hérissaient leurs joues. Dans leurs yeux brillait une désolation aussi cruelle que sur leur terre damnée.

Quelques moutons noirs broutaient l'herbe entre les pierres noires. Un peu plus loin trois chameaux tordaient leur cou flexible à la recherche d'une nourriture.

Muet de stupeur, Philippe contempla les premiers êtres humains qu'il eût aperçus depuis qu'il était entré dans le désert dankali. Et eux le fixaient avec silence et avidité, car s'ils avaient entendu parler de figures blanches, ils n'en avaient jamais vu jusque-là.

— Salut, Danakils du lac Assal, cria Gouré. Je suis le grand tueur dans les défilés, les monts et les plaines.

Les pâtres sauvages vinrent lui baiser la main. Philippe rejoignit précipitamment ses hommes.

— Ayez vos fusils prêts, ordonna-t-il à Omar. Et que Moussa prenne la hache.

Mais la rencontre se fit sans incident. Seulement, les Danakils suivirent à quelque distance la caravane. Et, lorsqu'elle eut enfin atteint le point d'eau d'Alexitane, ils établirent leur camp en face d'elle.

— Vous resterez ici avec les bêtes, dit Philippe à Omar. Je te nomme chef à ma place.

— Et toi?

— J'irai jusqu'à la mer.

— Tu ne peux pas seul.

— J'irai avec Gouré.

Philippe marcha vers le tueur. Celui-ci, qui buvait goulûment du lait de chamelle, n'enleva pas l'outre de ses lèvres.

— Tu vas me conduire tout de suite au Gubbet-Kharab, lui fit dire Philippe.

Gouré essuya sa bouche du revers de sa main effilée et ne répondit pas. Simplement, il fit entendre, dans la direction du camp des Danakils, un long sifflement. Philippe avança la main pour le saisir à l'épaule, mais Gouré lui glissa comme une couleuvre entre les doigts, bondit en arrière et, le poignard au poing, le regarda en ricanant.

— J'en ai assez de te mener, cria-t-il. Tu n'as plus de riz ni de sucre. Paye-moi ou je me paierai tout seul.

Omar n'avait pas fini de transmettre la menace que la petite troupe se trouvait au milieu des pointes de lances dardées vers elle. Maintenant, Philippe le sentait, rien ne retiendrait plus Gouré. Le besoin et la volupté du meurtre possédaient le sinistre visage.

286

Philippe braqua son revolver sur lui. Au même instant, un fer acéré lui toucha la nuque.

— Tu es à moi, exulta Gouré, et tout ton argent et toutes tes bêtes.

Sans comprendre ce que disait le tueur, Philippe sut que les secondes étaient comptées. Il se jeta à genoux, renversa d'un croc-en-jambe le Dankali qui le tenait sous sa lance et cria :

— A moi, Moussa.

La hache tournoya, dégageant un peu d'espace. Philippe se redressa. Mais le cercle s'était refermé.

— Une salve, et puis nous sommes égorgés, se dit Philippe, je garderai une balle.

Il pensa au bâtard kirghize, à Mordhom. Il ajusta Gouré.

A ce moment, un homme ruisselant de sueur rompit la chaîne farouche. C'était un Dankali pareil aux autres, avec ses longs cheveux beurrés, sa lance et ses vêtements de cuir cru. Mais il cria :

— Françaoui Kebir.

On eût dit un maître mot. Sauf celui de Gouré, tous les visages barbares se détendirent. Un respect, une soumission aveugles passèrent sur les traits des pâtres-guerriers. Ils répétèrent lentement.

— Françaoui Kebir.

Et s'écartèrent de Philippe.

Alors, le Dankali épuisé lui tendit un morceau de carton rose, un fragment de boîte à cigarettes où était inscrit un seul mot :

— Daniel.

Une joie immense envahit Philippe qui lui fit soudain sentir toute sa fatigue. Il regarda le ciel que le soleil désertait. Faire descendre la caravane le soir même était impossible. A l'aube, il la mènerait vers la mer. L'essentiel était que Mordhom le sût. Avec la pointe d'un poignard, Philippe écrivit sur le même morceau de carton :

— Je serai là demain.

Le sauvage courrier, qui avait battu tout le long du

jour les environs du lac Assal, s'enfonça dans l'ombre avec le message.

Malgré sa lassitude, Philippe avait les nerfs tellement tendus qu'il veilla jusqu'au matin. Les défilés arides, la plaine lunaire, les palmiers aux poignards, les gorges de cuivre, les pistes funèbres, les cercles d'enfer, les hommes noirs nourrirent cette veille.

Et ce fut la cinquième nuit de la caravane.

10

LA CONQUE SECRÈTE

PHILIPPE, par un sentier abrupt, dévalait vers le Gubbet-Kharab. Il avait laissé aux guides et à Omar le soin de mener la caravane par un chemin praticable aux mulets. Lui s'était lancé, seul, à pic. Il ne pouvait se tromper de direction. Mordhom lui avait dit que toutes les pistes, toutes les sentes partant d'Alexitane aboutissaient à la crique où il mouillerait. Et Philippe courait, sautait, volait presque. Ses muscles assouplis par des heures et des heures de marche, sa peau durcie par la vie au grand air, ses pieds chaussés d'espadrilles ayant pris l'habitude du sol brûlant, des pierres croulantes, ses yeux, enfin, accoutumés à juger les distances, la lumière, le danger, lui donnaient un équilibre nouveau.

Il ne regardait rien autour de lui. Toute son attention était fixée sur l'espace immédiat à franchir, sur la roche où se poser, sur la déclivité où glisser, sur la faille à traverser d'un bond. En quelques instants, les bruits du campement dankali, la rumeur de la caravane qui se mettait en marche s'évanouirent. Le silence ne fut plus brisé que par le bruit des cailloux qui roulaient sous ses pas. Et ce silence même soulevait Philippe d'une fièvre plus impatiente encore, le portait, le poussait dans sa course.

Soudain, plus bas que lui, des coups de feu crépitèrent. Un instant le jeune homme s'arrêta. Un dernier obstacle imprévu, incompréhensible, allait-il s'interposer entre Daniel et lui? Incapable de la moindre prudence, il se jeta en avant, arriva à une plate-forme couverte de pâles fleurs jaunes. De là, on découvrait un paysage immense. Mais Philippe ne l'aperçut point. Ce qu'il vit, ce fut, montant vers le palier où il se trouvait, un homme qui tenait un fusil fumant. Cet homme était encore loin, mais à ses pantalons bleus, à son torse couleur de terre brûlée, à ses côtes saillantes, Philippe le reconnut. C'était Mordhom... Mordhom qui venait à sa rencontre et qui tirait pour signaler sa présence.

Inconscient de ce qu'il faisait, simplement pour libérer le tumulte magnifique qui l'emplissait, Philippe brandit son revolver, pressa, pressa sur la gâchette jusqu'à ce que le chargeur fût vide. Et il courait toujours. Il semblait que son corps se déplaçait sans toucher terre et que celui de Mordhom venait à lui de la même façon.

— Daniel, Daniel, j'ai un jour de retard, cria Philippe, mais je vous expliquerai!

Mordhom ne l'écoutait pas. Il disait:

— Philippe, mon petit, vous êtes là. J'avais si peur. Vous avoir lancé dans une telle aventure. Je ne pouvais me le pardonner.

Ils se tenaient les mains étroitement serrées, comme si quelque chose les pouvait désunir encore, riaient nerveusement, balbutiaient ensemble des mots sans suite.

— Quelle figure vous avez, s'écria enfin Mordhom, et cette barbe, je ne vous reconnais plus!

— Et moi je vous reconnais plus que jamais de sortir comme un diable de ces pierres noires avec vos Noirs... Mais ce sont les frères Ali, Bonjour, Ali Mohamed. Bonjour, Ali Boulaos. Je ne les distingue toujours pas! Daniel, Daniel, que je suis content! Je ne suis pas arrivé sans peine. L'abane nous a trahis, les Issas nous ont attaqués, les étapes doublées, le soleil, la soif, le tueur que j'ai failli tuer, les sables mouvants, les provisions perdues...

— Et Igricheff?

— Ah! c'est vrai, je suis stupide, vous ne pouvez pas savoir. Igricheff m'a quitté. Avant Abaïtou. Il est parti pour le Haoussah, avec Youssouf. Mais quelles splendeurs j'ai vues! Que de choses j'ai découvertes autour de moi, en moi!

— Igricheff et Youssouf vous ont quitté!

— Mais bien sûr, dit Philippe en riant. Il n'y a pas de quoi faire une tête pareille. Vous aimiez donc si fort votre Chinois, comme vous l'appelez?

— Qu'il crève sur le pal, cria Mordhom avec une fureur qui gonfla toutes les veines de son cou. Que le sultan du Haoussah l'écorche vif. Il vous a laissé, vous, qui êtes neuf dans ce pays, ignorant de la langue et, par surcroît, il a emmené le seul homme dont je fusse vraiment sûr. Si j'avais su, si j'avais pu prévoir...

Ses yeux profonds étaient élargis par une angoisse rétrospective, ses épaules nerveuses tremblaient légèrement.

— Et malgré cela, vous n'êtes pas retourné en arrière! Vous avez rattrapé un jour, poursuivit-il. Vous avez su mener vos hommes! Je suis fier de vous, Philippe.

— Je le suis moins, répondit le jeune homme, transporté et gêné à la fois par la louange de cette bouche sévère. Je vous ai tout de même fait manquer le rendez-vous à Hedeïto.

— Mais non, mais non, calmez-vous. Nous avons encore une chance. Je vous expliquerai. Descendons d'abord au bateau.

Alors seulement Philippe aperçut le paysage et bien qu'il eût cru que sa faculté d'admiration était épuisée par tant de spectacles sublimes, il murmura :

— Que c'est beau!

A perte de vue, comme un fer à cheval hérissé de pointes, se profilaient des crêtes frappées de soleil. Épousant la courbe des monts qui les portaient, on voyait d'abord une cascade de pierres noires et, au bas de cette immobile et sombre avalanche, la baie de Gubbet-Kharab et plus loin le golfe de Tadjourah. Près du rivage, deux îles aiguës cernaient une crique harmonieuse où, doucement, se balançait une voile.

Cette eau sertie de galets sombres était merveilleusement bleue, non pas de ce bleu trop profond, trop lourd que Philippe avait vu au lac Assal, mais d'un bleu chaud, palpitant, vivant. Et à l'élan passionné de son cœur, le jeune homme sentit qu'il faisait une suprême découverte. Après le sens de la terre, il venait de connaître le sens de la mer. Elle était là, libre et large, route immense, éternelle et facile du vaste univers. Elle joignait les continents, elle portait l'homme sur une planche d'un bout à l'autre du monde. Elle était son rythme, son chant, son sang.

Pareil aux Grecs de l'*Anabase*, Philippe, lui aussi, après tant de défilés de gorges et de plaines tragiques, cria :

— La mer, la mer!

Toute la chaleur de la caravane, toute la sécheresse et la sueur alternées de son corps pendant les journées de marche le brûlèrent d'un seul coup, lui furent intolérables. Il se rua vers la crique d'un tel élan que Mordhom lui-même eut peine à le suivre. Quand Philippe entendit le bruit cadencé du ressac, il arracha, tout en courant, ses vêtements, jeta son revolver. Puis, il mêla ses membres à l'eau tiède et bruissante.

Le *houri* du boutre était échoué sur la grève, mais Philippe n'y fit pas attention. D'une nage aisée, délicieuse, il se dirigea vers l'*Ibn-el-Rihèh*. Le vieil Abdi qui l'attendait, penché par-dessus le bastingage, le hissa sur le pont, lui baisa la main avec une joie véritable. Et le petit mousse vint aussi, les yeux brillants, doux et fidèles.

Il y avait, en outre, groupés à l'arrière du bateau, trois hommes que Philippe voyait pour la première fois, mais qu'il reconnut du premier coup d'œil pour des Danakils.

— Ce sont les guides de Mordhom, pensa Philippe. Mais à quoi vont-ils servir maintenant?

Cette question ne fit que traverser son cerveau, car il s'aperçut qu'il tombait de faim. Tout naturellement, le mot arabe vint à ses lèvres :

— *Yacoul*, dit-il au mousse.

Il s'allongea, nu, à l'ombre de la voile. L'enfant lui apporta du pain de dourah, un morceau de derak froid grillé le soir précédent, du vin. Mordhom le trouva mangeant et buvant avec félicité.

— Je parie, dit l'aventurier de la mer Rouge avec un rire plein de tendresse, que vous n'avez même pas remarqué que la cargaison est déjà débarquée.

— C'est vrai, avoua Philippe qui, en se penchant un peu, aperçut des caisses de munitions et de fusils alignées sur le rivage. Mais alors, Daniel, vous espérez encore?

— Je vous ai dit qu'il restait une chance... Voici... Quand je calculais qu'il fallait deux jours pour atteindre Hedeïto, je comptais passer par la piste normale qui contourne les contreforts du Goudda que vous voyez ici. Il n'est plus temps. Le convoi de Saïd sera à Hedeïto ce soir, en partira demain, si je ne le rejoins pas dans la nuit. Alors, j'ai écouté le conseil de Faradda, celui-ci, le chef de mes guides.

Il montrait le plus âgé des trois Danakils, un homme aux longs cheveux gris, sec et noueux comme un sarment.

— Personne ne connaît comme lui les pierres et la brousse depuis le lac Assal jusqu'à l'océan Indien, poursuivit Mordhom. Et Faradda m'a assuré qu'il y avait un sentier très dur, coupant droit dans la montagne et par lequel, en douze heures, on pouvait atteindre Hedeïto. Des hommes seuls, bien entendu. Pour les mulets, surtout chargés comme ils doivent l'être, il doute. Mais il faut risquer. Aussi, quand j'ai reçu cette nuit votre bout de carton, j'ai fait débarquer les caisses par le houri. Ça n'a pas été facile. Nous avons travaillé jusqu'à l'aube. Puis, je suis allé vous chercher. Dès que votre caravane arrivera, je charge et je pars. Les bêtes sont en bonne condition?

— Pas mauvaise. Je me suis occupé d'elles plus que des hommes. Elles ont encore eu leur plein d'orge cette nuit.

— Bon. Elles tiendront et reprendront des forces à Hedeïto, car je les cède en même temps que les armes. Pour vos hommes, j'aurais voulu leur épargner la fatigue d'une nouvelle et dure étape, mais j'en ai besoin. Dans le raccourci que nous allons prendre, il faut le plus de conducteurs possibles pour les mulets. Donc, je les emmène. Si tout va bien, comme je ne veux pas les exténuer, je vous retrouverai ici après-demain soir.

— Vous me retrouverez! Vous croyez que je n'irai pas avec vous! Un vieux caravanier comme moi.

— Mais vous devez être mort.

Philippe fit entendre son beau rire, plein et frais.

— Tant que vous chargerez, je vais dormir. Après quoi, je vous tuerai à la course. Maintenant, je sais ce que je peux.

La caravane arriva au bord du Gubbet-Kharab à 9 heures. Tout le monde se mit au travail; les trois guides, Faradda, Schekhem et Djamma, les matelots, Moussa, Haïlé, Omar.

Mordhom paya Hassan et Gouré qui disparurent aussitôt, fit mener Yasmina sur le boutre et réveiller Philippe.

— Nous sommes huit — car je laisse les matelots garder le bateau — pour huit mulets, dit-il à Philippe. Appareillons.

Chaque homme prit une bête par la bride. Faradda ouvrait la marche. Derrière lui venaient Mordhom, puis Philippe, puis Omar, Moussa, Haïlé. Quant à Djamma et Schekhem, ils formaient l'arrière-garde. Tous avaient des fusils à répétition, une gourde, un bissac rempli de galettes de dourah. C'était une véritable troupe en campagne. Et Philippe, mesurant la différence de cet équipement avec celui de sa caravane, eut un sentiment de fierté pour les jours écoulés, de sécurité profonde pour les heures à venir.

Le convoi suivit quelque temps le rivage. Le terrain était relativement aisé. Omar en profita pour se rapprocher de Philippe.

— J'ai cru encore, dit-il, qu'il faudrait faire bataille après ton départ, mon chef. Gouré, j'ai entendu, disait aux Danakils d'Assal de nous tuer parce que nous étions trois. Il disait : après, avec les mulets, dans la montagne, qui pourra nous punir? J'ai fait savoir ça à Moussa, à Haïlé. Mais les Danakils ont peur de Françaoui Kebir. Tout le monde le connaît près de Gubbet-Kharab. Ils n'ont pas voulu. Alors nous avons pu venir sans bataille.

— Le sauvage, grommela Philippe. Heureusement que nous en avons fini avec lui. Je n'aurais pu me retenir davantage.

Or, comme il achevait ce propos, une silhouette onduleuse surgit d'un bloc de rochers noirs et se mit à suivre la caravane sur le flanc droit. Et Philippe, avec un frémissement de colère qui le parcourut tout entier, reconnut Gouré. Que cherchait le tueur? Un renouveau de nourriture abondante? Une récompense en argent pour accompagner le convoi?

Philippe ne se le demanda point. Toute l'excitation de sa rencontre avec Mordhom chargeait encore ses nerfs. Et déjà, le soleil frappait durement sa nuque. Il lâcha la bride de son mulet, se jeta devant Gouré.

— Va-t'en, cria-t-il d'une voix plus aiguë qu'à l'ordinaire.

Le tueur le toisa longuement de ses yeux cernés de filets rouges et cracha par terre. Le réflexe de Philippe fut instantané. Son poing s'abattit sur la figure hideuse.

Malgré toute sa souplesse, Gouré n'avait pu éviter le coup. Il l'atteignit à la bouche. Gouré se plia en arrière, tira son poignard.

— Cette fois, je t'abats, s'écria Philippe.

Mais avant qu'il eût pu l'ajuster de son revolver, le tueur fit deux bonds de chat, glissa entre deux rochers sombres, s'évanouit.

— Tirez, mais tirez donc, cria Mordhom qui avait pointé trop tard sa carabine.

— Pourquoi? demanda Philippe en respirant lourdement. Il a renoncé à m'attaquer.

— Nous étions trop et vous le teniez à bout portant. Mais il ne vous pardonnera pas. Et c'est un homme dangereux. Mes guides le connaissent, le détestent, mais le craignent. Il faudra veiller singulièrement.

L'espace d'une seconde, la gravité de Mordhom émut Philippe, mais il se retourna, considéra la file d'hommes fidèles et armés qui les suivait dans ces solitudes où un fusil est un bien rare entre tous. Haussant légèrement les épaules, il pensa :

« Daniel tremble pour moi comme pour un enfant en nourrice. »

Et il oublia Gouré.

La caravane avait quitté le rivage plat du Gubbet-Kharab et attaquait en ligne droite l'escarpement qui menait au faîte de la première chaîne montagneuse. C'était une sorte d'escalier gigantesque, fait de dalles noires, abruptes et posées l'une sur l'autre presque à la verticale. Il semblait impossible, à première vue, que les bêtes, lourdement chargées, le pussent gravir. Pourtant, le mulet que menait Faradda posa, sans hésiter, ses pieds de devant sur le premier des gradins naturels. Puis, d'un coup de rein précis et puissant, il souleva son arrière-train et, à l'instant où allait se rompre son instable équilibre, réunit ses quatre sabots avec une souplesse merveilleuse. Il recommença la même manœuvre pour la deuxième dalle. Les autres bêtes, patiemment, prudemment, le suivirent. Quand les degrés massifs étaient trop élevés, les conducteurs, faisant un léger détour, ramenaient de biais les mulets sur l'obstacle. Parfois, ils les soutenaient à la force du poignet à la seconde où l'effort des animaux paraissait fléchir. Ainsi, de pierre en pierre, dans un cliquetis de mors, de caisses et de bâts, monta la caravane. Quand Faradda s'arrêtait pour laisser souffler son mulet ou pour vérifier une sangle, toute la file s'immobilisait. Philippe, alors, n'avait qu'à détourner légèrement la tête pour voir, suspendue au-dessus d'un abîme noir et d'une mer bleue, une étrange chaîne à demi animale, à demi humaine, accrochée au flanc sombre de la montagne. Puis, par soubresauts, comme une chenille mal articulée, elle reprenait son ascension. Plus elle montait et plus le péril d'une chute devenait évident, car à chacun de ses élans le gouffre se creusait davantage et la paroi, vue de plus haut, semblait plus lisse, plus vertigineuse. On eût dit que les mulets sentaient qu'il n'y avait plus, pour eux du moins, de retour possible. Pas un seul ne renâcla, ne broncha, ne glissa. Avec une mesure et une justesse infaillibles, ils suivaient leurs conducteurs, équilibrant leur progression, posant là où il le fallait, et à un centimètre près, leurs sabots intelligents, sensibles. Gradin par gradin, coup de rein par coup de rein, ils escaladèrent la muraille.

Et, sous le soleil de midi, Philippe revit, du côté opposé à celui par lequel il l'avait abordé la veille, le lac Assal et sa splendeur infernale. Les trois cercles enchantés, éternels, étaient là, gardés par les vagues pétrifiées des monts.

— Le plus risqué est fait, dit Mordhom à Philippe. Je le vois au visage de Faradda.

Le vieux Danakil hochait légèrement la tête et dans ses yeux noirs, atones, brillait un petit point lumineux.

La caravane se remit en marche, et ce fut la route lente, épuisante que Philippe connaissait si bien, sous le soleil dans sa pleine force, à travers des champs de cailloux aigus, noirs et ardents, entre de sinistres couloirs volcaniques. A l'entrée, à la sortie de chaque défilé, Mordhom envoyait en éclaireur Schekhem ou Djamma pour s'assurer si le passage était sûr. Il avait beau affirmer à Philippe que les abords du Gubbet-Kharab étaient peuplés des tribus les plus sauvages parmi les Danakils et que ces précautions s'imposaient, le jeune homme sentait bien qu'elles n'avaient pour seul but que de le protéger contre une traîtrise de Gouré.

— Quel temps vous perdez! s'écriait-il chaque fois.

Mais Mordhom demeurait intraitable. Aussi, la caravane franchit très lentement la zone des roches noires et n'aborda que vers 4 heures le terrain couvert de végétation épineuse qui lui succédait.

D'abord, l'avance fut assez facile. Les buissons étaient espacés. Le sol plat était feutré de brindilles sèches. Les grands tallas, les mimosas géants aux têtes rondes donnaient de l'ombre. Mais, très vite, la brousse resserra ses arbustes, ses plantes. Les mulets, piqués aux naseaux par mille pointes s'affolèrent, ruèrent. Il fallut leur scier la bouche à coups de leurs terribles mors abyssins pour les faire obéir. Les branches déchirantes pliaient sous leur passage et revenaient frapper les conducteurs à la figure. Bêtes et hommes furent bientôt en sang. Et le taillis acéré devenait à chaque pas plus dru, plus compact. Faradda, alors, prit le grand poignard dankali qui battait sa hanche creuse et se mit à frayer un chemin à la caravane. Moussa qui, au départ, avait accroché sa hache à la ceinture, le rejoignit. La brousse craqua, gémit, s'ouvrit. Derrière les noirs bûcherons, la caravane passa.

— Ce trajet ne m'inquiétait point, dit alors Mordhom. Voici l'obstacle véritable.

Il indiquait une énorme masse rocheuse qui, à un kilomètre de là, barrait le chemin.

— La contourner demande trop de temps, poursuivit Mordhom tandis que le convoi marchait vers elle. En gravir les parois est impossible. Elles sont, dit Faradda, lisses comme son poignard. Il connaît bien une fissure qui mène de l'autre côté. Il y est même passé dans sa jeunesse. Mais ses souvenirs ne lui permettent pas de se prononcer pour les bêtes.

Même dans les gorges de Gongouta, Philippe n'avait pas vu un défilé si clos. Le ciel au-dessus de lui n'était qu'une ligne. L'ombre le noyait complètement. Souvent, les murailles se joignaient, formant d'humides tunnels. Les mulets glissaient, cognaient leurs charges contre les parois et chaque fois Mordhom tremblait que le choc n'éventrât une caisse. Il arrivait que des grandes failles coupaient le chenal sombre. Les bêtes s'y enfonçaient doucement, remontaient avec peine. D'autres fois, il leur fallait sauter une dénivellation trop forte. Alors, les conducteurs les soutenaient par la bride, par les bâts. Et toujours les murailles les frôlaient. Enfin, Faradda s'arrêta net. Un bloc crevassé barrait le sentier. En s'aplatissant, un homme pouvait se glisser dans le mince espace libre, mais pour les mulets, élargis par les caisses qu'ils portaient, il n'y fallait point songer.

— Voilà ce que je craignais, murmura Mordhom.

Tous les hommes s'étaient tassés près de l'obstacle infranchissable, discutant, criant. Faradda, une fois encore, tira son poignard. Les autres l'imitèrent. Mais ils sentirent vite que les armes se briseraient contre la pierre. Ils voulurent alors, ensemble, arracher le bloc. L'étroitesse du défilé les empêchait de conjuguer leurs forces et ils se bousculèrent inutilement. Alors, Moussa les écarta d'une ondulation du torse, introduisit ses doigts épais dans les défauts de la pierre et s'étant assuré que sa prise était bonne, s'arc-bouta désespérément. Tous les muscles dorsaux jaillirent d'un coup comme des leviers. Ses épaules craquèrent sous l'effort, mais un frémissement à peine perceptible parcourut la roche. Moussa s'arrêta, essuya la sueur et le sang de ses paumes, respira posément. Puis, il étreignit de nouveau le bloc. On le vit remuer. Moussa se reposa encore, jeta un coup d'œil sur ses ongles arrachés, recommença. Et, à la cinquième tentative, l'hercule noir fit un bond de côté. Avec fracas, le bloc croulait.

— Celui-là, celui-là, dit Mordhom, je le couvrirai d'or.

— Il y a mieux à lui donner, répliqua Philippe. Et je sais quoi.

Un cri joyeux, et que depuis longtemps il n'avait pas entendu, s'éleva :

— La voie est libbe, chantait Moussa, avec son magnifique sourire.

Il était temps que la caravane sortît du défilé. La nuit tombait. Aux dernières lueurs du bref crépuscule, Mordhom et Philippe aperçurent un plateau sans aspérité et couvert de sable gris qui se perdait dans l'ombre naissante. L'obscurité n'empêchait pas d'y avancer, mais comment se diriger? Cela semblait impossible. Mais Faradda s'enfonça délibérément dans l'ombre qui s'épaississait de minute en minute.

— D'après quoi se guidera-t-il? s'écria Philippe interdit.

— Demandez aux oiseaux migrateurs, répliqua Mordhom. Et maintenant, suivez en silence... Nous ne devons plus être très loin. Et les hommes de Saïd ont le coup de fusil facile.

Une étonnante marche nocturne commença. Très rapidement les ténèbres furent complètes. Le pas des hommes et des bêtes, étouffé par le sable, ne faisait aucun bruit. Il fallait tendre toute l'acuité de la vue pour apercevoir, flottant devant soi, une ombre très vague qui était la croupe d'un mulet. Il fallait éviter de lever les yeux, car éblouis par le scintillement des étoiles, ils ne distinguaient plus rien pendant quelques instants. Il fallait marcher dans les pas des bêtes, sans quoi la chaîne se fût rompue. La nuit frémissait autour de la caravane invisible. La solitude l'enveloppait d'un réseau magnétique et farouche. Elle glissait, file d'ombres, dans le royaume de l'ombre, comme une barque muette qui avance sous un coup de rame.

Brusquement se dessina une masse plus obscure que

la nuit. Faradda s'arrêta longtemps, sembla écouter la colline, obliqua vers la droite. Il allait de plus en plus lentement, de plus en plus prudemment. Derrière lui, la caravane piétinait en silence. Le vieux guide s'arrêta de nouveau, se pencha en avant. Faible comme un morceau de braise déjà recouvert de cendre, une lueur filtrait du mur compact. Faradda fit quelques pas en arrière, toucha l'épaule de Mordhom. Celui-ci dépassa le mulet de tête, avança encore et soudain cria d'une voix aiguë qui sembla déchirer l'envoûtement de la nuit :

— Par le nom de Saïd, guetteur, ne tire pas.

Puis, Mordhom fut comme dévoré par la muraille. Un quart d'heure s'écoula.

— Vous pouvez venir, Philippe, cria l'aventurier de la mer Rouge.

Bruyamment, la caravane s'ébranla. Au seuil d'une fissure aussi étroite que celle qu'avait débloquée Moussa, une sentinelle se tenait, le fusil à la main. Les mulets et les conducteurs s'arrêtèrent. Philippe s'engagea dans la fente. Elle avait une cinquantaine de mètres de long. Un seul tireur médiocre y pouvait tenir en échec toute une troupe. Elle déboucha soudain dans un cirque réduit, de forme douce et belle comme celle d'une conque marine. Une nappe d'eau limpide en occupait le centre. Au fond, brûlait un feu que reflétaient les parois lisses et roses. Et autour de ce feu étaient réunis des hommes de toutes les races qui peuplent le bassin de la mer Rouge : Abyssins, Somalis, Arabes du Hedjaz et du Yémen. Ils étaient une trentaine en tout et jamais Philippe n'avait vu assemblées autant de silhouettes tragiques. Hirsutes, en guenilles, armés jusqu'aux dents, les caravaniers de Saïd avaient tous des mufles si effrayants de rapine et de meurtre que le jeune homme eut un mouvement de recul instinctif.

— Tout est réglé, dit joyeusement Mordhom. Leur chef qui sait écrire me donnera demain reçu du chargement. Il va s'occuper de faire enlever les caisses et de faire entrer les mulets. Philippe, nous sommes riches. Nous n'avons plus qu'à manger et à dormir.

Lorsqu'ils furent rassasiés, ils s'étendirent côte à côte, cependant que les bêtes et les conducteurs pénétraient un à un dans la conque secrète.

Et ce fut la sixième nuit de la caravane.

11

LE TALION

AVANT que le soleil parût, Philippe se réveilla, fit un mouvement instinctif pour se lever. Il fallait ordonner à Omar de préparer le café, de faire charger. Mais le jeune homme retomba aussitôt, plein d'une béatitude infinie, sur son lit de pierres. Pour la première fois depuis que, avec ses mulets, ses Noirs et le bâtard kirghize, il avait quitté Daouenlé, il se sentait le droit de régler sa vie autrement que sur la naissance et la chute du jour.

Il voulut reprendre son sommeil mais en fut incapable. L'habitude était encore trop récente et aussi trop profonde en lui. Les yeux mi-clos, il observa comment, peu à peu, le ciel se dépouillait de ses ombres et de ses brumes. Il regarda dormir les bêtes écrasées de fatigue dans l'étrange étable que formait la conque de Hedeïto, ses hommes recrus, gisant comme des cadavres, les faces terribles, même au repos, des caravaniers de Saïd, et Mordhom enfin, couché près de lui. Il goûta la vigueur, la sauvage poésie de ce spectacle. Il pensa qu'il l'avait gagné contre toutes les embûches, contre tous les périls. Et il sut que, de tous ses beaux matins, celui-là était le plus beau.

Il resta étendu, sans mouvement, bercé par une sorte de chant intérieur, tendre, clair et léger, jusqu'à ce que le camp se mît à vivre. Et, même dans la rumeur qui alors, emplit la conque, cette grâce sereine ne l'abandonna pas. Un chaud sourire éclairant son visage, il circula, doucement désœuvré, entre les groupes, s'entretint avec Omar, caressa le front crépu de Moussa, donna des cigarettes à Faradda. Il se pencha aussi sur les grands yeux tristes des mulets, se rappela leur sens de l'équilibre, leur endurance, leur fidélité et il éprouva une peine enfantine à quitter ces bêtes si patientes que, depuis le chemin de fer éthiopien, il avait amenées aux rives sauvages du Gubbet-Kharab.

Ainsi coula paisiblement la matinée que Mordhom employa à faire vérifier sa cargaison par le lieutenant de Saïd.

Quand il en eut terminé avec ce travail, il dit à Philippe :

— Nous allons déjeuner ici, puis, sans hâte, nous gagnerons le point d'eau de Boullakhta qui est situé de l'autre côté de la brousse que nous avons traversée hier. Nous y passerons la nuit. D'abord parce que Moussa, Omar et Haïlé, je le vois bien, sont à bout. Ensuite, parce qu'il ne fait pas bon de s'aventurer dans l'obscurité sur les pentes du Gubbet. En route nous tuerons quelque chose pour le repas du soir. Et demain, nous serons sur le bateau, peu importe à quelle heure.

Ce programme fut suivi fidèlement. Aucune rigueur, aucun ordre... Une allure libre, facile... Les lieux traversés la veille avec fièvre et anxiété s'ouvraient maintenant d'eux-mêmes à l'avance de Mordhom, de Philippe et de leur escorte. Ce plateau si mystérieux dans la nuit, tout peuplé de souffles et de troubles présences, le soleil en faisait un tapis d'or et le sable en était doux aux pieds meurtris. Sur lui les deux jeunes Danakils se poursuivaient gaiement, tandis que Faradda rêvait au vin de palme qu'il aimait par-dessus tout après les courses dans la brousse. Omar, Haïlé et Moussa, que les étapes fournies ensemble avaient profondément liés, se rappelaient mutuellement avec un orgueil emphatique leurs marches, leurs angoisses et leurs combats. Quant à Mordhom et à Philippe, ils ne parlèrent guère, mais, marchant épaule contre épaule, échangeaient souvent un regard ou un sourire tout empreints d'une amitié heureuse.

Pourtant, lorsqu'ils approchèrent du défilé dont ils n'étaient, le jour précédent, sortis qu'au crépuscule, Mordhom envoya en avant Schekhem et Djamma avec l'ordre de le battre dans toute sa longueur. Il n'y pénétra qu'après avoir appris de ses éclaireurs qu'il ne cachait personne.

— Gouré vous hante, remarqua Philippe.

— Sans doute, il n'y a plus rien à craindre, répondit Mordhom, mais tout de même, avec un tueur de cette sorte, je ne serai vraiment tranquille qu'une fois à bord. Vous l'avez outragé mortellement. Et devant des guerriers de sa race. Et devant un Issa.

— Mais, nous sommes huit fusils!

— C'est vrai, c'est vrai, grommela Mordhom. Et il est seul, car, dans ces parages, contre moi, personne ne voudra le suivre.

— Alors?

— Sait-on jamais?

— Allons, Daniel, vous n'êtes plus vous-même.

— C'est qu'il ne s'agit pas de moi...

Ils se turent de nouveau, car deux hommes ne pouvaient avancer de front dans la fissure. Quand ils en sortirent, la brousse verdoyait à l'horizon. La chasse à sa lisière fut propice : une grande gazelle et deux dig-digs.

— Enfin, je vais manger de la viande! s'écria joyeusement Philippe. Je vous avouerai que, malgré mon entraînement, j'ai assez du riz pour l'existence entière.

Comme le chemin était tout frayé à travers les buis-

303

sons chargés d'épines la petite troupe se trouva vite de l'autre côté du terrain envahi par la brousse. La source de Boullakhta n'était pas loin, en bordure des premiers arbres.

— Ce sera un beau campement, dit Philippe. Du bois à profusion, de l'eau claire, un rôti pour dîner, des herbes pour dormir. Je n'ai jamais rien eu de pareil. Vous êtes un sybarite, Daniel.

Et le rire de Philippe, que Mordhom aimait tant entendre, sonna comme la joie même de vivre.

Les Danakils enlevèrent la peau des bêtes tuées, les dépecèrent à l'aide de leurs grands poignards. Moussa qui était parti dans les buissons avec sa hache rapporta une immense brassée de bois vert. Omar alluma un feu à sa mesure. Puis, tandis que l'ombre descendait rapidement, tous les hommes noirs s'accroupirent autour du brasier et se mirent à faire rôtir lentement sur la pointe de leurs couteaux les quartiers de viande rose. Un peu en retrait, Philippe et Mordhom s'étaient assis sur des monceaux d'herbes que, avant tout autre travail, Omar et Moussa avaient coupées pour eux.

La fraîcheur du soir, le recul qui commençait à se faire de leur aventure mêlée, les exorcisaient peu à peu de leur exaltation, les rendaient à eux-mêmes. Le jeune homme dit à mi-voix :

— Vous savez, Daniel, j'ai l'impression de sortir d'un songe, d'avoir rêvé que je vivais les histoires que je lisais dans mon enfance. Je le regrette déjà.

— Mais nous recommencerons!

— Ce ne sera plus la même chose. C'était la première fois.

Il y eut un silence. Et Mordhom déclara pensivement :

— Pour moi aussi, c'est la première fois que je suis riche. Je le voulais. Et voilà que j'en suis plutôt triste. Que ferai-je maintenant?

Son regard tomba sur les Noirs qui rêvaient autour du feu, attentifs à leurs étranges broches.

— Ceux-là, reprit Mordhom, ils ont l'air, a chaque instant, de savoir pourquoi ils vivent.

— Écoutez, Daniel. L'autre matin, j'ai beaucoup pensé aux hommes de ma caravane. Je veux qu'ils soient aussi heureux qu'ils peuvent l'être. Tous les trois : Haïlé, Omar, Moussa. Que pourrais-je faire pour eux? Attendez... Pour Moussa, je sais ce qu'il ne sait pas lui-même. Il aime Yasmina. On peut la lui donner, n'est-ce pas?

— Certes. Elle est à vous puisque Igricheff et Youssouf vous l'ont laissée.

— Alors, ce sera son troisième maître... Et de beaucoup le meilleur. Je suis content. Je les établirai comme ils voudront. Et Omar? Comment le récompenser?

— Je ne vois qu'un seul moyen : gardez-le.

— Vous ne plaisantez pas?

— Et en quoi donc? Son bonheur est de servir un maître tel que vous.

— Mais quelle chance j'ai! s'écria Philippe, quelle chance! L'idée de me séparer de lui me faisait vraiment mal. Quant à Haïlé, c'est simple. Je lui achèterai des mulets tant qu'il en voudra et il pourra devenir entrepreneur de caravanes. N'est-ce pas une bonne idée?

— Excellente. Moi qui le connais bien, je n'aurais pas trouvé mieux.

Il y eut un nouveau silence.

— Et maintenant que vous avez disposé de leur sort à tous, demanda soudain Mordhom, avez-vous pensé à moi?

Philippe resta interdit quelques instants par cette question, car nul n'aurait pu définir si elle était empreinte d'ironie ou de tristesse.

— Mais, voyons, Daniel, dit-il enfin, je suis à vous, comme vous le savez.

— Alors, voici ce que nous ferons, s'écria Mordhom avec une animation singulière : je présente mon reçu à Saïd, il me compte l'argent (à cet égard, il est

305

irréprochable), et nous partons pour la France. Oui, vous avez bien entendu, pour la France. J'ai rêvé plus d'une fois d'y passer quelques semaines, riche et avec un ami. Riche, je le suis. Un ami, je l'ai. Je vous ai assez montré la mer et la brousse. A votre tour de me piloter à travers des plaisirs plus délicats.

— Avec quelle joie!

— Puis, si vous le voulez, nous reviendrons par ici. Je ferai construire un beau bateau, solide, fin, qui remonte bien dans le vent, je prendrai plus de matelots et nous ferons de grandes choses.

Philippe eut de nouveau son rire qui était une manière de chant.

— Vous parlez comme Igricheff, dit-il. A propos, vous lui en voulez toujours? Vous auriez tort. Dans le combat contre les Issas, il m'a tout de même sauvé la vie. Et pour l'abane, il avait vu plus clair que moi. Et puis...

— Ne continuez pas. Je sais que je n'ai pas été juste. Il m'avait prévenu. Au fond, je l'admire. C'est un homme que son destin mène sans qu'il le discute. Il est capable de conquérir le Haoussah. Il est capable aussi de revenir mutilé chez moi à Dakhata et de s'y engourdir dans l'opium. Il est capable de tout. C'est un homme étonnant.

— Étonnant, répéta Philippe.

Ils allumèrent des cigarettes et pensèrent au bâtard kirghize qu'ils avaient vu surgir tous deux, monté sur Chaïtane et suivi de Hussein, le chaouch, près de Taïf en flammes.

Omar interrompit leur rêverie en leur présentant les quartiers les plus succulents des dig-digs. Ils mangèrent lentement, savourant chaque bouchée. Quand ils eurent achevé, le jeune Somali s'approcha de Philippe :

— Demain, nous serons au boutre, dit-il tristement.

— Eh bien?

— Tu vas me quitter, mon chef.

— Écoute bien, Omar. Où que j'aille, si tu veux rester avec moi, tu seras mon boy.

Un bond de danseur fou porta la tête d'Omar jusqu'aux branches du mimosa sous lequel avaient devisé Philippe et Mordhom, puis elle s'abattit sur les mains du jeune homme.

« Il ne faut pas que Moussa soit jaloux de sa joie », pensa Philippe.

Et il appela l'hercule noir :

— Dis-lui, Omar, ordonna-t-il, que je lui donne Yasmina pour servante et pour femme.

Il fallut que Mordhom lui-même traduisît ces paroles pour que Moussa les crût. Alors, ses paupières battirent rapidement comme si un éclair l'éblouissait, puis, sans un mot, il s'agenouilla devant Philippe et colla longuement ses lèvres aux chevilles du jeune homme.

Le feu agonisait avec douceur. Mordhom, Philippe et tous les Noirs, même Djamma qui était de garde, dormaient profondément. Tous sauf Moussa. Dans sa vaste poitrine, trop de joie bourdonnait pour qu'il pût céder au sommeil. Il regardait danser les dernières flammes et rêvait à Yasmina. Puis il détournait un peu la tête, contemplait les troncs des jeunes arbres et avec un dévouement éperdu, une tendresse qui semblait lui fondre la moelle, il pensait à Philippe aux pieds duquel il était couché.

La nuit tremblait comme une onde infinie entre la terre obscure et le ciel scintillant. Le feu s'éteignit. Des images confuses passaient devant les yeux de Moussa immobile. L'une d'elles prit la forme d'un serpent qui se détacha des buissons, avança vers Philippe. Moussa n'y fit guère plus attention qu'aux autres. Mais un pâle reflet passa dans l'ombre et il y eut un râle étouffé. Sans savoir ce qu'il faisait, Moussa se rua, étreignit un corps. A tout autre qu'à lui, cette sorte de couleuvre huileuse eût échappé. Mais personne ne pouvait se libérer des bras de Moussa. Il tenait l'homme contre lui et si fort que l'autre ne pouvait remuer un membre. Quand il le sentit impuissant, Moussa clama :

— Mon jeune chef, réponds, mon jeune chef!

En une seconde, tout le camp fut debout. Aux braises une torche fut allumée. Mordhom la porta au visage du prisonnier et cria :

— Gouré!

Ayant reconnu le tueur, il s'abattit près de Philippe, sans espoir. Un coup d'œil lui suffit pour voir que, malgré l'obscurité, le poignard de Gouré était allé droit à la carotide.

— Philippe, mon ami, mon ami, dit-il d'une voix si vide, si hébétée qu'elle parut celle d'un autre.

Et il demeura inconscient à regarder fuir, fuir le sang de la blessure qui, déjà, avait tué. Mais quand le sang fut tari, il se releva, terreux de haine, et marcha sur Gouré qui gisait ligoté.

— Mon fusil! cria-t-il. Pour cette hyène.

Le tueur contemplait le canon braqué sur lui sans cligner d'un œil.

— Non, ricana soudain Mordhom, ce ne serait pas payé.

Il se recueillit un instant, puis :

— Moussa et Omar, vous étiez les meilleurs serviteurs du jeune maître. Cet homme qui a tué, la loi du talion veut que je vous le donne. Faites-lui ce qu'il vous a fait.

L'athlète issa et le jeune Somali dirent en même temps :

— Il nous a pris notre cœur.

— Suivez la loi.

Ils se penchèrent sur Gouré dont la figure fléchit un peu. Et, dans ce fléchissement, Mordhom et les deux Noirs goûtèrent leur vengeance.

Omar enfonça lentement son couteau entre les côtes du meurtrier, élargit la plaie, Moussa y plongea sa main invincible, déchira les chairs, arriva jusqu'au cœur, le saisit. Les battements se répercutèrent dans tout son bras. Il gémit de plaisir et, d'un mouvement sauvage, l'arracha.

Ainsi périt Gouré, le tueur, ayant égorgé sa vingtième victime.

Et ce fut la dernière nuit de la caravane.

12

FORTUNE CARRÉE

UN étrange convoi quitta, le matin suivant, Boullakhta. En tête, marchait un athlète noir qui portait, serré contre sa poitrine, comme il eût fait d'un enfant, un corps inanimé. Derrière, venaient côte à côte un homme au visage osseux, au torse fauve, et un jeune garçon noir rompu de sanglots. Puis, suivaient d'autres hommes à la peau sombre, aux visages farouches. Tous étaient armés de fusils, de poignards. Tous se taisaient. Et ce silence dura des heures. Il dura tout le temps qu'il fallut à la troupe lente pour contourner la montagne côtière, pour revenir à l'enfer sublime du lac Assal, pour descendre à mi-chemin du Gubbet-Kharab. Là, s'étendait une plate-forme où poussaient des fleurs jaunâtres. Autour d'elle s'amoncelaient les galets funèbres. En bas brillait la mer.

— Ce sera là, dit pesamment Mordhom.

Moussa se plia doucement, doucement, posa le corps de Philippe sur l'herbe et sur les pâles fleurs. Puis, tantôt avec son poignard, tantôt avec ses mains, il se mit à creuser une fosse. Omar l'aidait.

Sans un geste, le regard perdu vers il ne savait quel point, Mordhom ne pensait à rien. Mais une vision s'était logée au creux de son cerveau dont il ne pouvait se défaire et lui faisait à l'intérieur de la tête une brûlure sourde. C'était avant-hier, à peu près à la même heure. Philippe courait sur cette esplanade. Comme il courait bien! Quelle détente heureuse dans tout le corps! Quel rayonnement dans tout le visage! Et cela parce qu'il allait à lui, Mordhom.

Oui, ça devait être là, au terme de l'exploit de Philippe, au lieu de leur rencontre... Ça devait être là, et pas dans la brousse, ni dans la mer, ni dans une ville. Comme il courait bien sur cette plate-forme!...

— C'est prêt, maître, murmura Moussa humblement.

Mordhom ordonna, sans se retourner et d'une voix sans timbre :

— C'est bien. Couche-le, couvre-le et mets dessus beaucoup de pierres, beaucoup, à cause des hyènes.

Ce mot lui fit plisser douloureusement le front à la recherche d'un souvenir confus et il murmura en français :

— Cette nuit, nous en avons tué une.

Mais cette pensée s'évanouit aussitôt parce qu'il voyait courir à lui Philippe. Il entendait sans comprendre les gémissements plaintifs d'Omar, les rauques sanglots de Moussa.

Lui, avait les yeux plus secs que la terre du désert à midi et il avait dans la gorge, dans la poitrine, la sensation d'une aridité intolérable. Il porta sa gourde à ses lèvres. L'eau était fraîche, mais ne rafraîchit rien en lui.

Quand fut achevé le grossier monument sous lequel Philippe était étendu, Mordhom le sentit au silence qui s'établit de nouveau. Alors il se mit à descendre très vite vers le Gubbet-Kharab, parce que Philippe dévalait la pente devant lui, criait : « La mer, la mer! » et arrachait ses vêtements. Les deux jumeaux et le houri l'attendaient sur la grève. Il s'assit dans l'embarcation et dit :

— Pagayez.

Les matelots voulurent lui demander s'il n'attendait pas le jeune maître. D'un doigt posé sur sa bouche, le vieux Faradda arrêta la question. Avec Omar et Moussa, il prit place auprès de Mordhom. Celui-ci grimpa plus agilement que personne sur le pont de l'*Ibn-el-Rihèh*. Il savait que, à l'ombre de la voile, mangeait Philippe, nu, ruisselant et heureux. Mais lorsque le houri eut ramené à bord Haïlé et les deux autres Danakils et qu'Abdi, le front bas, vint lui demander ses ordres, Mordhom, tout à coup, ne vit plus Philippe. En même temps, sa poitrine fut libérée de la sensation d'aridité brûlante, mais il lui sembla que quelqu'un la remplissait de pierres noires, de plus en plus grosses, de plus en plus lourdes, qui allaient la défoncer. Il serra les dents et chuchota en arabe :

— Tiens bon, tiens bon... Il le faut... A cause des hyènes.

Les matelots le regardèrent intensément. Et le respect infini mais naturel qu'ils portaient toujours sur leur visage pour Mordhom fit place au respect mystique dont, en Orient, on honore la démence. Abdi commanda la manœuvre d'appareillage. Puisque le maître n'avait plus sa raison, c'était son devoir de le ramener chez lui au plus vite. La chaîne d'ancre grinça. La brise fit frémir la grand-voile, Abdi se dirigea vers le gouvernail, mais Mordhom l'arrêta.

— Tu sais bien qu'entre les îles du Diable, la passe est dangereuse, dit-il, ainsi que le goulet du Gubbet.

Il prit la barre d'une main ferme, fit glisser le boutre avec une précision parfaite parmi les récifs foisonnant dans l'étroit chenal qui séparait les deux îlots noirs. Il mit le cap droit sur le détroit du Gubbet-Kharab et se tint rigide. On eût dit un barreur de pierre. Personne, sur le boutre, n'osait tourner les yeux vers lui. Comme l'*Ibn-el-Rihèh* débouchait dans le golfe de Tadjourah, Mordhom, ainsi qu'il le faisait toujours, appela Abdi et lui remit la barre. Puis il descendit dans sa cabine, tomba sur sa couchette. S'était-il endormi, s'était-il évanoui? — il ne le sut jamais.

Quand il sortit de cette léthargie, il faisait obscur. Mordhom monta sur le pont et, à la disposition des feux de la côte, comprit que l'équipage avait mouillé pour la nuit devant Tadjourah.

— C'est très bien, se dit-il. D'autant plus que j'avais promis à mes guides de les débarquer là. Abdi est précieux.

Soudain, avec la même lucidité, il pensa :

— Philippe est mort.

Et seulement alors, il comprit ce que cela voulait dire.

— Moussa, Omar! cria-t-il d'une voix effrayante.

Deux ombres se levèrent de l'avant du boutre et vinrent à Mordhom en tremblant. Mais lui grelottait plus fort qu'eux encore.

— Moussa, Omar, reprit-il plus bas, mes amis, dites-moi comment tout s'est passé.

Dans une plainte furieuse, les deux serviteurs de Philippe racontèrent le meurtre, le châtiment du talion, les heures que Mordhom avait passées prostré contre le cadavre, le départ de Boullakhta, l'ensevelissement.

— J'ai mis beaucoup de pierres, murmura Moussa, comme tu l'avais dit, à cause des hyènes.

— Tais-toi, tais-toi, chuchota impérieusement Mordhom. Je ne veux plus. J'ai été loin, très loin, à la limite.

— Tu vas mieux, maître, dirent en même temps Omar et Moussa en lui baisant les mains.

Mordhom posa ses paumes sur les têtes crépues et pour la première fois depuis son réveil à Boullakhta, il eut un léger sentiment de détente. Il dit très lentement :

— Comme il vous aimait tous les deux!

— Il était trop blanc pour vivre, assura Omar avec une conviction profonde.

— C'est vrai, dit Moussa.

Mordhom les laissa regagner leur place sans ajouter un mot. Mais, quand il fut seul, il répéta indéfiniment :

— Il était trop blanc... Il était trop blanc...

Jusqu'au matin, il arpenta le pont étroit. Personne ne l'entendit ni pleurer, ni gémir, ni même soupirer. Seulement, son pas était souvent très rapide, comme s'il fuyait quelqu'un.

La brise était favorable, l'*Ibn-el-Rihèh* se balança à midi dans le port d'Obock.

Cette ville qui, avant Djibouti, avait été la résidence des gouverneurs de la côte des Somalis, n'était plus qu'un monceau de ruines. Les murs de pisé s'étaient tous effondrés, entraînant les toits. Dans les cours, une population de pêcheurs misérables avait élevé des huttes en branchages à claire-voie et recouvertes de paille. Des moutons squelettiques vaguaient à travers les rues, des poulets picoraient dans les ordures.

En lisière de ce hameau sordide et donnant sur la plage, une seule maison intacte s'élevait. C'était celle que Mordhom avait consolidée, surélevée d'un étage, entourée d'une vaste terrasse. Il chérissait Dakhata pour sa vallée bénie, mais il respirait mieux à Obock, parce que là palpitait la mer. Tout, dans sa demeure, en portait l'empreinte. L'étage supérieur, meublé de quelques angarebs, avait été calculé de manière à voir de tous côtés vivre les flots. Le bas était plein de filins, de pièces de bois, d'épaves, de chaînes et d'ancres rouillées, de voiles déchirées. Une petite bombarde achevait de lui donner l'aspect d'un antre de pirate.

Telle était la demeure préférée de Mordhom. Il y passa la semaine la plus atroce de son existence.

Pendant dix ans, il avait cherché, sans le savoir, quelqu'un à protéger, à défendre, à chérir. Philippe était venu, Philippe l'avait aimé, s'était fait aimer, Philippe n'était plus. Et sa mort empoisonnait tout ce qui avait fait la vie solitaire de Mordhom, tous les éléments dont il avait formé son âpre refuge. De quelque côté qu'il se tournât, tout lui manquait. Son bateau? Philippe y avait connu la plus molle des paresses, la plus furieuse des tempêtes. Dakhata? Là-bas, Philippe l'avait écouté, compris. Et ce geste... ces mains sur ses épaules... La brousse? Le désert? Ils avaient valu à Philippe la plus pure, la plus orgueilleuse, la plus virile de ses joies. Et puis, ils l'avaient tué.

Non, tout cela était flétri, tari, en cendres. Mais comment vivre alors? Pendant sept jours mortels, Mordhom chercha. Partout, il lui semblait se heurter à des grilles ardentes. Et peu à peu la conviction s'imposa à lui qu'il devait quitter le bassin de la mer Rouge. Il y deviendrait fou, c'était certain. N'avait-il pas déjà été à un fil de la démence? Oui, il quitterait cette terre, cette mer qu'il avait aimées de toutes ses cellules et qu'il ne pouvait plus supporter.

Pour combien de temps? Qu'importait! Il était riche. Il irait traîner sa fatigue intérieure en Europe. Par une singulière dérision, les pays civilisés d'où était venu Philippe étaient les seuls où il n'aurait pas un souvenir de lui. C'était là qu'il fallait se réfugier, attendre...

Cette décision une fois prise, il envisagea avec son énergie habituelle les moyens de l'exécuter le plus rapidement possible. Un paquebot partait dans dix jours de Djibouti pour Marseille. D'ici là, il avait le temps de monter au Harrar, de remettre le reçu à Saïd, de toucher l'argent... de venir prendre quelques objets à Obock.

Le matin qui suivit l'établissement définitif de ces calculs, il réunit autour de son angareb ses matelots et les caravaniers de Philippe.

— Je m'en vais en France et peut-être pour toujours, leur dit-il. Avant, je veux accomplir les volontés de mon ami mort. Moussa, tu as déjà Yasmina. Je te donne en plus, de moitié avec Omar, mon domaine de Dakhata. Haïlé, je t'achèterai cinquante mulets de bât et dix mulets de selle. Vous prendrez ce soir le train avec moi jusqu'à Dirrédaoua. Tout se réglera là-bas.

Il prit un temps et continua :

— Toi, mon vieil Abdi, tu prendras cette maison et le boutre, à condition de partager les profits que tu tireras de l'*Ibn-el-Rihèh* avec Ali Mohamed, Ali Boulaos et le mousse. Vous, je vous reverrai avant mon départ. Omar, Haïlé, Moussa et Yasmina, tenez-vous prêts. La vedette pour Djibouti quitte le port dans une demi-heure.

Mordhom passait sa dernière soirée dans la maison d'Obock. Le lendemain, l'*André Lebon* l'emporterait vers la Méditerranée. Tout s'était réglé ainsi qu'il l'avait voulu. Saïd avait payé. Omar, Moussa et Haïlé étaient établis selon les désirs de Philippe. Maintenant, appuyé au rebord de sa terrasse, Mordhom regardait *sa* mer sous le crépuscule.

— On dansera demain, murmura-t-il machinalement.

Les lames étaient encore courtes et panachées d'une écume légère, mais le vent qui s'amplifiait sans cesse depuis le début de l'après-midi allait bientôt les creuser, les étendre, les couvrir d'une neige bouillonnante. Et toute la nuit, Mordhom le savait, il ne ferait que croître et déchaîner l'océan.

— J'aurai peut-être le mal de mer, sur cet autobus, grommela Mordhom en pensant au grand paquebot avec un mauvais sourire.

Puis il s'abîma dans un rêve sans forme. Des pieds nus firent craquer les planches mal jointes de la terrasse. Mordhom se retourna.

— Ah! vieil Abdi, c'est toi, dit-il. Tu viens me dire au revoir à la maison. Je t'attendais. Mais la vedette s'en va dans une heure seulement.

— Maître, mon maître, ne prends pas la vedette, ne prends pas le paquebot.

Jamais Mordhom n'aurait cru que l'émotion et la souffrance pussent altérer à ce point la voix grêle d'Abdi, ravager son visage ingrat.

— Je n'ai plus le courage de me taire, pleurait le

vieux matelot. Aie pitié, maître. Rappelle-toi... les coups de mer... les belles îles... les criques...

— Tais-toi! cria brutalement Mordhom.

Une douleur aiguë venait de le traverser tout entier. Pourquoi, dans cette voix chevrotante, dans ces traits d'eunuque, renaissaient tout à coup tant d'images et tant de sortilèges dont il ne voulait plus? Ils étaient morts avec Philippe. Pourtant Mordhom ne put s'empêcher de penser :

« Dix ans de mer ensemble! C'est mon plus vieil ami. »

Abdi pencha plus bas encore sa tête rase, ses oreilles décollées et murmura :

— Écoute-moi, mon maître, écoute-les.

— Qui?

— Les autres du boutre, les frères Ali, le mousse. Ils n'osent entrer.

Mordhom jeta un regard vers sa chambre. Sur le seuil se tenaient les jumeaux et l'enfant.

— Allez-vous-en, vous... cria Mordhom. Je ne veux...

Le hurlement d'une rafale soudaine l'arrêta net. Son cœur battit en désordre. Une autre bourrasque passa en grondant. La tempête se levait plus tôt encore qu'il ne l'avait cru. Et le vieux démon se saisit de lui. Il eut envie de lutter contre la mer folle et contre la furie du ciel. Il lui sembla entendre, dans le vent, siffler les aspics de sa détresse. Pourquoi ne se battrait-il pas contre tous ces adversaires réunis? Mais alors, il fallait les affronter sans attendre un instant.

Mordhom regarda profondément Abdi.

— Le boutre appareille tout de suite, dit-il.

— Y penses-tu, maître? Le temps sera plus mauvais encore que la dernière fois.

— Tant mieux... Non, ne pense pas que je veux me tuer. Je ferais cela tout seul. Non, je passerai à travers encore. Je ne suis pas trop blanc, moi. Patience, je serai bientôt comme le Kirghize, comme le Chinois. Va vite.

— Et où irons-nous, maître?

316

— Avec le vent.
— Quelle voile?
— Celle de la tempête.

Quand tout fut prêt, Mordhom prit la barre. La fortune carrée claqua contre le mât.

Imprimé en France par CPI
en août 2018

POCKET - 12, avenue d'Italie - 75627 Paris Cedex 13

N° d'impression : 2038688
Dépôt légal : 4ᵉ trimestre 1996
Suite du premier tirage : août 2018
S12880/14